KT-404-216

Woody Allen
Rétrospective

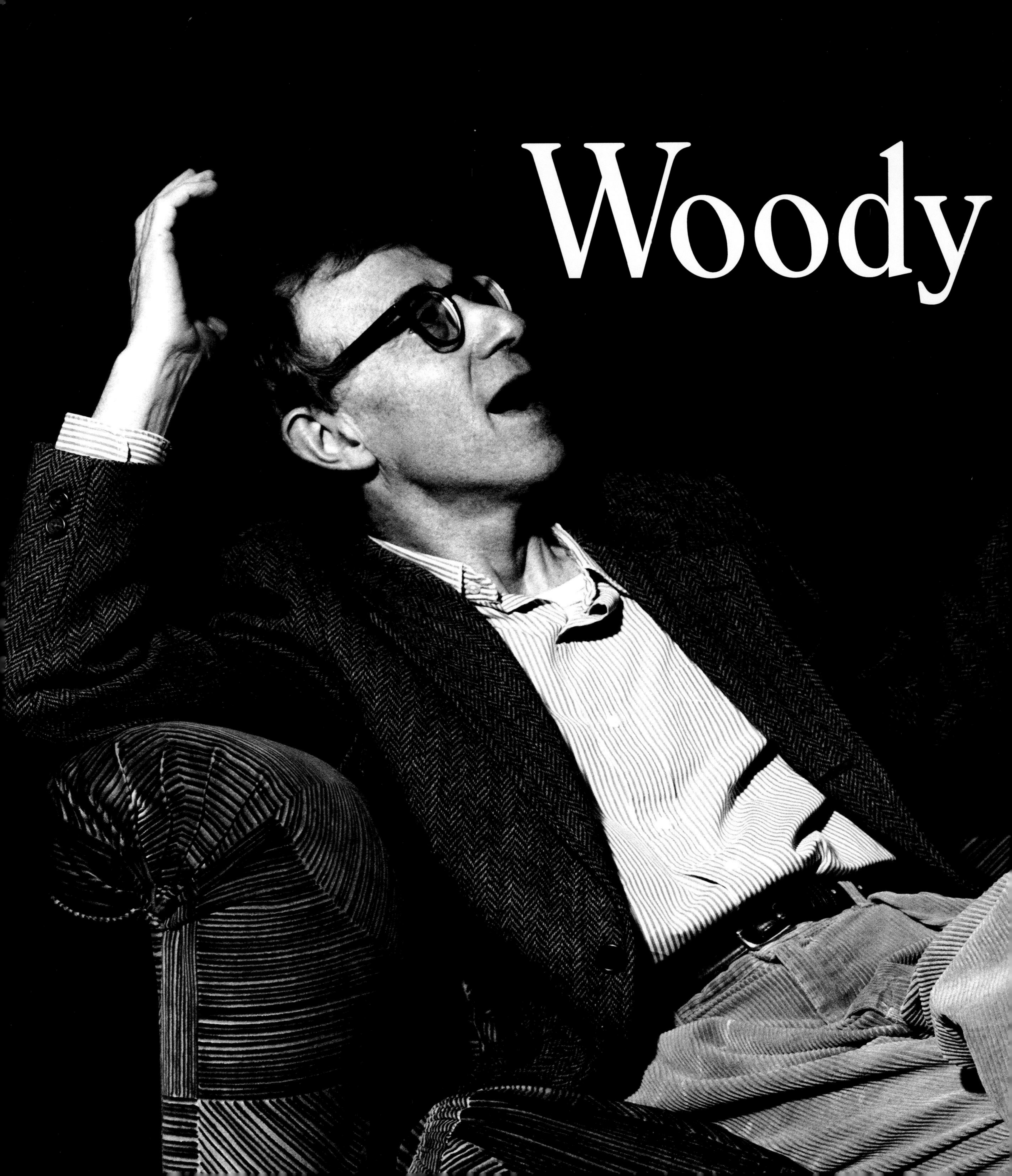

Woody

Allen
RÉTROSPECTIVE
TOM SHONE

Ouvrage conçu et réalisé par Palazzo Editions Ltd, 2 Wood Street, Bath BA1 2JQ (Royaume-Uni) – www.palazzoeditions.com

Couverture : John Gall

ISBN : 978-2-324-01111-5
Dépôt légal : octobre 2015
Imprimé en Chine par Imago
Adaptation française : Nadia Fischer
Texte original : Tom Shone
Direction artistique et maquette : Bernard Higton
Éditeur : James Hodgson
Iconographie : Emma O'Neill
Suivi éditorial : PaOh ! – Dole (39)

Note de l'auteur
J'aimerais remercier Woody Allen, qui a gracieusement accepté de répondre à mes questions pour cet ouvrage ; Leslee Dart pour son aide ; le *Sunday Times*, pour m'avoir envoyé interviewer Allen à Paris en 1997 ; Elle, pour m'avoir de nouveau mis en contact avec le réalisateur en 2011 ; Rachel McAdams pour ses observations sur le tournage de *Minuit à Paris* ; et Eric Lax, dont la biographie et le recueil d'entretiens avec le cinéaste ont constitué une ressource inestimable.
Autres documents précieux : *The Complete Prose of Woody Allen*, Woody Allen ; *The Reluctant Film Art of Woody Allen*, Peter J. Bailey ; *Woody Allen on Woody Allen*, Stig Björkman ; *Woody Allen: Interviews*, rassemblées par Robert E. Kapsis et Kathie Coblentz ; *Then Again*, Diane Keaton ; *What Falls Away*, Mia Farrow ; *Woody: Movies from Manhattan*, Julian Fox ; *Woody Allen on Location*, Thierry de Navacelle ; *When the Shooting Stops... The Cutting Begins*, Ralph Rosenblum ; *Woody Allen*, Richard Schickel ; *The Films of Woody Allen: Critical Essays*, rassemblés par Charles L. P. Silet ; et *Critical Mass,* James Wolcott.

Tom Shone a été le critique de cinéma du *Sunday Times* à Londres, avant de s'installer à New York. Auteur de plusieurs livres, il écrit régulièrement pour le *New York Times, Vogue, The Economist,* le *New York Magazine, Slate, Intelligent Life*, le *New Yorker*. Il enseigne l'histoire du cinéma à la New York University.

Pages 2-3 : Portrait, par Nicholas Moore, 2003.
Voir les crédits photographiques page 287 pour les droits de reproduction.
Première de couverture : © Arnold Newman/Getty Images.
Citation quatrième de couverture :
On Being Funny: Woody Allen and Comedy par Eric Lax
(New York : Charterhouse, 1975).

Sommaire

« J'aime écrire parce c'est une activité calme, que l'on fait seul, à son rythme. Faire un film est bruyant. » Portrait par Arnold Newman, 1996.

Introduction

Homme d'habitudes à l'emploi du temps bien réglé, Woody Allen aime se lever tous les matins à 6 h 30. Il emmène ses enfants à l'école puis fait un bref passage sur son tapis de course avant de s'asseoir devant sa vieille Olympia SM-3, la machine à écrire achetée à l'âge de seize ans et toujours en état de marche. En fait, la position assise n'est pas sa préférée pour écrire : il s'installe plus volontiers sur son lit à baldaquin dans son bureau, sauf s'il collabore avec un autre auteur, auquel cas il s'installe au salon. « J'arrivais et, plusieurs heures durant, on travaillait », témoignera Douglas McGrath, son collaborateur sur *Coups de feu sur Broadway.* « Vers seize heures, l'énergie nous désertait, et on s'affaissait dans nos fauteuils. Quand le soleil se couchait, la silhouette du West Side remplaçait ce que je voyais de ses yeux. Je devinais l'heure qu'il était au reflet sur les lunettes de Woody. »

Le temps qu'il lui faut pour écrire un scénario est variable. « En moyenne, j'écris plus vite les comédies car elles me viennent plus naturellement, mais il n'y a pas de durée précise », m'expliquera-t-il. « J'ai écrit des scripts en un mois, des drames en deux mois, certaines comédies, en trois. Cela varie, même si je constate qu'en général, les comédies avancent plus facilement pour moi. » De la même manière, la préproduction file à toute allure, environ deux mois, durant lesquels la directrice de casting, Juliet Taylor, lui soumet une longue liste d'acteurs potentiels pour chaque rôle. Les auditions sont notoirement brèves. Pauses et hochements de tête inclus, le tout peut être bouclé en une minute. « Il ne faut pas se vexer », explique Juliet Taylor. « Il fait ça avec tout le monde ».

« J'ai eu droit à la fameuse conversation de trois minutes lorsqu'il m'a proposé le rôle », témoignera Rachel McAdams, qu'Allen enrôle pour *Minuit à Paris* après l'avoir vue dans *Serial noceurs.* « Il m'a dit, 'Bon, si vous ne voulez pas le boulot, on fera quelque chose d'autre plus tard.' Je ne savais pas s'il m'offrait le rôle ou s'il me laissait une porte de sortie au cas où je le refuserais. Mais moi, je le voulais, ce rôle ! J'étais très contente de participer à son film. C'est marrant, on entend tellement d'histoires ridicules à son sujet. 'Il déteste le bleu ! Ne portez jamais de bleu devant lui !' Et à un moment donné, je porte un corsage clairement bleu. Quand la costumière me l'a mis, j'ai dit, 'Mais il déteste le bleu, qu'est-ce que vous faites ? Je dois porter autre chose.' Et elle me répond, 'En fait, c'est un gris-bleu.' Nous avons donc débattu pour déterminer à quel point ce bleu était bleu, et en fin de compte, je suis sûre qu'il n'a même pas remarqué ma présence ce jour-là. »

Sur le plateau, c'est une sorte de chaos silencieux. En fait, tout est si calme qu'on peine à croire qu'il puisse s'y tourner une comédie. Ce n'est pas lui qui crie 'Action !' ou 'Moteur !' mais son premier assistant. Entre deux prises, plongé dans une partie d'échecs avec ses techniciens, Allen se tient à l'écart de ses acteurs. Il les observe, réfléchit, et émet parfois quelques suggestions, surtout pour les encourager à s'éloigner de leur texte. « Vous savez, je reste dans mon lit à écrire les

« Je n'irais pas jusqu'à parler de génie,
mais j'ai parfois de brusques flashs. »

dialogues, mais la première chose que je dis aux acteurs est, 'Oubliez le texte' » me confiera Allen lors de notre première entrevue au milieu des années 90. « Il ne donne pas beaucoup d'indications, et il donne beaucoup de liberté », soulignera McAdams. « J'avais parfois l'impression de me retrouver sur les planches. Il mettait la scène en place, éclairait la pièce d'une lumière magnifique, et on pouvait se déplacer partout et saisir n'importe quel accessoire ; on pouvait allumer une cigarette. Il disait, 'Si tu penses que ton personnage pourrait faire ça, alors fonce.' »

Allen découpe ses séquences aussi peu que possible, préférant les contruire à partir de longs plans-séquences, parfois filmés caméra à l'épaule. « Ne garde pas le meilleur de toi-même pour les gros plans : il ne va en tourner aucun », conseillera Michael Caine à Gena Rowlands après le tournage d'*Hannah et ses sœurs*. De temps à autre, le réalisateur remplace un acteur quand cela ne fonctionne pas, comme Michael Keaton pour *La Rose pourpre du Caire*, mais dans l'ensemble, il s'avère davantage enclin à déceler ce qui ne va pas dans son scénario que dans le jeu des comédiens. Il réserve toujours une partie du budget pour les prises supplémentaires, voire parfois pour des séquences totalement inédites. Ainsi, le second repas de Thanksgiving dans *Hannah et ses sœurs* sera écrit au débotté, lorsque le cinéaste se rend compte que le film y gagnera en équilibre. De ce fait, la réalisation lui procure le même niveau de contrôle que l'écriture, où l'œuvre finale passe par une succession de brouillons. En d'autres termes, il s'offre le luxe du revirement. « J'ai toujours vu la réalisation de films comme une façon d'écrire avec de la pellicule », explique-t-il. « A mes yeux, c'est comme d'écrire avec une machine à écrire, sauf que l'on manie une substance différente. Quelqu'un accepte de me financer, sachant d'après ma réputation ce qu'il faut attendre de moi et quels sont les écueils, et après avoir mis l'argent à la banque, je me pointe quelques mois plus tard avec un film. Ils ne voient jamais de script ni n'interfèrent avec le projet, même si, bien évidemment, par simple courtoisie, je les tiens informés de la distribution et des lieux de tournage, mais c'est à peu près tout. »

Le marché initial passé par ses agents Jack Rollins et Charles Joffe avec United Artists aura nécessité une certaine dose de vigilance – dans le paysage cinématographique accidenté d'aujourd'hui, Allen aura dû se battre, et passer de Miramax, à DreamWorks, à Fox, comme tout autre cinéaste indépendant – mais les grandes lignes demeurent inchangées. Il faut remonter à Charlie Chaplin pour trouver un comédien maître à ce point de son propre destin, et encore : Chaplin ne peut pas vraiment tenir la comparaison. Si Chaplin avait survécu à la transition vers le parlant, évolué avec succès de comédien à auteur, réussi à se remplacer dans ses propres films, et prolongé sa carrière cinématographique sur cinq décennies – contre deux pour Chaplin – alors son accomplissement aurait pu mériter la comparaison. Vanity Fair a un jour demandé « Combien de

Films Remarquables faut-il pour Obtenir la Réputation de Grand réalisateur ? » Terrence Malick s'assurera la célébrité avec deux films (*La Balade sauvage, Les Moissons du ciel*) ; Martin Scorsese, trois (*Mean Streets, Taxi Driver, Raging Bull*) ; Francis Ford Coppola, trois (*Le Parrain, Le Parrain II, Apocalypse Now*) ; Robert Altman, trois (*M.A.S.H., John McCabe, Nashville*). Allen, lui, a réalisé au moins dix films de cet acabit – *Annie Hall, Manhattan, Zelig, La Rose pourpre du Caire, Hannah et ses sœurs, Maris et femmes, Meurtre mystérieux à Manhattan, Coups de feu sur Broadway, Blue Jasmine* – et peut se vanter d'une liste de seconds couteaux tout aussi épatants : *Woody et les robots, Guerre et Amour, Stardust Memories, Broadway Danny Rose, Crimes et délits, Accords et désaccords, Match Point, Vicky Cristina Barcelona.*

Ce jugement surprendra sans doute ceux dont l'opinion se trouve polluée par la spéculation médiatique autour de sa vie personnelle. On l'a déclaré « sur le retour » plus de fois qu'il ne semble raisonnablement possible. Son omniprésence même lui confère une certaine forme d'invisibilité et rend cette productivité un peu fastidieuse à étudier. On parle de « Woody » comme d'un édifice remarquable ou un site touristique incontournable or, s'il a sorti pratiquement un film par an au cours de ces cinquante dernières années, il reste pourtant tout à fait absent des pages du *Nouvel Hollywood*, l'essai de Peter Biskind sur l'âge d'or du cinéma, à la fin des années 60 et 70, lorsque des réalisateurs indépendants comme Altman, Scorsese ou Coppola, exaltés à parts égales par leur consommation d'herbe et par l'école française, prennent d'assaut la citadelle hollywoodienne et livrent des chefs d'œuvre à la pelle – caméra à l'épaule, jump cuts godardiens, narrateur omniscient, et accès d'improvisation qui osent bousculer l'obsession américaine pour le *happy ending*. Mais assez parlé d'*Annie Hall*.

L'affect a voilé notre opinion de ce film : il ne s'agit pas d'une comédie romantique modèle, bien au contraire. Dans ce constat amer de la fugacité de l'amour, tout est balancé à la tête du spectateur – split-screens, cadres vides, cadres noirs, sous-titres, brusques passages d'animation – tout comme les deux protagonistes, qui jacassent sans cesse et peinent à trouver un accord parmi les notes affolées de cette partition mentale de jazz. Avant l'arrivée d'Allen, les comédies ne ressemblaient en rien à des films de Jean-Luc Godard. Comme Allen le soulignera lui-même, « La plupart des belles choses sont des choses qui ne font pas rire. » L'*esthétique* de la comédie – son statut d'artefact, d'œuvre cinématographique – ne constituait pas jusque-là une préoccupation première chez les réalisateurs. Personne n'évoque la mise en scène des Marx Brothers. Les apprentis cinéastes n'étudient pas Chaplin pour s'initier à la composition. La comédie hollywoodienne de base, lorsque Allen commence dans le métier, est filmée et éclairée comme un show-room de concessionnaire automobile : lumineuse et bien carrée, en plan américain, pour que tout soit bien visible.

Ci-contre : Créer l'illusion. Portrait par Arthur Schatz, 1967.

Page suivante : Dix des meilleurs films d'Allen, couvrant plus de trois décennies – depuis *Annie Hall*, en 1977, jusqu'à *Blue Jasmine*, en 2013.

« Je ne vois aucune raison à ce que les comédies ne puissent pas être aussi jolies », insiste Allen, qui engage alors Ghislain Cloquet, un directeur de la photo ayant travaillé avec Jacques Demy et Robert Bresson, pour filmer *Guerre et Amour*, puis Gordon Willis, le directeur de la photo du *Parrain*, pour *Annie Hall*. C'est le début d'une incursion dans la composition moderniste qui trouvera son apogée avec *Manhattan*. « La photographie, c'est *le* support », insiste-t-il.

Il a beau faire figure d'ovni parmi la galerie des francs-tireurs et des sales mômes du cinéma hollywoodien des Seventies – un ballot à lunettes en pleine orgie, la mine déconfite par le deuil de l'âge d'or finissant des Etats-Unis, celui de Cole Porter et des Marx Brothers – il sera l'auteur à la *success story* la plus retentissante de cette décennie, évitant la flamboyance éphémère pour survivre en toute indépendance. Entr'aperçu dans le rococo fabuliste de ses nouvelles, étoffée dans les scènes borgésiennes de ses farces conceptuelles, le grand thème d'Allen n'est rien moins que celui de l'imagination elle-même. Aucun autre auteur dramatique américain n'a autant documenté les plaisirs et les souffrances éprouvés à imaginer un autre monde. Si ses premiers travaux dévoilent les lubies les plus fantasmagoriques d'Allen, son œuvre tardive, dès *Annie Hall*, trouve matière à rire dans le refus de la réalité à jouer le jeu, et élabore des drames dans lesquels besoin d'illusion et soif de désillusion trouvent un équilibre parfait.

Woody Allen est le grand maître de l'évasion onirique, et son envie de s'évader du réel exhale la mélancolie de celui qui sait qu'il doit se réveiller. Voilà sa marque de fabrique, aussi distinctive que celle de Lubitsch. C'est l'expression de déception sur le visage d'Allan Felix quand la lumière se rallume dans la salle dans *Tombe les filles et tais-toi*. C'est le bleu du ciel de fin d'après-midi qui accueille Mia Farrow à la sortie du cinéma dans *La Rose pourpre du Caire*. C'est la vision des rues désertes qui attend Alvy lorsque Annie sort du cadre, à la fin d'*Annie Hall*. « Dans mes travaux, je me suis employé à démontrer que la réalité est une expérience horrible et terriblement laide, et que tout répit ou alternative est bienvenu. Vivre dans un monde fictif, surtout s'il est de ma création, serait vraiment préférable pour moi. Malheureusement, le mieux que l'on puisse faire reste de s'échapper temporairement dans les pages d'un livre ou dans la merveilleuse réalité parallèle (c'est-à-dire, le fantasme) qu'Hollywood a habilement proposée durant ma jeunesse. Certes, je suis productif, mais aucun de mes films ne possède la profondeur des meilleurs films de Chaplin et encore moins de ceux de Keaton. D'après moi, la plus belle illusion que j'ai réussi à créer ces cinquante dernières années reste d'avoir convaincu, non sans un certain succès, des hommes d'affaires aguerris de me financer et des spectateurs de venir en nombre suffisant pour que je ne finisse pas serveur dans un restaurant. »

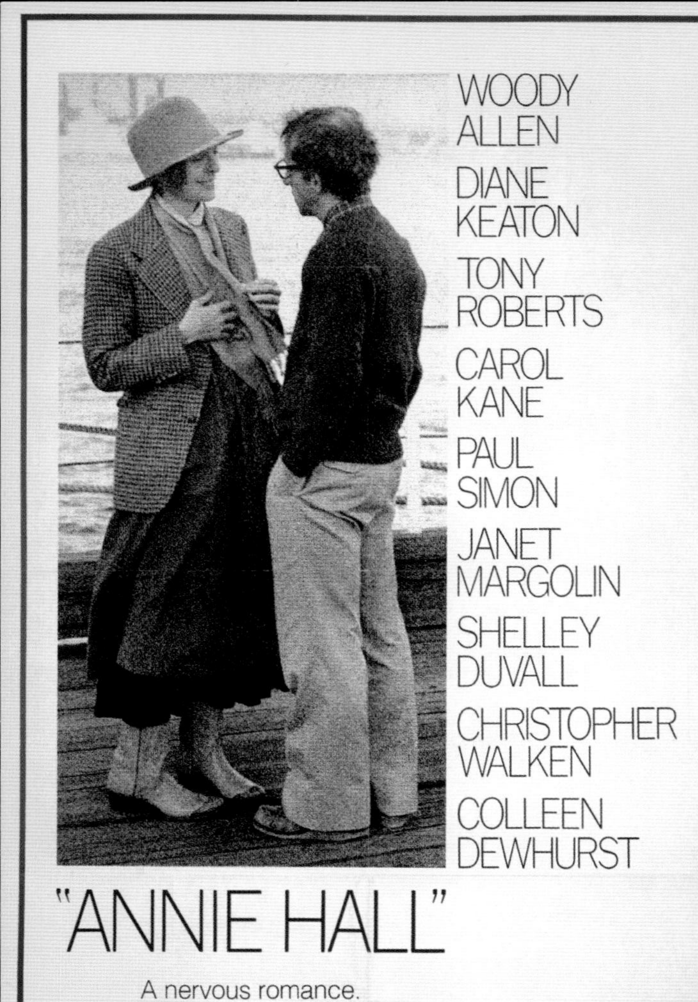

A JACK ROLLINS and CHARLES

Editor
SUSAN E. MORSE
Director of Photography
GORDON WILLIS
Written and Directed by
WOODY ALLEN

Costume Designer
SANTO LO
Executive Producer
CHARLES

ALA
ALD
WOO
ALL
ANJ
HUS
DIA
KEA
MA
&
MY

WOODY ALLEN MICHAEL CAINE
MIA FARROW CARRIE FISHER
BARBARA HERSHEY LLOYD NOLAN
MAUREEN O'SULLIVAN DANIEL STERN
MAX VON SYDOW DIANNE WIEST

A JACK ROLLINS and CHARLES H. JOFFE Production Editor SUSAN E. MORSE A.C.E. Director of Photography CARLO DI PALMA A.I.C.
Executive Producers JACK ROLLINS and CHARLES H. JOFFE Produced by ROBERT GREENHUT Written and Directed by WOODY ALLEN

TTAN
W
Y

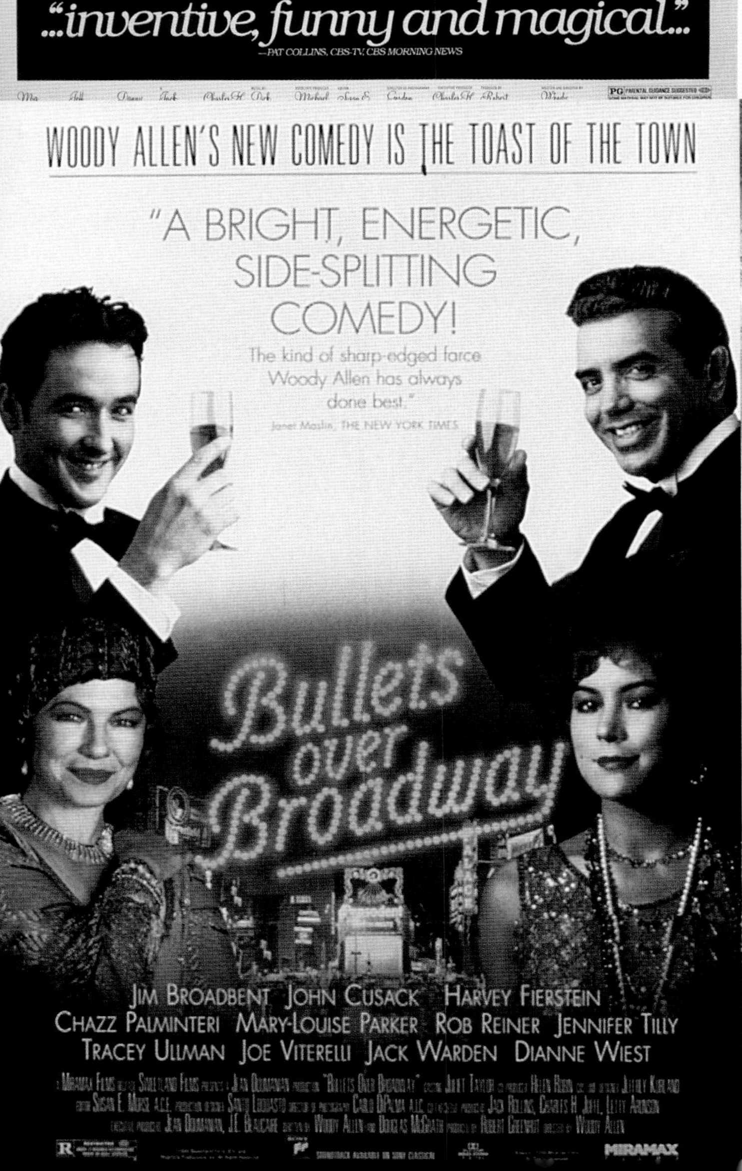

Alec Baldwin
Cate Blanchett
Louis C.K.
Bobby Cannavale
Andrew Dice Clay
Sally Hawkins
Peter Sarsgaard
Michael Stuhlbarg

Les jeunes années

Portrait de l'artiste en jeune homme. Dès l'âge de seize ans, Allen gagne déjà sa vie en écrivant des gags.

En 1952, alors en dernière année de lycée à la Midwood High School, Woody Allen a des journées bien remplies. Il sort de cours à 13 heures, file à la station de Flatbush, à Brooklyn, et traverse le pont de Manhattan en métro jusqu'au croisement de la 60e rue et de la Cinquième Avenue, sans cesser d'écrire dans un petit carnet. Malgré les cahots et l'affluence, pas moins de 25 gags naissent sous sa plume durant ce trajet jusqu'à Manhattan. Il marche alors vers l'Est, dépasse le club Copacabana et entre dans les bureaux de l'agent David Alber, situés au 654 Madison Avenue. Là, quatre pièces délabrées abritent six ou sept employés chargés de produire des blagues à la chaîne, qui seront revendues à des chroniqueurs de journaux. Trois heures durant, Allen noircit des pages jusqu'à avoir cinquante gags – dix pages, cinq gags par page. Pour cela, il touche 20 $ par semaine. « Rien de plus facile », dira-t-il. Il n'a alors que seize ans.

Woody Allen a toujours eu le gag facile, comme d'autres révèlent un talent inné pour la peinture ou possèdent l'oreille absolue. « Quand vous savez écrire des gags, c'est dur de ne pas en trouver », confesse-t-il avec nonchalance en 1967, dans l'émission *The Way It Is* sur CBS. « Les gens qui savent dessiner un cheval me fascinent. Je n'arrive pas à comprendre comment ils font. A l'aide un simple crayon, ils reproduisent un cheval, et c'est fabuleux. Moi, je ne sais pas dessiner un cheval ou quoi que ce soit. Mais je sais écrire des gags. Je ne peux pas m'en empêcher. Je marche dans la rue, et c'est presque ma conversation normale. Ça sort simplement comme ça. »

Allen trouve ce boulot poussé par sa mère, Nettie (qui fonctionne ainsi avec tous les membres de la famille Konigsberg). Mauvais élève, il déteste l'école, ce lieu d'austère discipline, aux professeurs malveillants et dénués d'humour. « C'était pire que de la mort aux rats », racontera-t-il au biographe Eric Lax. « Je faisais attention à tout, sauf à ce que disaient mes profs. » Seule matière où il s'en sort, la composition anglaise lui permet de faire rire toute la classe grâce à des sujets comme les cadeaux qu'il aimerait recevoir s'il était malade. Lorsqu'il explique à sa mère qu'il aimerait gagner sa vie en écrivant des blagues, celle-ci l'emmène acheter une machine à écrire Olympia SM-3 à 40 $. L'engin a l'air d'un petit tank : « Cette machine durera plus longtemps que vous », lui promet le vendeur. Sur les conseils d'un cousin, Allen envoie quelques textes à une poignée de célèbres chroniqueurs mondains de l'époque – Walter Winchell du *Daily Mirror*, Earl Wilson du *New York Post* – toujours accompagnés de la même note : « Ci-joints quelques gags que je soumets à votre attention et que j'envoie à vous seul. » A sa plus grande surprise, il ouvre un jour le *Mirror* pour découvrir l'une de ses blagues dans la colonne de Nick Kenny.

Peu après, c'est dans un édito d'Earl Wilson, plus célèbre encore que Kenny, qu'il apparaît (*« Woody Allen a dit : Un hypocrite, c'est un type qui écrit un livre sur l'athéisme, et qui prie pour qu'il se vende. »*). C'est alors « un avant-goût inouï de la célébrité », un univers dont il se sent on ne peut plus éloigné. « J'étais juste ce petit lycéen tourmenté et, d'un coup, mon nom apparaît » (ou du moins, son nom de plume, car Allan Konigsberg tient à éviter les moqueries de ses camarades le lendemain, en cours de math). Mais son talent l'encourage davantage que le retient sa timidité. Un soir, lors d'un concert de Peggy Lee au café La Vie en Rose, à Manhattan, un des conseillers de David Alber demande à l'assistant de Wilson de lui recommander un bon auteur de gags. L'assistant lui parle alors de ce lycéen de Brooklyn qui est tellement cité que les lecteurs en redemandent : Qui est ce Woody Allen ? Lors de leur première rencontre avec ce jeune prodige, les rédacteurs travaillant pour Alber – tous trentenaires ou quadras – sont totalement déconcertés. « Il n'arrêtait pas de s'exclamer », se souviendra Mike Merrick. « Il nous est apparu tout de suite très

« Je prenais grand soin de signer sous un faux nom, parce que je me disais, bon Dieu, si quelqu'un venait un jour à utiliser ça, j'aurais tellement honte de lire mon nom dans le journal ! J'ai donc pris le nom de Woody. »

sympathique. Il était bien mis, agréable, curieux… l'antithèse du crâneur. Il débarquait là sans aucune prétention, restait très discret, puis nous sortait ces petites pépites hilarantes pour Sammy Kaye, par exemple. Nous, on les lisait, en se disant 'Sammy Kaye va avoir l'air tellement malin.' »

A la fin de sa journée de travail, Allen reprend le métro jusqu'à Brooklyn, descend au bout d'une demi-heure à la station surélevée de la Seizième rue, puis regagne à pied un petit immeuble de brique logeant deux familles sur la 15e rue à Midwood, quartier au cœur de Brooklyn, où il vit avec ses parents, Nettie et Martin, sa sœur cadette, Letty, et ses grands-parents. Il y a tant de passage dans cet appartement – son oncle Cecil, son autre oncle Abe, la sœur de Nettie, Sadie, et son mari Joe, ses sept tantes, sans compter les pièces rapportées – que le jeune Allen doit souvent céder sa chambre pour un lit de camp. C'est un environnement bohème et bruyant, tel qu'il apparaît représenté dans *Radio Days*. L'impression dominante est celle d'une multitude de gens dans un espace trop exigu, qui se crient dessus dans un mélange de yiddish, d'allemand et d'anglais. « Toujours très animé, des gens qui bidouillent et se crient dessus, plein d'activités », évoquera Allen. « Une vraie maison de fous. » L'environnement idéal, diront certains, pour développer un goût pour la mise en scène et la farce.

Le numéro vedette reste celui du couple Konigsberg, et leur Incroyable Mariage Dénué de Toute Harmonie. « Ils ont tout fait à part se tirer dessus », racontera Allen. « Je dirais qu'ils étaient sur le point de rompre tous les soirs durant les trente premières années de leur mariage, en tout cas les vingt premières. C'était stupéfiant. » Ils se disputent à propos de tout, et en particulier sur les dépenses incessantes de Martin et ses affaires minables. Aux yeux de Nettie, un époux est censé gagner de l'argent et payer les factures, mais Martin, qui raconte à tout le monde qu'il vend des œufs et du beurre, enchaîne les petits boulots (pour un catalogue de vente de bijoux par correspondance, pour une salle de billard, pour des turfistes véreux de Saratoga). Il sera également chauffeur de taxi, barman, graveur, ou encore serveur pour la célèbre brasserie Sammy's Bowery Follies. Sur le chemin du retour, il trouve toujours le temps – et l'argent – pour se payer un nouveau costume, ou acheter un jouet pour son fils, ce qui rend Nettie folle de rage. Les yeux grand ouverts, le petit Allen ne perd pas une miette de ces scènes de ménage qui rempliront plus tard son univers comique d'une batterie de losers, d'escrocs à la petite semaine, de filous et de pros de l'arnaque, depuis Virgil Starkwell de *Prends l'oseille et tire-toi*, jusqu'à Murray, le maquereau de l'*Apprenti Gigolo* de John Turturro.

« Il y avait tellement d'agressivité dans cette maison, et tout un tas de petits trafics, surtout avec mon père. Il cherchait tout le temps à refourguer ou à empocher quelque chose », racontera Allen. « Son air soupçonneux, sa dureté en affaires, j'absorbais tout. Il ne pouvait pas conduire sans finir par s'empoigner avec un autre conducteur. Il était tout le temps comme ça, à se méfier et à essayer de soutirer de l'argent ici et là. A le voir, j'ignorais qu'on pouvait se comporter poliment les uns envers les autres… Je croyais que c'était ainsi que le monde fonctionnait. » Lorsque Allen essaye de revendre à son grand-père une fausse pièce de cinq cents trouvée sur le trottoir, misant sur le grand âge de son aïeul pour ne pas voir la différence, il se fait prendre par sa mère. Cette dernière dirige le foyer d'une main de fer. « Elle lui donnait tout le temps des claques », se souviendra Jack Freed, un ami d'enfance. « Quand il lui tapait sur les nerfs, elle se mettait à hurler puis lui collait une grande baffe. Lui, il avait une capacité incroyable à réprimer ses émotions. Mais sa mère ne savait pas du tout se contenir. »

Adolescent, Allen a le droit de circuler librement dans les rues de Brooklyn. Disquaires et cinémas du quartier sont ses lieux de prédilection.

Encore une fois, nul besoin d'un psychologue pour identifier le modèle de toutes ces mégères et harpies qui reviennent régulièrement parmi les personnages féminins dans l'œuvre d'Allen. « Elle me giflait tous les jours », dira-t-il dans le documentaire de Barbara Kopple *Wild Man Blues* (1997). A l'époque, la seule tactique qu'il connaissait restait la fuite. Sa vie ressemble alors à une nouvelle de Damon Runyon. Il se rêve en as de l'arnaque, pratique des tours de passe-passe dans sa chambre pendant des heures ou, assis sous le porche, imagine des ruses avec ses copains pour arnaquer leurs camarades aux cartes ou aux dés. « Ne jouez jamais aux cartes avec Konigsberg », prévient le rédacteur du journal du lycée, l'*Argus*. Le samedi matin, Allen et ses copains font le pèlerinage vers la boutique de magie Irving Tannen's Circle Magic Shop à Manhattan, ou chez un disquaire de Kings Highway, où ils dépensent leur argent de poche dans des 78 tours de Jelly Roll Morton, avant de les écouter pendant des heures chez leur ami Elliot Mill, qui possède un petit phonographe à 12 $. « On n'arrêtait pas d'écouter [du jazz], vraiment de manière obsessionnelle, chaque note », dira Allen. « Vous ne pouvez pas comprendre à quel point on était obsédés. » Ses amis s'étonnent qu'il n'ait pas besoin de demander la permission de sortir à ses parents. Il fait comme bon lui semble.

Mais surtout, il y a le cinéma, qui rassemble déjà toutes ses obsessions – Manhattan, la magie, la musique, les filles, l'illusion, l'arnaque, la fuite. Il a trois ans lorsque sa mère l'emmène pour la première fois au cinéma voir *Blanche Neige*, en 1939. Là, il court vers l'écran pour le toucher. La première fois que son père l'emmène en ville, il a six ans. Ils prennent la ligne J à Brooklyn et descendent à Times Square. « C'était incroyable. Partout où se posait le regard, il y avait des salles de cinéma. Moi, je croyais qu'il y en avait déjà beaucoup à Brooklyn, où j'avais grandi. Mais là, tous les 10 ou 15 mètres, on trouvait un cinéma. Tout le long de Broadway. Et pour moi, c'était la chose la plus envoûtante qui soit. Cette concentration de toutes ces enseignes, Howard Clothes, Camel, toutes ces choses qui sont depuis devenues mythiques. Et ces rues pleines de soldats et de marins, tellement élégants dans leurs uniformes. Et les femmes de l'époque, qui voulaient toutes ressembler à Betty Grable, Rita Hayworth ou Veronica Lake. Elles descendaient la rue au bras des marins, et il y avait ces types qui faisaient danser de petites marionnettes à l'aide de ficelles invisibles, vous voyez le genre, et des vendeurs de papaye, et des arcades de tir... En fait, ça

« Petit, j'adorais la comédie et j'adorais Bob Hope et Groucho Marx. J'ai grandi avec eux. Jusqu'à mon adolescence, j'essayais d'imiter Hope et d'avoir la même aisance à trouver blagues et répliques. »

Bob Hope et Groucho Marx, deux des héros comiques du jeune Allen.

n'était pas si éloigné du début de *Tous en scène*, où Fred Astaire marche dans la rue. Je n'exagère rien… C'était quelque chose d'incroyable à voir. Et dès que j'ai vu ça, eh bien je n'ai plus voulu qu'une seule chose : vivre à Manhattan, travailler à Manhattan. Je ne m'en lassais pas. »

Il serait aisé d'oublier que lorsque Isaac Davis énumère toutes les choses qui font que la vie vaut la peine d'être vécue, (« Bon, tout d'abord Groucho Marx... Willie Mays, le second mouvement de la *Symphonie Jupiter*, la version de « Potato Head Blues » par Louis Armstrong. Les films suédois, naturellement. *L'Éducation sentimentale* de Flaubert. Frank Sinatra. Marlon Brando… »), Allen ne se laisse pas aller ici à la nostalgie d'une époque révolue, mais évoque ses propres souvenirs d'enfance. Les Marx Brothers sont toujours à l'affiche à sa naissance, en décembre 1935. Les juke-boxes jouent « Potato Head Blues ». Lorsque Willie Mays rejoint les New York Giants et que Marlon Brando apparaît dans *Un tramway nommé Désir*, Allen a quinze ans. Et dix-neuf quand Sinatra signe chez Capitol Records. Même si l'on laisse de côté ses œuvres ouvertement autobiographiques, comme *Broadway Danny Rose* ou *Radio Days*, les films de Woody Allen apparaissent en tout point imprégnés de son enfance et de la culture par laquelle il tentait de s'évader. « Je n'ai jamais pensé que la Vérité était la Beauté. Jamais », confessera-t-il à John Lahr en 1997. « J'aime vivre dans le monde d'Ingmar Berman. Ou dans celui de Louis Armstrong. Ou bien celui des New York Knicks. Parce que ce n'est pas ce monde. Nous passons notre vie à chercher une issue de secours. »

Si la route vers Hollywood n'est encore qu'un lointain fantasme, Allen, alors âgé d'une vingtaine d'années, profite néanmoins de la vague satirique qui se répand dans tout le pays vers la fin des années 50. Partout dans les grandes villes, cafés et clubs de jazz poussent comme des champignons. Plus qu'ailleurs encore, Greenwich Village, à New York, et ses clubs comme le Figaro ou le Reggio, voient se produire des musiciens, tels que Pete Seeger, et les écrivains de la Beat Generation Jack Kerouac et Allen Ginsberg devant un public jeune et branché, qui ne demande qu'à oublier les années noires du maccarthysme. A Chicago, la revue de cabaret The Compass Players réunit Mike Nichols et Elaine May pour la première fois. En Californie, Mel Brooks et Carl Reiner gravent sur vinyl leur sketch sur un homme âgé de deux mille ans évoquant toutes les stars qu'il a rencontrées (Jésus : « Je le connaissais bien. Mince, barbu. Il est venu dans la boutique. On lui a donné de l'eau. »). Le disque se vendra à plus d'un million d'exemplaires. En 1954, Allen voit Mort Sahl présenter son stand-up pour la première fois au Blue Angel. Vêtu d'un pantalon et d'un sweat-shirt plutôt que du traditionnel smoking, le *New York Times* sous le bras, l'humoriste passe à la trappe les sempiternelles blagues sur les épouses et la lingerie féminine pour déblatérer sur « le dilemme de l'homme métropolitain, noyé dans l'environnement qu'il a lui-même créé », pour reprendre la formule de Jonathan Miller. Woody est fasciné.

« C'était comme quand Charlie Parker est arrivé : une révolution immédiate dans le jazz. Personne n'avait jamais rien vu de tel. Et il était tellement à l'aise que les autres comédiens ont commencé à médire. Ils disaient : 'Pourquoi les gens l'aiment-ils ? Il ne fait que parler. Ce n'est pas vraiment un spectacle'. Ses blagues semblaient surgir des divagations de son esprit, comme calées sur un rythme de jazz. Et il digressait sans cesse. Il commençait à parler d'Eisenhower et, de là, enchaînait sur le FBI, évoquait une anecdote le concernant, puis parlait de surveillance électronique, embrayait sur le matériel hi-fi et les femmes, pour revenir au sujet d'Eisenhower. C'était un procédé spectaculaire. » Le numéro de Sahl marque par-

Mort Sahl, humoriste hors pair, ici au club Mister Kelly's de Chicago en 1957, sera une autre influence majeure.

dessus tout le triomphe de la voix. Vif, cérébral, sincère, sans retenue, l'homme a moins l'air de jouer un spectacle que de rassembler ses esprits à voix haute. Une voix qui inspire celle d'Allen, moins irascible que Sahl mais animée du même ton informel.

L'autre influence majeure de l'époque est Danny Simon, frère du dramaturge Neil Simon et scénariste en chef du *Colgate Comedy Hour,* sur NBC, où Allen décroche un stage. A peine est-il arrivé que l'émission est retirée de l'antenne, mais Danny Simon lui prodiguera de précieux conseils et deviendra un ami proche. « Tout ce que j'ai appris sur l'écriture comique, je le dois à Danny Simon », confessera-t-il à Eric Lax. Simon lui enseigne l'importance d'un texte clair, d'une diction naturelle, et la différence entre le stand-up, qui se base sur une suite de bons mots, et le sketch, qui met en scène des situations inventées où évoluent des personnages. Il lui apprend à creuser chaque concept jusqu'au bout : « Et ensuite ? » Il lui trouve également du travail en lui décrochant un passage sur les planches du camp estival de Tamiment, lieu de villégiature de la communauté juive de Pennsylvanie, où ont également débuté Sid Caesar, Carl Reiner, Mel Brooks, Danny Kaye et Neil Simon avant de partir pour Broadway.

A Camp Tamiment, la machine à écrire de Woody Allen turbine à plein régime. Chaque lundi, les comédiens doivent produire un nouveau numéro, le peaufiner pour le mercredi, le répéter sur scène le jeudi pour présenter le spectacle les samedi et dimanche soir. « Pas le temps de rester assis à attendre que l'inspiration vienne vous visiter », dira Allen. « Il fallait que ça sorte. » Ses numéros figurent une cérémonie de remise de prix entre détenus, où les truands présentent les trophées annuels pour le Meilleur Meurtre, Meilleur Vol, Meilleure Agression Armée, ou encore un sketch sur une guerre psychologique, dont les adversaires s'affrontent à coups de chuchotements : « Tu es petit, tu es petit et personne ne t'aime ». Ses gags remportent un succès immédiat et lui obtiennent du travail sur une émission spéciale, *The Chevy Show with Sid Caesar*. Pour ce dernier, il écrit une parodie de la série télévisée américaine *Playhouse 90* et un pastiche de l'émission musicale *American Bandstand*, où le faux animateur Art Carney présente de nouveaux groupes comme « Les Sœurs Karamazov ». Allen n'apprécie pas vraiment de travailler pour l'irascible Caesar, et essuie les moqueries des autres scénaristes. « Un petit rat aux cheveux roux », le décrit alors Mel Brooks. « Woody avait l'air d'avoir six ans », se souviendra son collègue Larry Gelbart. « Avant cela, ses œuvres écrites avaient sans doute consisté à apprendre l'alphabet. Il semblait si frêle, comme un têtard pourvu de lunettes à écailles. »

Mel Brooks, Woody Allen « le petit rat roux », et Mel Tolkin présentent leurs idées à Sid Caesar. Allen fera partie de son équipe de scénaristes dans les années 50.

« Je dirais qu'un génie de la comédie est au vrai génie ce que le président des Francs-maçons est au Président des Etats-Unis. »

Une émission d'Art Carney s'ensuit, pour laquelle Allen écrit une parodie des *Fraises Sauvages* de Bergman (1957), intitulée *Hooray for Love*, et où Carney parle en pseudo-suédois avec des sous-titres ridicules. « Il parodie Tennessee Williams et Ingmar Bergman », écrit un critique. « Bon sang, ça va un peu loin pour le grand public. » La sphère intellectuelle d'Allen s'agrandit. Deux ans plus tôt, en mars 1956, il a épousé Harlene Rosen, fille du propriétaire d'un magasin de chaussures, rencontrée par le biais des clubs juifs de Flatbush. A l'automne 1957, Harlene s'inscrit au Hunter College pour y étudier la philosophie. Son époux, craignant de se voir dépassé, demande à un professeur de Columbia de lui dispenser un cours sur les grands auteurs (Platon, Aristote, Joyce, Dante), dont ils lisent et discutent les œuvres. Si Allen n'a pas vraiment lu de livres avant la fin de son adolescence, considérant la lecture comme « une corvée », il se montre aussi appliqué et méthodique lors de ces cours particuliers qu'avec tout ce qu'il entreprend. Tous les jours, à seize heures, il franchit les quatre pâtés de maison qui séparent son appartement du Metropolitan Museum of Art et passe une demi-heure dans chaque section jusqu'à connaître par cœur l'ensemble du musée. Les incursions d'Allen dans le monde du savoir émanent pour beaucoup d'une motivation romantico-libidineuse : d'abord, pour maintenir son niveau intellectuel auprès d'Harlene puis, après son divorce en 1962, pour séduire une catégorie de femmes plus éduquées. « Elles ne s'intéressaient pas à moi, car culturellement et intellectuellement, j'étais un moins que rien », dira-t-il. « Il fallait que je fasse des efforts pour explorer leurs intérêts quand tout ce que je connaissais concernait le base-ball. Je sortais avec elles, et elles me disaient : 'J'aimerais aller écouter Andrés Segovia' et je répondais 'Qui ?' Ou elles disaient 'As-tu lu ce livre de Faulkner ?' et je répondais 'Je lis des BD'. »

Dès la fin des années 50, la plupart des éléments constituants des comédies de Woody Allen sont en place : une subtile capacité à sortir des blagues sans en avoir l'air, avec l'élégante désinvolture de Mort Sahl ; un malin plaisir à railler les aspirations intellectuelles des jeunes urbains branchés ; un rapport aux femmes débarrassé de sa maladresse adolescente et de plus en plus centré sur l'insécurité masculine ; et un don grandissant pour développer ses traits d'esprit sur le long cours, grâce à sa formation à la dure au centre Tamiment et sur les plateaux télévisés, sous la tutelle de Danny Simon. Un seul élément manque encore à l'appel : un personnage, le goût du jeu, ou l'idée qu'Allen pourrait un jour interpréter ses propres sketches.

« On *sentait* que ce petit mec timide pouvait se révéler talentueux interprète », assurera le producteur Jack Rollins qui, avec son associé Charles Joffe, reçoivent Allen en 1958, dans leurs bureaux au sol jonché de journaux. Allen leur lit une série de sketches de son cru. « Il lisait en restant parfaitement sérieux, et nous, on se tordait de rire. Et il ne comprenait pas pourquoi. Il nous regardait l'air de dire 'Qu'y a-t-il de si drôle ?' Il était très réservé. Calme et timide. » Rollins et Joffe forment alors la crème des producteurs du show-business. Ce sont eux qui ont introduit Lenny Bruce sur la scène new-yorkaise, qui ont accompagné Harry Belafonte, ou le duo d'humoristes Nichols & May. Les deux hommes tombent aussitôt sous le charme de la personnalité gauche de

Woody Allen, qui donne l'impression de s'excuser sans cesse, comme si le véritable interprète allait arriver d'une minute à l'autre. Ils décèlent en lui le potentiel d'un « triplé gagnant » à la Orson Welles – capable d'écrire, de mettre en scène et de jouer ses propres sketches – et décident de l'engager.

Après une période d'incertitude, durant laquelle Allen se fait embaucher puis licencier du *Garry Moore Show*, célèbre émission de variétés diffusée de longue date, la crainte de la précarité rend l'offre de Rollins et Joffe alléchante. Il monte pour la première fois sur scène au Blue Angel, en octobre 1960, où il succède au numéro du samedi soir de Shelley Berman. Redouté des comédiens débutants, le club est plongé dans la pénombre et la fumée, doté de plafonds bas et d'une scène minuscule dominant une rangée de tables circulaires où s'agglutinent spectateurs bohèmes et producteurs de télévision. Lors de la première apparition de Woody Allen sur scène, Gelbart se trouve dans la salle et le décrit comme une sorte « d'Elaine May en travesti ». L'humoriste égrène ses gags (dont celui où il s'inscrit en fac à un cours de Vérité et Beauté, et Mort 101, mais triche aux examens en regardant dans l'âme de son voisin de table), martèle ses phrases, avale les syllabes, la main droite serrant le micro à s'en faire blanchir les phalanges, la gauche agrippée au pupitre comme si elle y était collée. Il semble nu, sans défense, comme un poulet plumé.

« Il montait sur scène et enroulait la corde autour de son cou », se souviendra Rollins de cette première saison terrifiante. « On avait l'impression qu'il allait s'étrangler. Et il était bourré de tics nerveux. Quel spectacle ! Il fallait le voir. » Quant à Joffe : « Woody était tout simplement atroce. » S'ensuit, selon les propres mots d'Allen, « la pire année de [sa] vie. » Il s'éveille chaque matin avec un nœud au ventre, qui ne part que lorsqu'il monte sur scène, où il se bouche les oreilles pour ne pas entendre les réactions du public. Joffe et Rollins le conduisent tous les deux au show, de peur qu'il ne se dégonfle. Une fois sur place, racontera Rollins, « il faisait les cent pas comme un lion en cage », creusant une rainure dans la moquette. Plusieurs fois, il vomit en coulisses . Ses producteurs doivent littéralement le pousser sur scène. « A de nombreuses reprises, je me tenais à ses côtés, et il tremblait comme une feuille », dira Jane Wallman, qui dirige alors le club et présente les comédiens. « Ce petit corps chancelait et je devais le soutenir. Il m'arrivait à peu près là. Je lui donnais une tape dans le dos et lui disais, 'Allez, tu vas être super. »

Le show terminé, ils vont dîner au Stage ou au Carnegie Deli, où Rollins et Joffe refont le match, indiquant les gags à retravailler et les tics de langage à éliminer, tandis qu'Allen les supplie de le laisser démissionner : « Je ne suis pas drôle, je ne suis pas un comique, je ne peux pas faire ça, je déteste ça, je travaille trop, je suis timide, je n'aime pas me tenir face à un public », se lamente-t-il. Mais Rollins le réprimande doucement : « Tu dois être patient. » Puis, à trois heures du matin, Allen va se coucher, se réveille, répète la même boucle. Il manque de démissionner cinq ou six fois. Finalement, un déclic s'opère. Il prend conscience d'une chose : « Ces gens ont payé pour me voir. » Son débit hachuré et ses tics nerveux, considérés sous un nouveau jour, ébauchent graduellement la silhouette d'un personnage : « un type chétif, l'air éberlué, comme s'il était pris la main dans le sac », selon les mots de Phil Berger. Voilà ce dont traite le numéro d'Allen. L'indicible

Ci-dessus : « On a senti que ce petit gars timide pouvait être un grand interprète. » Jack Rollins (au centre) et son associé Charles Joffe (à gauche) deviendront les agents d'Allen. Ici, dans les années 70.

Page suivante : Toute la gamme des tics et grimaces d'Allen sur scène apparaît ici, lors d'un spectacle à Washington dans les années 60.

KODAK TRI X PAN FILM

KODAK TRI X PAN FILM

→29
→29A

L'ivresse de la célébrité pour Allen et Monique Van Vooren, dans cette publicité pour la vodka Smirnoff datant des années 60.

trac. L'angoisse de la scène. La dévastation existentielle. Cela fait donc parfaitement sens que le public voit cela sur scène : un interprète en proie à la trouille, agrippé au micro comme si sa vie en dépendait, traqué par les projecteurs tel un animal pris dans la lumière des phares. Allen transforme son trac de la scène en un véritable numéro. Beaucoup plus tard, lors d'une apparition au *Saturday Night Live*, il expliquera ce concept au créateur de l'émission, Lorne Michaels : « Il m'a dit qu'il *était* sa propre scène. »

« Lorsque j'ai commencé, je pensais exactement le contraire. Je voulais juste arriver et faire mes blagues, parce que je croyais que c'était ça qui faisait rire le public. [...] Mais ce n'est pas ça du tout. Les blagues ne sont qu'un moyen de révéler une personnalité ou une attitude. Comme Bob Hope. On ne rit pas des blagues qu'il fait mais du type vaniteux et lâche, qui fanfaronne. C'est du personnage dont on rit tout le temps. »

Alors que 1961 touche à sa fin, Allen goûte enfin à la notoriété. Il remporte un tel succès au Bitter End qu'il doit enchaîner quatre spectacles le vendredi et le samedi pour satisfaire ses fans, dont plus de quatre cents se voient refoulés chaque week-end. Un article du *New York Times* parle même d'une file d'attente jusqu'au coin du pâté de maison suivant. « Ce qu'Allen dévoile – et son travail a été qualifié de neuf, de brillant, d'unique – tient de l'inanité mélancolique », écrit Arthur Gelb en novembre 1962. « Une petite chose déguisée en 'schnook', minée par le monde et la société [...]. C'est une victime chaplinesque, dotée d'un sens du bizarre à la S.J. Perelman et d'un débit à la Mort Sahl, à la différence près qu'il évite les sujets d'actualité. » Dans le *New York Journal*, Jack O'Brien loue son « merveilleux humour moderne qui, contrairement à celui de Mort [...], ne vise que lui-même et sa propre insignifiance, son air de hibou et ce qu'il décrit comme son hilarante capacité au désastre physique et social. » Ce genre de commentaires explique comment le succès d'Allen s'est prolongé au fil du temps, quand celui de Sahl s'est en grande partie éclipsé au profit de ceux qui ont marché dans son sillage maussade : Lenny Bruce, Bill Cosby, Richard Pryor, Bill Hicks. « Lorsque nous regardons ses films, toutes nos émotions vont vers lui », écrira Pauline Kael. « Tout tourne autour de sa peur et de sa fragilité. »

Si cela vaut pour tout grand comédien, l'égocentrisme d'Allen vient toucher à point nommé une génération marquée

La vivacité d'esprit d'Allen lui ouvre les portes de nombreux talk-shows, et notamment des apparitions régulières dans le *Tonight Show* avec Johnny Carson.

par un solipsisme national encouragé par le Watergate d'un côté, et la thérapie de l'autre. « Le nouveau rêve alchimique : changer de personnalité – refaire, remodeler, élever et parfaire son moi [...] et l'observer, l'étudier, le chérir. (Moi !) », écrit Tom Wolfe dans un article pour le *New York Magazine*, dans lequel il commente l'engouement pour l'analyse freudienne, la méthode Schutz, les thérapies de groupe et les séances de cri primal par lesquelles les Américains tentent de se mettre à nu, d'affronter la vérité et de réaliser leur potentiel. Allen, qui débute une analyse en 1958 à cause d'un sentiment « terrible et terrifiant » dont il n'arrive pas à se débarrasser (la date correspond à sa première apparition télévisée), incarnera donc le petit amuseur public de cette décennie du Moi, un Charlot pour l'époque de Freud, un sous-homme fébrile dont la silhouette chétive vient rivaliser avec la figure machiste obsolète et de plus en plus critiquée, des films de John Wayne jusqu'à la guerre du Vietnam. « Lorsqu'il fait usage de son humour, il devient notre d'Artagnan », observe Pauline Kael. « C'est une comédie de l'inadaptation sexuelle. Et ce qui la rend à la mode plutôt que masochiste et terrible, c'est qu'il pense que les femmes cherchent cet idéal macho véhiculé par les médias. Et nous, le public, sommes poussés à croire, comme lui-même le croit en son for intérieur, que c'est là que réside la véritable inadaptation. Woody Allen personnifie la virilité refoulée. Il sait qu'il est viril, mais il a peur de l'avouer aux autres – les adolescents et post-adolescents peuvent tout à fait s'identifier à cela [...]. Ce n'est pas un petit gars tout juste bon pour les étudiants : c'est un héros. »

Durant les deux années suivantes, 1962 et 63, Allen s'attire un public de plus en plus nombreux et se voit invité régulièrement à la télévision, où il apparaît dans des émissions telles que *The Merv Griffin Show, Candid Camera, The Ed Sullivan Show, The Steve Allen Show,* et *The Tonight Show* (où il sera le premier d'une longue série de vedettes invitées à présenter l'émission). Hollywood commence à s'intéresser à lui. Lors d'un de ses spectacles au Blue Angel en 1964, Shirley MacLaine et le producteur Charles K. Fedelman se trouvent dans la salle et constatent l'hilarité du public devant le jeune humoriste. Le lendemain matin, Feldman propose un contrat de 35 000 $ à Joffe et Rollins pour qu'Allen adapte une histoire qu'il a achetée – un vaudeville sur un incorrigible Don Juan. L'histoire, intitulée *Lot's Wife*, deviendra *What's New Pussycat ?* [*Quoi de neuf, Pussycat ?*] Le film est « une production hollywoodienne par excellence, presque une satire du genre », commentera Allen plus tard. « J'ai détesté le film à sa sortie. L'expérience m'a totalement humilié. Je me suis promis de ne plus jamais écrire de scénario si je ne le réalisais pas moi-même. Et voilà comment je me suis mis au cinéma. »

« Pour ma part, si le temps est vraiment gris et pluvieux, c'est bien. S'il fait beau, j'ai du mal à gérer ma journée. »

Beau temps à l'horizon ?
Portrait par John Minihan,
1971.

Hollywood

1965–1967

« Jolis petits yeux de chat. » Surveillé de près par son éditeur félin, pendant l'écriture de *Quoi de neuf, Pussycat ?* en 1965.

« Quoi de neuf, Pussycat ? », est la phrase que Warren Beatty prononce lorsqu'il salue ses petites amies au téléphone. « Ça sera le titre ! » s'exclame Charles Feldman lorsqu'il l'entend. Bronzé et moustachu, propriétaire de villas à Beverly Hills et sur la Côte d'Azur, Feldman incarne à lui seul la réussite hollywoodienne clinquante. Avocat passé impresario puis producteur, il a contribué à la sortie sur les écrans de *Sept ans de réflexion* et d'*Un Tramway nommé Désir*. Sa largesse démesurée envers ses amis et associés (à qui il offre une maison, une Rolls Royce) est célèbre. « Charlie était généreux, le genre de type qu'on va trouver quand on a besoin d'une faveur », dira Allen. « Il s'asseyait à la table de baccara et y perdait cent mille dollars comme on perdrait un briquet Zippo, [mais] il avait un blocage, un blocage psychologique qui l'empêchait de dire la vérité. Travailler avec lui était donc très difficile. »

La préparation de *Quoi de neuf, Pussycat ?* ressemble à la descente d'Alice dans le terrier du lapin. Le tournage a lieu à Paris, avec Beatty dans le rôle principal. Et la nouvelle petite amie de Beatty pourrait-elle obtenir un rôle, aussi ? En fait, non, Beatty ne veut plus tourner. Et pourquoi pas Peter O'Toole à Rome, avec Peter Sellers dans le rôle du psychiatre ? Sauf que Sellers refuse de tourner en Italie. Alors, Paris, ça irait ? Et Sellers pourrait-il avoir un rôle plus important ? Parce qu'il se remet d'une crise cardiaque, Sellers n'a signé que pour un petit rôle. Mais au fil du tournage, il s'impose dans les scènes qu'Allen a écrites pour lui et en improvise de nouvelles. Dans le même temps, O'Toole sort tout juste du tournage de *Becket*, où il donnait la réplique à Richard Burton. Ce dernier pourrait-il faire une petite apparition ?

« J'avais écrit ce qui m'apparaissait comme un film très marginal, peu commercial », expliquera Allen. « Mais les producteurs à qui je l'ai confié incarnait la machine hollywoodienne par excellence [...]. Des gens qui imposaient leurs petites amies pour des rôles. Des gens qui inventaient des rôles spéciaux pour accommoder des vedettes, que ces rôles fassent sens ou pas. Le pire cauchemar qu'on puisse imaginer. » Allen s'installe dans la salle de projection et, tandis que tout le monde visionne les rushes, se lamente : « *C'est affreux* », même s'il se fait aussitôt rabrouer. « Woody n'était personne sur le plateau », témoignera l'actrice Louise Lasser, qui deviendra sa deuxième épouse un an après la sortie du film. « Il se faisait complètement éclipser par Sellers et O'Toole. Personne n'écoutait ce qu'il avait à dire. »

Le réalisateur se divertit alors autant qu'il le peut. Installé à l'hôtel George V tout près des Champs Elysées, il écrit, travaille sa clarinette et prend le même dîner au Relais Boccador chaque soir pendant six mois – soupe du jour, filet de sole, crème caramel. Il retrouve l'idole de sa jeunesse, le

S'il pose ici au milieu des acteurs de *Quoi de neuf, Pussycat ?*, Allen se sent pourtant mis à l'écart lors du tournage.

clarinettiste Claude Luter, au Snow Club, rencontre Samuel Beckett dans un café, visite le Louvre. Mais au fil du tournage, les disputes avec Feldman s'intensifient. Le producteur souhaite une course-poursuite entre voitures de police et karts dans le style de *La Pantère rose* ; dans l'intervalle, la partenaire d'Allen, Romy Schneider, refuse qu'on la marie à lui dans la dernière bobine ; tandis que Sellers fulmine de voir Allen apparaître dans la scène finale et pas lui. Finalement, lors d'une projection où l'entourage de Feldman exprime son mécontentement – « Oh, je ne trouve pas ça très drôle », « Je pense qu'il faudrait qu'il soit encore plus fou dans cette scène », etc. – Allen s'emporte et, dans un rare accès de colère, suggère au producteur d'aller se faire foutre. S'il se sent insulté, Feldman n'en laisse rien paraître. « Ma bouffée de rage l'a laissé parfaitement indifférent », commentera Allen. « Sans doute avait-il essuyé tant d'insultes que ce genre d'incident ne le gênait pas plus que ça. »

Le résultat est un film trop long, au rythme frénétique mais assez drôle, dans lequel O'Toole, son regard azur plus innocent que jamais, incarne Michael, rédacteur en chef d'un magazine dépassé par son succès auprès des femmes, et dont les confessions affolent son psychiatre (Sellers). Pauline Kael notera que « Sellers a pris le rôle de Woody Allen, mais Woody est également là », sous les traits de Victor, le meilleur ami de Michael transi d'amour pour la fiancée de celui-ci, Carole (Romy Schneider). Avec ses airs d'écolier bien coiffé, Allen teste pour la première fois son personnage à la Bob Hope dans une scène à la bibliothèque, où Victor défend l'honneur de Carole contre un grand blond baraqué (« Vous avez vu ses poings ? Ils sont énormes ! »). Mais dans la bataille des comédiens, c'est

Allen écoute les conseils du réalisateur Clive Donner pendant le tournage à Paris avec Peter O'Toole et Nicole Karen.

Sellers qui remporte la victoire. Les gracieuses facéties d'Allen se retrouvent éclipsées par la présence de Sellers, perruque à la Beatles vissée sur la tête et accent allemand à la Dr Strangelove. Les deux acteurs se partagent une scène : Sellers tente de se suicider à la mode viking, à bord d'un petit bateau en flammes, enroulé dans un immense drapeau bavarois, quand il est interrompu par Allen, qui déguste du poulet sur un quai de Seine. Ce dernier fini allongé dans la barque funéraire pour une séance d'analyse, à balancer ses os de poulet par-dessus bord. Comble de l'ironie, Allen est celui qui paraît le plus calme de tout le casting.

Le film obtient un succès à son image : gros et tapageur. Avec ses 17 millions de dollars de recettes, il établit un nouveau record d'entrées pour une comédie. Ecarté du circuit promotionnel, Allen se console en inventant des commentaires insultants sur le film, qu'il décrit comme « le résultat d'un manuscrit de deux cents pages jeté par une fenêtre de taxi et dont l'ordre des feuillets n'a jamais été retrouvé. » Ou encore : « Tout seul, j'aurais fait un film deux fois plus drôle, qui aurait remporté deux fois moins de succès », un paradoxe oscillant entre auto-flagellation et ambition, qui préfigure le mécontentement qu'Allen ressentira peu à peu à l'égard de son public. « Je n'étais pas en mesure de dire au public 'Ce n'est pas ma faute si ce n'est pas ce que j'aurais aimé réaliser' », dira-t-il. « *Pussycat* était taillé pour le succès. Il n'y avait pas moyen qu'ils foirent, même s'ils l'avaient voulu. C'était le genre de trucs où les éléments chimiques réagissent bien par hasard. »

Quoi de neuf, Pussycat ? offre à Allen une notoriété bienvenue qui lui permet, dès 1965, de pouvoir choisir parmi les offres qui lui parviennent. En août, il apparaît dans un article de Playboy intitulé « What's Nude, Pussycat » [Quoi de nu, Pussycat ?], l'air empoté au milieu de stripteaseuses. Après la sortie d'un premier album éponyme l'année précédente, il voit sa suite, *Woody Allen Volume 2*, grimper à la cinquième place du classement humoristique. Invité à la Maison Blanche, alors présidée par Lyndon Johnson, il se change en smoking dans les toilettes de l'aéroport de Washington. Mais l'offre la plus folle reste celle d'un producteur télé appelé Henry G. Saperstein. Inspiré de la méthode Roger Corman, qui retraduit et ressort à la pelle des séries B étrangères, Saperstein propose à Allen d'écrire de

« Ils ont transformé [Quoi de neuf, Pussycat ?] en un film dont je n'étais pas du tout content. Je ne l'aimais vraiment pas. Je me suis alors juré de ne plus jamais écrire de scénario si je n'étais pas le réalisateur du film. »

Tout doux, ma tigresse ! Sous le charme d'Akiko Wakabayashi dans le générique de fin du « stupide et puérile » *Lily la tigresse* (1966). Allen reproduira cette moue de prédateur près de trente ans plus tard, dans le dernier plan de *Meurtre mystérieux à Manhattan* (1993).

nouveaux dialogues pour un plagiat de *James Bond* produit par les studios japonais Toho, intitulé *Kagi no Kagi* (« La Clé des clés »), dans l'idée d'adapter cette série d'espionnage en téléfilm d'une heure.

Allen loue donc une chambre au Stanhope Hotel sur la 5e Avenue, y invite quelques amis, dont Lenny Maxwell et Frank Buxton, et leur projette le film plusieurs fois pour récolter leurs idées. Le résultat est un film conceptuellement brillant, voire en avance sur son temps, où Allen et ses complices de doublage inaugurent un nouveau genre de détournement de dialogues sans queue ni tête, à la *Beavis & Butthead*. Mais la réalisation reste médiocre – une sorte de karaoké à la mise en scène poussive et, parfois même, condescendante. Dans la version d'Allen, l'espion bondesque du film devient la « sympathique fripouille » Phil Moscowitz, bien décidé à dénicher la meilleure recette de salade aux œufs. « Citez trois présidents », lui chuchote à l'oreille une séductrice nippone enroulée dans une serviette. Comme beaucoup des premiers projets d'Allen, le film s'avère assez libidineux, mais l'original japonais frôlait déjà la parodie (la main du héros se balade sur toutes les épaules féminines rencontrées). L'idée que certaines des lourdeurs initiales soient intentionnelles entrave ainsi la verve comique d'Allen. Lorsque Moscowitz affronte le cerveau du Mal, Sheperd Wong, et promet d'apporter « joie et plénitude dans leur forme la plus primaire » à ses amies Suki et Teri Yaki, l'ambivalence ne prend plus, et l'humour a bel et bien déserté les lieux. « Un exercice […] prétentieux et juvénile », déplorera Allen. Flairant l'argent facile, Saperstein ajoute des chansons du groupe Lovin' Spoonful, intercale vingt minutes supplémentaires d'autres séries B japonaises et sort le film, désormais intitulé *Lily la Tigresse* [*What's up, Tiger Lily ?*] pour surfer sur le succès encore récent de *Quoi de neuf, Pussycat ?* Allen intente un procès au studio pour tenter de retirer le film des écrans, mais constatant que le succès est à nouveau au rendez-vous, non seulement auprès du public mais aussi de la critique, il abandonne ses poursuites : comment convaincre un juge que le triomphe de son film puisse lui causer du tort ? Woody Allen semble condamné au succès illégitime.

C'est un Woody Allen déjà légèrement blasé qui s'envole pour Londres au printemps 1966 pour apparaître dans un autre pastiche de *James Bond*, adapté du seul roman de Ian Fleming qui ne soit pas détenu par les Broccoli, *Casino Royale*, aux cotés d'Orson Welles, David Niven, William Holden et Peter Sellers et produit par Charles Feldman. Toutes réticences d'Allen à retravailler avec Feldman et Sellers si tôt après *Pussycat* sont vite balayées par Joffe : « Tais-toi et joue dans le film », se voit-il répondre. « Tu essayes de percer dans l'industrie du cinéma. Ça va être un gros film et tu y apparaîtras avec plein de stars, donc ça aidera à lancer ta carrière. »

Les six semaines initiales de tournage se tranforment bientôt en six mois, sur trois plateaux différents, employant tour à tour douze scénaristes et six réalisateurs. Comme sur *Pussycat*, Sellers n'en fait qu'à sa tête, délaissant le plateau un jour pour

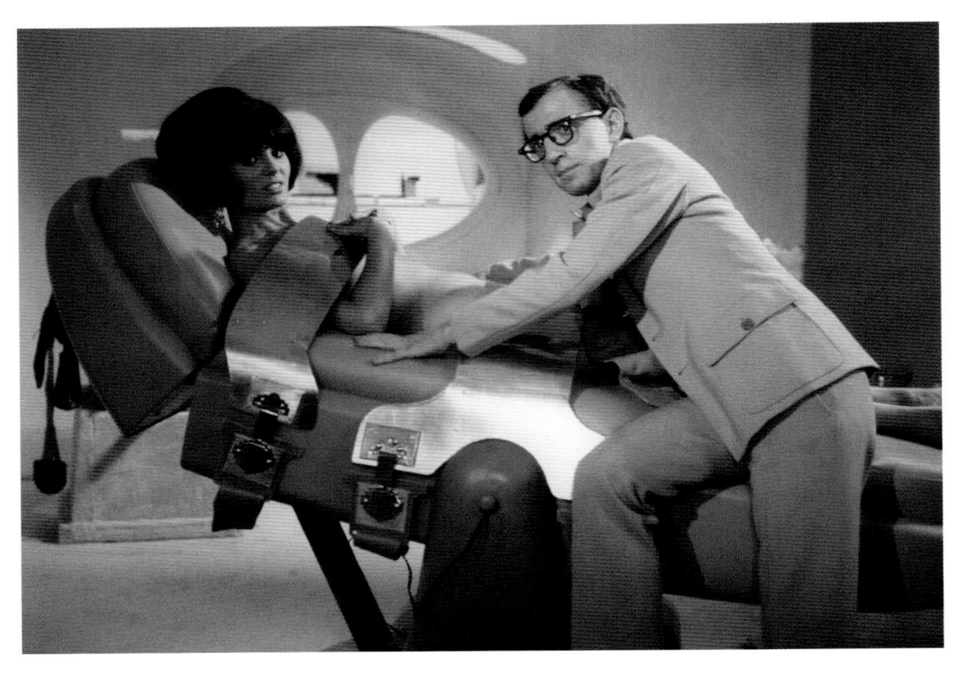

« Tais-toi et fais ce film ! » Le manager Charles Joffe fera fi des scrupules d'Allen à apparaître dans cette parodie de James Bond, *Casino Royale* (1967).

aller s'acheter un nouveau saphir pour son tourne-disque, ou commandant quarante-cinq costumes d'un tailleur à la mode avant de les facturer à la production. Cette fois, Allen, dont la journée de travail ne débute que lorsqu'il est censé la terminer, profite de son temps libre, qu'il passe dans des tournois de poker endiablés avec les acteurs des Douze salopards – Lee Marvin, Charles Bronson, Telly Savalas – qui séjournent également au Hilton pendant leur tournage. « Casino est un asile de fous », écrit-il alors à son ami Richard O'Brien. « J'ai vu les rushes, et je suis sceptique, c'est le moins qu'on puisse dire, même si le film fera sans doute un tas de fric [...]. Mon rôle change chaque jour au gré des nouveaux arrivages de stars. »

Il ne verra jamais le film, où il livre sa performance comique la plus assurée jusque-là, sous les traits du jeune Jimmy Bond, neveu de James (interprété par Niven) terminé. Dans la bobine finale, Jimmy est démasqué comme le méchant Dr. Noé, chef de l'organisation terroriste SMERSH. Vêtu d'un costume indien à la Dr No, exécutant quelques pirouettes et imitant Debussy au piano, Allen prononce d'une voix suraiguë une tirade sur les prétentions artistiques des mégalomanes, que reprendront à leur façon le Dr Denfer de Mike Myers dans *Austin Powers* et le Gru de Steve Carell dans *Moi, moche et méchant*. « L'un de ses meilleurs moments sur pellicule », dira Kael, même si le film s'avèrera aussi important pour la carrière de l'acteur que pour celle du dramaturge : cloîtré dans sa chambre du Hilton, Allen termine une pièce, *Don't Drink the Water*, écrit le premier jet de ce qui deviendra *Bananas*, et rédige une nouvelle pour le *New Yorker*, sur un échange épistolaire de plus en plus hostile entre deux intellectuels qui jouent aux échecs par courrier. « Je pourrais me contenter de n'écrire que pour eux », confesse Allen à propos du magazine, qui publiera plusieurs dizaines de ses nouvelles au cours de la décennie suivante (dont « The Whore of Mensa », sur une prostituée spécialisée dans les conversations pseudo-intellectuelles pour les maris dont les épouses refusent de parler de T.S Eliot avec eux, et « The Kugelmass Episode », sur un professeur de lettres qui s'immisce dans les pages de *Madame Bovary* pour entamer une liaison avec l'héroïne romanesque, au grand dam des érudits : « D'abord un étrange personnage nommé Kugelmass, et à présent, voilà qu'elle disparaît. Eh bien, je suppose que le propre d'un classique est de pouvoir le lire un millier de fois et de toujours y trouver quelque chose de nouveau. »

La prose d'Allen offre un fascinant aperçu des méandres de son imagination, royaume de l'absurde où coexistent sous le même toit saillies à la Perelman, traits de culture populaire, érudition, fantasme et réalité. Ce mélange de vérité et d'absurde s'avère sans nul doute le thème le plus récurrent de son œuvre. « Ça revient très souvent dans mes films. Je crois qu'au bout du compte, je hais la réalité », dira-t-il un jour. « Malheureusement, c'est le seul endroit où l'on puisse se faire servir un bon steak. » Des aventures métafictionnelles de Kugelmass jusqu'à la rupture du quatrième mur dans *La Rose pourpre du Caire*, *Tombe les filles et tais-toi* et *Annie Hall* (ou dans *Harry dans tous ses états* et *Minuit à Paris*), il n'y a qu'un pas. Tous ces films oscillent entre monde réel et imaginaire, où personnages et intrigues assistent à leur propre mise en abîme. Aucun autre réalisateur vivant ne se révèle aussi soucieux de raconter non pas sa vie rêvée mais ses rêves éveillés, et le choc révélateur qui, comme pour Walter Mitty, laisse fatalement la réalité s'engouffrer. Héritier de Thurber [l'auteur de la nouvelle *La Vie rêvée de Walter Mitty*] comme de Fellini, Allen est le grand virtuose de l'évasion au cinéma, vendeur dépité de rêves brisés et d'espoir déçus, comme le prouvent ses débuts en tant que réalisateur.

7'
6'6"
6'
5'6"
5'
4'6"
4'
3'6"
3'
Ft. WAYNE
34683
5-21-59

Prends l'oseille et tire-toi

1969

Ci-contre : Un criminel ordinaire. Sous les traits de l'infortuné Virgil Starkwell.

A droite : Alors qu'on lui accorde enfin la direction de son propre scénario, Allen s'épanouit devant et derrière l'objectif.

Comédie mettant en scène un voleur compulsif et incompétent appelé Virgil Starkwell, *Prends l'oseille et tire-toi* s'inspire sinon trait pour trait, du moins en esprit, de l'adolescence du cinéaste, qui manigançait toutes sortes d'arnaques et de combines sous le porche de la maison familiale, à Brooklyn. C'est le premier de deux films qu'il coécrit avec son vieux copain d'école Mickey Rose, qui jouait dans la même équipe de baseball que lui et qui l'a déjà aidé sur *Lily la Tigresse*. Les deux hommes travaillent dans la même pièce, tapant à la machine par roulement, peaufinant chaque gag du scénario. « Rien n'était sacré », dira Allen. « Les [gags] pouvaient être anachroniques, ils pouvaient être surréalistes. Peu importe. On se fichait de tout, du moment que chaque étape du récit faisait rire. »

Le film marque les débuts d'Allen en tant que réalisateur – de justesse. Estimant qu'il est encore trop tôt pour présenter Woody Allen comme le nouveau Orson Welles, Rollins et Joffe, qui jouent pour la première fois les producteurs, s'adressent à Val Guest, qui avait réalisé certaines séquences de *Casino Royale*. Ils tentent également de joindre Jerry Lewis, mais ce dernier s'avère trop occupé. Ce n'est que lorsqu'ils signent avec un nouveau studio, Palomar Pictures, une filiale d'ABC qui a financé *Play It Again, Sam*, la pièce à succès d'Allen donnée à Broadway en 1969, qu'ils obtiennent 1,7 million de dollars ainsi que la garantie de la direction artistique, dont le final cut, qui deviendra l'élément-clé de l'autonomie légendaire d'Allen. « Ils ne m'ont jamais embêté », assurera celui-ci. « C'était une expérience très agréable. Et depuis ce jour, je n'ai jamais eu le moindre problème d'ingérence au cinéma. »

« Je n'ai pas imaginé une seconde que je ne saurais pas quoi faire. » Il déjeune avec le réalisateur de Bonnie et Clyde, Arthur Penn, et recueille quelques conseils techniques sur l'étalonnage, la logistique et ainsi de suite. Il fait voir *Blow-up* (1966), *Elvira Madigan* (1967), *Je suis un évadé* (1932) et *The Eleanor Roosevelt Story* (1965) à l'ensemble de son équipe technique et de ses acteurs afin de leur donner une idée de ce qu'il recherche. Malgré cela, la veille du tournage, Louise Lasser surprend Allen dans leur chambre, assis en tailleur sur le lit, lisant un manuel sur la réalisation de films. Le lendemain matin, il se coupe en se rasant.

Le tournage dure dix semaines dans la région de San Francisco, seul endroit où les prix restent assez raisonnables pour pouvoir tourner 87 scènes sans dépassement de budget. Allen arrive chaque

A gauche : Virgil s'efforçant de jouer du violoncelle dans une fanfare figure parmi les nombreux gags visuels de *Prends l'oseille et tire-toi*.

Ci-contre : Déconcertante découverte dans la laverie de la prison.

« J'ai obtenu le final cut, et tout ce que je voulais. Ça a été une expérience très agréable. Et depuis ce jour, je n'ai jamais eu le moindre problème au cinéma en termes d'ingérence. »

matin dans son cabriolet rouge flambant neuf – un tableau « bien plus effrayant que le film », selon son premier assistant Fred Gallo – et tourne beaucoup pour s'assurer suffisamment de matériau. Mais même avec des scènes improvisées, il parvient à boucler jusqu'à six plans par jour, finissant parfois la journée à seize heures, avec une pause déjeuner lui permettant d'appeler son psy d'une cabine téléphonique. « C'était une journée ensoleillée, et moi je crevais de chaud dans la cabine, à dire tout ce qui me passait par la tête en position debout », se souviendra-t-il.

Il termine le tournage avec une semaine d'avance, et près d'un demi-million de dollars en deçà du budget imparti. Mais lors du montage, rien ne va plus. Paniqué de voir que rien ne semble drôle, il coupe et recoupe la pellicule jusqu'à se retrouver virtuellement sans film. Il projette un pré-montage – dénué de musique et plein de coups de crayon – à une dizaine de soldats en goguette rassemblés pour l'occasion dans un cinéma de Broadway. Pas un seul ne sourit de toute la projection. Lors d'une première projection pour quatre cadres de la Palomar, l'un d'entre eux se retourne après la première bobine et demande : « C'est comme ça pour toutes les bobines ? » Lorsque la scène finale s'achève (une grotesque fusillade à la *Bonnie et Clyde* où Virgil se retrouve criblé de balles), un autre demande à Allen : « Est-ce vraiment comme ça que vous voulez finir le film ? » Le réalisateur se souviendra : « Ils étaient très gentils, très polis, mais ils ne pouvaient cacher leur déception. Je savais qu'ils songeaient à ne pas le sortir. »

Allen sollicite l'aide du monteur émérite Ralph Rosenblum, qui a officié sur *Les Producteurs*, de Mel Brooks. Solidement charpenté, doté de lunettes aux épaisses montures noires et d'une barbe poivre et sel, Rosenblum raille le découragement du jeune réalisateur : « Evidemment que tu vas mourir si tu montres un pré-montage sans musique à douze troupiers du Montana », se moque-t-il avant de demander à voir tous les rushes éliminés au montage. Un camion vient lui livrer deux cents boîtes de pellicule dans son bureau. A les visionner, Rosenblum se sent alors comme un éditeur tombant par hasard sur des carnets de notes inédits de Robert Benchley. C'était « si original, si charmant, si drôle de manière parfaitement inattendue que cela a été une des périodes les plus agréables de toute ma carrière de monteur. » Tandis qu'Allen apparaît sur les planches pour *Play It Again*, Sam, Rosenblum restaure la plupart des scènes que le réalisateur avait coupées au montage, rallonge ou remonte certaines séquences en utilisant l'interview des parents de Virgil comme un trait d'union, et choisit une nouvelle musique pour accompagner le tout – un ragtime d'Eubie Blake ici, une bossa nova là – afin d'égayer les moments les plus larmoyants, « le pire côté de Chaplin », admettra plus tard Allen. A la demande de Rosenblum, il tourne une nouvelle fin, qui retrace les événements ayant mené à l'arrestation de Virgil à la façon d'un reportage d'actualités. « C'était comme si on avait ouvert la porte pour laisser passer un souffle d'air frais », dira Allen. « Je crois que Ralph m'a sauvé sur ce film. »

Présenté sous la forme d'un faux documentaire – une forme en vogue vers la fin des Sixties grâce au film *A Hard Day's Night* (*Quatre garçons dans le vent*) des Beatles, et qu'Allen emploiera de nouveau pour *Zelig* – *Prends l'oseille et tire-toi* est un défilé de sketches, gags visuels, fausses interviews vérité et extraits de vieux journaux télévisés, tous rassemblés en une chronique menée tambour battant sur un ton pince-sans-rire. « Le 1er décembre

A gauche : « Le triomphe de la loufoquerie », comme le décrira un chroniqueur en parlant du film. Un gorille plein de zèle déjoue la tentative de vol de Virgil dans un magasin d'animaux.

Ci-contre : « C'est écrit *nistolet*. Non, c'est *pistolet*. » L'écriture indéchiffrable de Virgil confond les guichetiers lors du braquage de la banque.

1935, Madame Virginia Starkwell, épouse d'un manœuvre du New Jersey, donna naissance à un garçon qui fut prénommé Virgil. » La date de naissance correspond à celle de Woody Allen. Dans les premières versions du scénario, le protagoniste s'appelle Woody. S'ensuit une extrapolation amusante de l'adolescence d'Allen passée à plumer ses copains aux cartes, aux dés pipés ou aux paris truqués. Un Portrait de l'Artiste en Jeune Chapardeur.

Inapte à tous les boulots qu'il exerce, de cireur de chaussures à violoncelliste (« Il n'avait pas la moindre idée de la façon dont ça se jouait. Il soufflait dedans. »), Virgil décide d'embrasser une carrière de criminel. Il dévalise le magasin d'animaux de son quartier, avant de se voir poursuivi par un gorille. Il attaque une boucherie et « s'enfuit avec 116 escalopes de veau », ce qui signifie qu'il lui faut désormais voler « une quantité considérable de chapelure ». Finalement, il braque une banque, mais l'employé n'arrive pas à lire son écriture (« C'est écrit *nistolet* » – Virgil : « Non, c'est *pistolet* »). En résumé, sa carrière de criminel bat de l'aile à cause de la même inaptitude qui l'a mené vers le banditisme : un paradoxe qui se retrouvera dans de nombreux autres films, depuis *Bottle Rocket* de Wes Anderson jusqu'à *Arizona Junior* ou *Fargo*, des frères Coen. Tant de réalisateurs de Kubrick à Allen en passant par Andesson ont démarré leur carrière par un film de casse qu'il est tentant de considérer le genre comme une allégorie pour cinéastes néophytes. Un acte d'audace créative, des mois de préparation, un plan d'exécution minutieux, une illusion de normalité, et une attention au moindre détail. Et pourtant, il y a toujours quelque chose qui flanche…

Aux yeux d'Allen, le charme réside dans l'écart entre planification et exécution, le rêve et la réalité. Le criminel incarne ce rêveur et, malgré les gags en cascade, un certain lyrisme onirique souffle sur le film. « Je vais être en retard pour le braquage », se lamente Virgil tandis que sa femme (Janet Margolin) monopolise la salle de bains. Tout l'humour du film est là : dans l'idée qu'une carrière dans le crime s'apparente à n'importe quelle autre voie. Si certains gags fonctionnent mieux que d'autres, il y en a pour tous les goûts, sans un seul temps mort. « Je ne peux quand même pas porter du *beige* pour un braquage », proteste Virgil, une réplique qui marquera le début d'une longue obsession d'Allen pour cette couleur dans son œuvre.

Le type de personnage cher à Allen se révèle ici dans toute sa splendeur. On le voit trembler dans une bagarre, porter la barbe rabbinique, faire de l'œil à son propre reflet, lécher des enveloppes comme un lézard, faire son numéro de malaise avec palpitations : tous les constituants du gringalet froussard et libidineux qu'il reprendra et peaufinera dans ses œuvres suivantes. « On va faire un hold-up, pas un film », rappelle Virgil à l'un de ses acolytes, un réalisateur à la Lang (il s'appelle Fritz) qui veut que tout le monde répète son texte, mais Allen, lui tourne son film comme s'il n'y avait aucune différence, s'inspirant sans scrupules de *Luke la main froide, Je Suis un évadé, Elvira Madigan*, et du romantisme vaporeux d'*Un Homme et une femme*, de Claude Lelouch. « Je ne veux pas que ce film soit éclectique », assure Allen à un journaliste de San Francisco. « Je ne veux pas qu'on dise que j'ai pris un peu de ce réalisateur, et un peu de celui-là… ». Janet Margolin, qui a tout entendu, intervient alors : « Mais Wooood, c'est *exactement* ce que tu as fait. »

Le 18 août, le film donne sa première au Sixty-Eighth Street Playhouse, un petit cinéma d'art et d'essai plus habitué à

« L'idée de réaliser un documentaire, que je peaufinerai plus tard avec Zelig, m'a hanté dès que j'ai commencé à faire des films. Je pensais que c'était le format idéal pour la comédie, parce que la forme documentaire est très sérieuse, et l'on opère aussitôt dans un domaine où la moindre petite chose que l'on fait perturbe tout ce sérieux et fait donc rire. »

A gauche : Virgil tente de se débarrasser d'un maître chanteur en faisant passer des bâtons de dynamite pour des bougies.

Ci-contre : « Allez, on se disperse ! » Les enchaînés se font la malle.

Journaliste : Comment vous est venu l'idée [pour *Prends l'oseille et tire-toi*] ?
WA : J'avais fumé des corn-flakes polonais. Ça m'est venu brusquement.

programmer des films étrangers. La salle bat rapidement son record d'entrées, ce qui engendre aussitôt une diffusion plus importante. La critique est aux anges. *Newsweek* le décrit comme « une ritournelle farfelue qui redonne du zeste à la vie. » Dans le *New York Times*, Vincent Canby évoque « quelque chose d'excentrique et de drôle. » Seule Pauline Kael fait la fine bouche, voyant dans l'incapacité d'Allen à reconquérir sa femme un relent de masochisme qui rappelle le pathos de l'éternel célibataire à la Chaplin. « On a envie que vous ayez la fille à la fin », dit-elle à Allen après avoir vu le film. « On ne veut pas vous voir échouer. Mais vous avez une conception de vous-même bien différente. »

Cette fameuse conception subit à la même époque un bouleversement grâce à une rencontre qui, sans doute plus que toute autre, va bousculer son idée de la comédie, redessiner sa carrière et la forme même de ses films. L'influence de cette personne se révèlera si importante que l'œuvre d'Allen peut dès lors se diviser en deux catégories : Avant Keaton et Après Keaton. Il fait la rencontre de la jeune actrice lors d'une audition pour le rôle de Linda dans *Play It Again*, Sam, la pièce qu'il donne à Broadway. Vêtue d'un maillot de football américain et d'une jupe, une paire de rangers et des mitaines, elle ne cesse de se recoiffer, de se frotter le nez. « Une vraie plouc, du genre à mâcher huit chewing-gums à la fois », se souviendra-t-il. « Elle ne me plaisait pas, mais elle ne me déplaisait pas non plus. » Diane Keaton, elle, s'éprend aussitôt du comédien, déjà très populaire à cette époque. « Ma stratégie consistait surtout à forcer Woody à m'aimer », racontera-t-elle. « J'étais sans arrêt en train d'imaginer des combines pour qu'il finisse par me considérer comme une femme séduisante. »

Un soir, lors d'une pause entre deux répétitions, ils vont dîner au Frankie & Johnnie's Steakhouse. Il ne s'agit pas vraiment d'un

rendez-vous galant (Allen doit dîner avec une autre fille dès le lendemain), mais il s'amuse tant avec Keaton qu'il se surprend à penser : *A quoi bon sortir avec cette autre fille demain soir ? Qu'est-ce que je fais ? Cette fille est géniale. Elle est merveilleuse.* A un moment, Diane Keaton fait crisser sa fourchette sur son assiette, ce qui arrache un glapissement à Woody. « Je ne savais pas comment couper mon steak sans commettre la même erreur », écrira Keaton à sa mère peu après. « J'ai donc arrêté de manger et commencé à parler de la place de la femme dans l'art, comme si j'y connaissais quelque chose, moi, aux femmes et à l'art. Quelle idiote. »

Allen lui écrira plus tard pour la rassurer :

« Ma petite betterave,

Les humains sont comme des pages blanches. Il n'y a pas de qualités inhérentes à l'homme ou à la femme. Certes, il y a une différence biologique, mais tous les choix décisifs de l'existence affectent aussi bien les deux sexes, et une femme, n'importe quelle femme, est capable de se définir avec une LIBERTE totale. »

On retrouve une pointe de *Zelig*, peut-être, dans le féminisme d'Allen, mais la conversation débutée ce soir-là, sur les hommes et les femmes et l'art, se prolongera au fil des décennies par le biais des huit films qu'ils tourneront ensemble. Après huit mois passés dans la salle de montage, c'est à Keaton qu'il présente sa version quasi définitive de *Prends l'oseille et tire-toi*. « Tu sais, c'est bon. C'est drôle. C'est un film drôle », commente-t-elle. « Quelque part, j'ai su à ce moment, à cet instant précis, que ça allait bien se passer avec le public. Son imprimatur comptait beaucoup pour moi, parce que je sentais qu'elle avait une connexion plus profonde encore que la mienne. Et donc, au fil du temps, nous sommes sortis ensemble. Nous avons vécu ensemble, et restons amis jusqu'à ce jour.

« Si je ne faisais pas des films, si je ne travaillais pas, alors je resterais chez moi à réfléchir et à broyer du noir, et mon esprit ressasserait des problèmes insolubles vraiment très déprimants. »

Le personnage de Woody Allen est désormais bien défini. Portrait par Philippe Halsman, 1969.

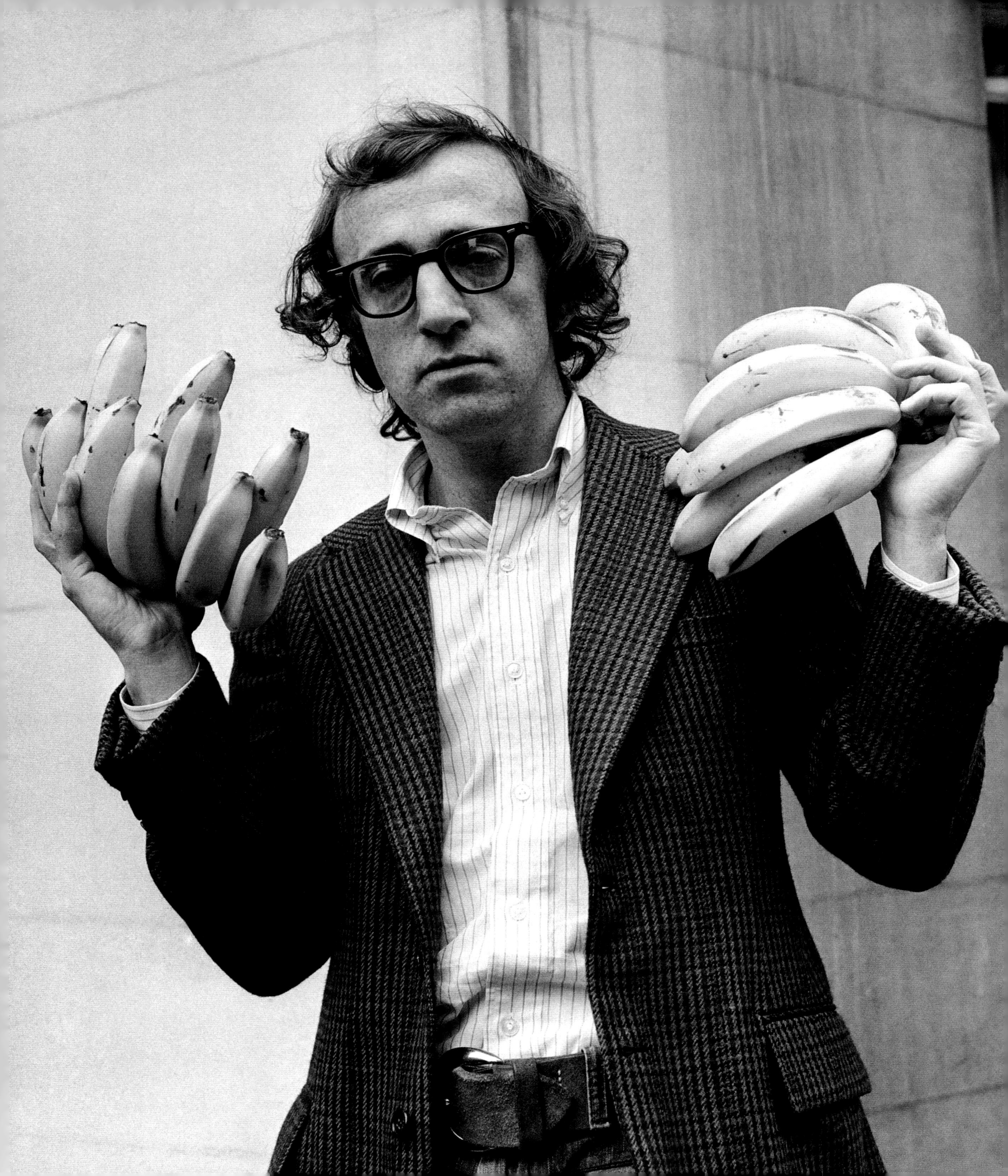

Bananas

1971

Journaliste : Pourquoi avoir intitulé votre film *Bananas* ?
Woody Allen : Parce qu'il n'y a pas de bananes dedans.

Les dirigeants de United Artists sont si impressionnés par le succès de *Prends l'oseille et tire-toi* qu'ils font une proposition à Charles Joffe. « Je veux que Woody fasse un film pour ma compagnie », lui dit David Picker au nom du président d'UA, Arthur Krim. « Combien cela va-t-il coûter ? » Le marché conclu par Rollins et Joffe est sans précédent ; trois films pour un budget de 2 millions de dollars, des gages de 350 000 $ pour Allen scénariste, réalisateur et comédien, et le final cut, sans passer par l'aval d'UA pour le scénario, la distribution. Bien que les Seventies incarnent l'ère de l'auteur, durant laquelle des réalisateurs comme Martin Scorsese, Francis Ford Coppola et Michael Cimino se battront pour et, parfois, obtiendront de tels privilèges, seul Woody Allen conserve alors l'autonomie créatrice comme un droit contractuel, film après film. « Dès mon premier film, alors que je n'avais rien fait pour mériter le contrôle total – absolument rien – on m'a donné le contrôle total, et je n'ai jamais depuis fait un seul film où je n'aies pas eu le contrôle total. »

La première chose qu'il leur apporte est un scénario appelé *The Jazz Baby*, sur un guitariste jazz de la Nouvelle Orléans dans les années 20 – une version précoce, plus pessimiste, d'*Accords et Désaccords*. Les dirigeants d'UA « pâlissent à vue d'œil » en le lisant, racontera Allen, qui les interrompt : « Les gars, si vous ne voulez pas le faire, je ne le ferai pas. Je ne vais pas vous forcer à faire un film que vous n'aimez pas. » Il revient vers son complice scénaristique, Mickey Rose : « On doit écrire quelque chose. Ces types veulent vraiment un film de moi. »

« Et pourquoi pas ce truc sur le dictateur sud-américain ? » suggère Rose.

« Ce truc sur le dictateur sud-américain » est une histoire qu'Allen a pondue durant les journées interminables passées dans sa chambre d'hôtel lors du tournage de *Casino Royale* à Londres. Sam Katzman, un impresario de séries B, lui avait alors demandé de transformer en comédie *Don Quichotte américain*, de Richard Powell, un roman satirique sur un candide soldat de la paix américain confronté à la dictature d'une petite île des Caraïbes. Le livre s'avère tellement barbant qu'Allen abandonne la lecture et revient à la forme libre qu'il préfère : gag, gag, gag, gag, gag…

Lorsque Allen ressort le scénario de ses tiroirs, ça ne ressemble plus à grand chose. Avec l'aide de Rose, il passe les deux semaines suivantes dans son appartement, à retravailler le tout. L'histoire devient alors celle de Fielding Mellish, un frêle testeur de produits new-yorkais qui se retrouve embringué dans une révolution sur l'île de San Marcos, une dictature imaginaire sud-américaine, dans l'espoir de séduire une jolie idéaliste nommée Nancy. Il reviendra aux Etats-Unis en tant que président de ce pays, doté d'une barbe à la Castro. Le scénario aussitôt approuvé par UA, le tournage démarre à Porto Rico, avec Louise Lasser dans le rôle de Nancy.

Bien qu'Allen et Lasser aient déjà divorcé lorsque commence le tournage, le réalisateur inaugure-là une singularité qui marquera nombre de ses films à venir : celle de tirer le meilleur de ses partenaires féminines une fois qu'ils ont rompu. « Et bien sûr, je l'ai eue à bas prix », plaisantera-t-il sur le *Dick Cavett Show*. Pendant ce temps-là, Diane Keaton est bien installée dans la chambre d'hôtel du metteur en scène. Depuis leur rencontre sur *Play It Again*, Sam, leur relation évolue en dents-de-scie : « On sortait ensemble, puis plus, jamais vraiment sûrs, jusqu'à ce que débute le tournage de *Bananas* », dira-t-il. Mais le tournage n'a pas grand-chose de romantique. Alors qu'il s'aventure dans l'unique cinéma de San Juan, le couple doit zigzaguer entre les fauteuils pour esquiver les gouttes qui tombent du toit. « C'était barbant d'être à Porto Rico », se plaindra Allen. « Il n'y avait rien à faire. On mangeait mal. Il faisait chaud et humide. Le cinéma fuyait et j'ai trouvé une souris morte dans ma chambre. »

Sur le plateau, l'improvisation règne, tant intentionnelle qu'imprévue. Lors du raid sur les rebelles par les troupes

A gauche : Allen joue Fielding Mellish, un testeur de produit frêle et sournois.

Ci-contre : Mellish visite la république fictive sud-américaine de San Marcos et revient aux Etats-Unis sous les traits de son dirigeant barbu à la Castro.

gouvernementales déguisées en groupe de rumba et dansant le cha-cha-cha, une averse torrentielle s'abat sur l'équipe. Lorsque les instruments pour l'orchestre de chambre qui doit jouer dans le palais du dictateur manquent à l'appel, Allen se hâte d'improviser une scène où le quartet joue sur des instruments invisibles. Conscient depuis *Prends l'oseille* que de nombreuses scènes ne survivront pas au montage, le cinéaste bourre *Bananas* de gags, à tel point « qu'on aurait pu faire un autre film rien qu'avec les chutes », dira Ralph Rosenblum, qui débarque à Porto Rico en qualité de producteur associé. « S'il estimait qu'il avait besoin de 150 gags en une heure et demie, il en écrivait et en tournait 300. »

A regarder les premiers films de Woody Allen, il est tentant de les considérer à travers le prisme de ses influences. Si *Prends l'oseille et tire-toi* dévoile Allen dans sa phase la plus chaplinesque, *Woody et les robots* ajoute une pointe de Buster Keaton au mélange, tandis que *Guerre et Amour* le voit parfaire son imitation de Bob Hope. Quant à *Bananas*, la source d'inspiration est facile à détecter. La dictature fictive de San Marcos, les cigares, l'avalanche de gags et l'anarchie ambiante… C'est la version allénienne de *La Soupe au canard*, des Marx Brothers. Acculé par la police, Mellish exécute une variante du numéro de danse de Groucho dans *Un jour aux courses*, où ses bras posent à l'égyptienne, tandis que ses jambes font le tire-bouchon. « J'ai souvent fait cette comparaison, mais si vous prenez quelqu'un comme Picasso, et qu'il dessine un petit lapin, un simple lapin, et qu'ensuite, des écoliers dessinent le même lapin, ça donne quelque chose dans le genre. Il n'a pas à faire quelque chose de joli, pas d'idée de génie. Mais il y a quelque chose dans son tracé, c'est son tracé sur le papier qui est si beau. »

De la même manière, *Bananas* est un beau film. Mais pas à regarder. La lumière est sans doute la pire de tous les films d'Allen – une pauvre ampoule nue transforme la garçonnière de Mellish en un surprenant décor grunge néoréaliste, tandis que la révolution se déroule sous un ciel délavé, couleur de chaussette sale. La réalisation pâtit encore d'une sophistication

trop poussée, pleine de cadrages et travellings ingénieux, sans parler du montage godardien de la séquence d'assassinat du président. Pourtant, le tracé d'Allen en tant qu'auteur – le tracé qui mène chaque scène à un gag – n'a jamais été plus droit et direct, tandis que son tracé en tant qu'interprète – celui que son corps suit sur l'écran – est un ballet merveilleux et agile, tout en fléchissements, contorsions, voussures et torsions.

Alors que, pour la première fois, Allen donne à son personnage de nigaud des aspirations intellectuelles, sa comédie atteint un registre plus évolué. « Tu as déjà lu le Yi Jing ? », demande Nancy, doctorante en philosophie. « Non, mais j'ai potassé Kierkegaard », réplique Mellish, cancre au lycée. Ses parodies cinématographiques s'avèrent nettement plus haut de gamme : Bergman (pour une scène de rêve dans laquelle deux crucifix se battent pour une place de parking) et Eisenstein (dans l'assaut du palais, un landau dévale les escaliers). Le scénario montre également un net penchant pour la satire, avec ses piques à l'encontre de la politique étrangère américaine et de la culture télé, notamment lorsque le journaliste star Howard Cosell couvre les « émeutes colorées » et promet de repasser aux spectateurs la cassette des passages à tabac, une séquence qui s'affiche comme une riposte directe au slogan des Black Panthers, repris plus tard dans un morceau de Gil Scott-Heron : « The Revolution Will Not Be Televised » [La Révolution ne sera pas télévisée].

Si sa prise sur l'actualité de l'époque empêchera *Bananas* d'atteindre le statut culte de *Woody et les robots* ou de *Guerre et amour*, le film amorcera néanmoins un virage marqué vers la postérité. En 1971, rares sont les comédiens à prendre Chaplin ou les Marx Brothers pour modèle, malgré le refus constant d'Allen de reconnaître son propre talent pour l'humour burlesque. Lancé à la poursuite d'un bloc d'épinards surgelés tel un joueur de hockey derrière un palet, ou frémissant sous le regard menaçant de Stallone, qui joue les gros durs dans le métro, Mellish apparaît comme un homme au corps dépourvu

Cutty
people
know.

A gauche : Rasage synchrone avec Esposito (Jacobo Morales), un révolutionnaire de San Marcos.

Ci-dessous : La petite amie de Mellish à l'écran, Nancy, est jouée par l'ex-femme d'Allen, Louise Lasser.

« Bananas est encore un film où rien ne m'importait d'autre que de faire rire[...]. Je tenais à ce que tout soit drôle et rythmé. Voilà ce sur quoi je me concentrais. Si j'ai tourné ou monté certaines scènes presque comme un dessin animé, c'est donc pour cette raison. »

Ci-contre : Un jeune Sylvester Stallone apparaît sous les traits d'un voyou dans un rôle non crédité au générique.

du moindre petit os. Cette scène avec Stallone tient de la perfection. Mellish l'éjecte du wagon et, tandis que les portes se referment, se tourne vers la caméra et parade devant les regards reconnaissants des autres voyageurs, avant que Stallone force les portes et l'attrape au moment même où notre héros goûte à son plus grand triomphe. La séquence est sans pareille, un gag taillé pour la pellicule qui doit sa réussite aussi bien à la position de la caméra et au cadre qu'à la performance protéiforme d'Allen. Y apparaît pour la première fois son aisance à fusionner les rôles d'auteur, d'acteur et de réalisateur.

Autre première : suivant la suggestion de Pauline Kael, Allen finit par séduire la fille. A l'origine, le film doit s'achever sur un discours de Mellish à la Columbia University qu'une explosion interrompe. Mellish émerge des décombres, le visage noirci, et se fait prendre pour un « frère » par des révolutionnaires noirs. « Woody, la fin ne marche pas », lui assure Rosenblum, dans un refrain désormais familier. « Pourquoi ne pas faire quelque chose qui rappelle le début du film ? » Allen revient le lendemain avec une nouvelle fin qui fait écho à la première scène, où Cosell relate l'assassinat du président sur le ton de ses célèbres chroniques sportives (« Oui, vous l'avez entendu de vos propres yeux »). Cette fois, Cosell couvre la lune de miel de Mellish. « Ces deux-là collaborent bien », décrit-il. « C'est rapide, rythmé, coordonné… » La main de Mellish émerge des draps et fait le V de la victoire. « Ça y est ! » annonce Cosell. « C'est terminé ! Le mariage est consommé ! »

Tombe les filles et tais-toi

1972

Woody Allen a beaucoup aimé jouer sa pièce *Play It Again, Sam* (le titre original en anglais), sur les planches du Broadhurst Theater à Broadway en 1969. « Il n'y a pas de métier plus facile que de jouer dans une pièce », affirme-t-il alors. « C'est vrai, on est libre toute la journée, à faire ce qu'on veut. On peut écrire, se reposer… Il suffit de se pointer au théâtre à vingt heures. » Chaque jour, il se rend au théâtre à pied, en compagnie de Diane Keaton, et se contente de monter directement sur scène, en tenue de ville. Il s'y sent tellement à l'aise qu'il commet régulièrement des bévues. S'il oublie son texte, il jette un coup d'œil à ses partenaires, Keaton ou Tony Roberts, et éclate de rire. « Quand Woody sautait une réplique, il perdait pied », racontera Keaton. « Il ne pouvait pas poursuivre la scène. Tony et moi, on pouvait louper une réplique et continuer, mais pas Woody. Alors on commençait à rire. Certains soirs, la discipline laissait vraiment à désirer. » Roberts tentera d'expliquer l'incapacité d'Allen à improviser : « Nous prétendions être ces personnages qu'il avait inventés, mais lui, il *était* l'un d'eux. Donc quand l'histoire s'interrompait un instant, il était confondu, existentiellement parlant. »

Page de droite : Sur scène, lors de la tournée à Broadway de la pièce originale d'Allen, en 1969.

Ci-contre : « J'étais très content que Herb Ross réalise *Tombe les filles et tais-toi*. Moi, je n'avais pas envie d'en faire un film. »

Ecrite à Chicago en 1968, où Allen se produit sur la scène du club de jazz Mister Kelly's, la pièce évoque ses rencontres avec des femmes que lui présentent ses amis alors que son mariage avec Louise Lasser bat de l'aile – « Oh, on connaît une fille sympa qui va te plaire… ». Mais en leur présence, Woody reste tétanisé, alors qu'il n'a aucun mal à parler aux femmes de ses copains. « J'étais normal et sincère avec elles, et elles me trouvaient bien meilleure compagnie que les femmes que je cherchais à impressionner », raconte-t-il alors. « Voilà ce qui m'a donné cette idée : on panique en présence d'inconnus, alors qu'on est totalement à l'aise avec ses amis parce qu'on s'en fiche. » L'intervention du personnage d'Humphrey Bogart n'est pas tout de suite imaginée (la phrase culte « Play it again, Sam » est extraite de *Casablanca*), mais alors qu'il travaille dans sa chambre d'hôtel de l'Astor Tower, il se surprend à taper les mots : « Bogart apparaît… » Puis il recommence. Au total, Bogart apparaîtra six fois : il devient un personnage majeur.

FRANCISCO
INTERNATIONAL
FILM
FESTIVAL
FILM WEEKLY
BOGEY
YEAR BOOK
1926

Le personnage principal est Allan Felix, un cinéphile qui s'inspire d'un Bogart imaginaire (Jerry Lacy) pour trouver ses répliques romantiques.

Rollins et Joffe vendent les droits du film à la Paramount, qui souhaite d'abord voir Dustin Hoffman, rendu célèbre grâce au *Lauréat*, dans le rôle d'Allan Felix, le divorcé qui ne se sent bien avec les femmes qu'auprès des épouses de ses amis. Richard Benjamin, qui apparaîtra plus tard dans *Harry dans tous ses états*, est également mentionné. « Il ne voulait pas de moi jusqu'à ce que *Bananas* commence à faire des entrées », se remémorera Allen, qui refuse la casquette de réalisateur parce qu'il travaille déjà sur T*out ce que vous avez toujours voulu savoir sur le sexe (sans jamais oser le demander).* Alors qu'Herbert Ross, qui vient de tourner *Funny Lady*, accepte le poste, Allen adapte sa pièce en seulement dix jours, en l'étoffant de scènes de fêtes disco et de quelques fantasmes où il imagine son ex-femme (Susan Anspach) explorer sa sexualité avec des motards de type aryen. Et comme une grève des techniciens du cinéma éclate durant l'été 1971, il transpose l'action à San Francisco. Le tournage débute en octobre de la même année.

Tombe les filles et tais-toi aurait pu être tourné par Nora Ephron, la réalisatrice de *Nuits blanches à Seattle*, dont l'intrigue repose sur la même quête de l'amour fantasmé. Le film s'ouvre sur une scène de *Casablanca* reflétée dans les lunettes d'Allen, fasciné par les nobles adieux de Bogie à Ingrid Bergman. La lumière se rallume, et Allen pousse un soupir désabusé, offrant une magnifique touche de naturalisme à son personnage, sans cesser pour autant de creuser la veine burlesque. Il faut voir comment, alors qu'il tente de se donner une contenance devant une femme que lui présentent ses amis Dick (Roberts) et Linda (Keaton), Allan envoie valser un vinyle à l'autre bout de la pièce d'un geste maladroit : dans l'humour tarte à la crème, on ne fait pas mieux.

Pendant ses rendez-vous, où il débite tant bien que mal des fadaises romantiques, Allan se retrouve submergé de tics nerveux, et ne parvient à être détendu et naturel qu'avec Linda, lorsqu'il analyse ses mésaventures après coup. Il est intéressant de constater comment la timidité du personnage qu'interprète Allen lui sert à justifier (sans avoir l'air d'y toucher) l'adultère. Le scénario est, de ce point de vue-là, une véritable thèse doctorale sur le machiavélisme romantique. Réunis par leurs addictions pharmacologiques (« Du jus de pomme et du Darvon, c'est sensationnel comme mélange ! » « Vous n'avez jamais pris du Librium avec du jus de tomate ? »), Allan et Linda se ressemblent en tous points, même si Woody Allen n'a pas encore trouvé comment articuler l'intrigue autour d'autres personnages que le sien. S'il saisit à merveille les illusions adolescentes d'Allan (notamment sur ses performances sexuelles hors du commun), il ne parvient pas à écrire du point de vue des femmes. Avec ses yeux de biche et sa passivité, Keaton apparaît comme un mirage lors de la scène où Allan débite les clichés romantiques que lui souffle Bogart (« Dis-lui qu'elle a les plus beaux yeux du monde »), un procédé qui le lie au public, mais qui laisse Keaton à l'écart (« Elle est tombée dans le panneau ! »). C'est le seul rôle qu'Allen n'écrira pas spécifiquement pour elle, et ça se voit. Son intonation si particulière échappe encore au cinéaste – cette alternance d'hébétude et de causticité qu'il capturera si bien dans *Annie Hall.* « L'alchimie entre Diane et moi s'est développée au fil du temps », confirmera-t-il. « Cela s'est produit en coulisses et à l'écran. En fait, notre relation en privé a produit l'alchimie qui apparaissait entre nous à l'écran. […] J'ai appris à voir très souvent les choses à travers son regard, ce qui a permis d'élargir et d'améliorer ma perception. Elle a eu une influence majeure sur moi. »

Ci-dessus : « Elle est tombée dans le panneau ! » Après s'être donné la réplique sur les planches, Allen et Diane Keaton apparaissent ensemble à l'écran pour la première fois.

A gauche : Le début d'une grande amitié, hommage à l'ultime scène de *Casablanca*.

« Je réfléchis rarement en termes de personnages masculins, sauf pour moi-même. Je me sens irrémédiablement attiré par les films, les pièces ou les livres qui explorent la psyché des femmes, et surtout des femmes intelligentes. »

Allan : Tu as été fantastique cette nuit au lit.
Linda : Oh, merci.
Allan : Comment te sens-tu, maintenant ?
Linda : Je crois que le Pepto Bismol m'a fait du bien.

Across
the
Pacific
MARY
ASTOR · GREENSTREET
SYDNEY
Directed by
JOHN HUSTON
Presented by
WARNER BROS

Tout ce que vous avez toujours voulu savoir sur le sexe (sans jamais oser le demander)

1972

Allen a sous-estimé l'inconfort de son costume d'araignée et la fragilité d'un sein en tissu haut de près de 5 mètres.

Un soir, alors qu'il rentre chez lui après avoir assisté à un match des Knicks avec Diane Keaton, Allen tombe sur *The Tonight Show* à la télé, où le Dr David Reuben présente son best-seller, *Everything You Always Wanted to Know About Sex (But Were Afraid to Ask)*, vendu à plus de 100 millions d'exemplaires à travers le monde. Le présentateur Johnny Carson lui demande : « Est-ce que le sexe est sale ? », ce à quoi le médecin répond : « Seulement quand il est bien fait. » D'abord, Allen s'étrangle : c'est sa réplique, extraite de *Prends l'oseille et tire-toi*. Puis il réfléchit : ça serait amusant de tourner une série de sketches basés sur le livre. « Je pensais trouver un million d'idées comiques sur le sexe », confessera-t-il plus tard. « Mais le concept s'est avéré moins fertile que prévu, et j'en ai trouvé six. »

Flanqué du chef opérateur David M. Walsh, qui refuse d'abord le poste à cause de la médiocre photographie de ses œuvres précédentes, et le décorateur Dale Hennesy, qui a travaillé sur *Le Voyage fantastique* (1966), Allen rencontre des problèmes logistiques de poids. Ainsi, une parodie de l'Ancien Testament sur la masturbation ne sera pas tournée, faute de budget suffisant pour recréer les décors d'époque. Le sein géant est fabriqué avec du tissu si fin qu'il finit par se déchirer lorsque le vent souffle trop fort. Dans une autre séquence sur l'homosexualité, Louise Lasser est censée incarner une veuve noire et Allen, affublé d'un costume d'araignée, son futur ex. L'expérience se révèle « l'une des plus mauvaises de ma vie et de la sienne », se souviendra-t-il. « Dès que je m'asseyais, ça me démangeait, mon déguisement était très inconfortable, elle détestait le sien, et nous n'arrêtions pas de nous disputer. Les câbles de la toile d'araignée nous faisaient mal. Malgré tout, on pensait pouvoir tirer une belle séquence de tout ça. On a tourné plus de 30 kms de pellicule en deux semaines avec deux ou trois caméras, tout ça pour six minutes et demie de film. J'avais une super blague subliminale pour mettre en musique la séquence avec *Casse-noisette* – mais ça n'a pas fonctionné. »

Sur le plateau, Allen n'a pas l'esprit à la fête. « On avait l'impression d'être sur un tournage de Bergman », témoignera Gene Wilder, qui apparaît dans le sketch du médecin épris d'une brebis. « Woody a cette façon de tourner comme s'il grattait

« Il ne s'agissait pas d'histoires dans lesquelles on devait s'investir émotionnellement, mais de petits sketches frivoles. On en riait, en se disant même, 'Super, j'ai eu mes six minutes de ça, maintenant j'aimerais passer à un autre'. Et donc, pour une raison ou une autre, [ce film] a marché. »

Les deux premiers sketches présentent un bouffon de la cour élisabéthaine qui séduit la reine grâce à un aphrodisiaque, et un triangle amoureux entre un médecin (Gene Wilder), son patient et une brebis.

dix mille allumettes pour éclairer une ville. » Il inverse l'ordre de certaines séquences, finit par couper le sketch sur l'araignée en faveur d'une scène avec Lou Jacobi en travesti. Le cinéaste remanie le film jusqu'à la dernière minute, si bien qu'il doit passer la pellicule encore humide deux fois dans le projecteur avant de pouvoir la livrer sèche.

Tout ce que vous avez toujours voulu savoir sur le sexe (sans jamais oser le demander) fait un triomphe en salle, engrangeant 18 millions au box-office et devenant ainsi la deuxième comédie la plus populaire de 1972, après *On s'fait la valise, Docteur ?* avec Barbara Streisand. Mais comme Allen le comprendra lui aussi, le sexe en lui-même ne peut constituer un thème fructueux sur le long terme : il s'attaquera plutôt à l'anxiété sexuelle.

Le premier sketch – « Les aphrodisiaques sont-ils efficaces ? » – met en scène un bouffon de la cour élisabéthaine (Allen) qui utilise un élixir pour séduire la souveraine, et ne cesse d'énoncer des anachronismes linguistiques. Le deuxième, – Qu'est-ce que la sodomie ?– montre un médecin (Wilder) recevoir un berger épris de sa brebis, puis tomber lui-même amoureux de l'animal. Wilder y livre une magnifique performance, explorant toute la palette de l'émoi amoureux – tendre, timide, affectueux (« Je n'oublierai jamais ces après-midi, Daisy »), narquois, blessé, furieux – sans jamais se départir de son sérieux.

Dans le troisième sketch – Pourquoi certaines femmes n'atteignent pas l'orgasme ? – Allen campe un dandy italien (lunettes noires, gomina, cigarillo), dont la fiancée (Lasser) ne prend du plaisir que dans les lieux publics. On rit de la mise en scène minimaliste parodiant celle d'Antonioni, même si Allen parlant italien sans son accent de Brooklyn ne s'avère pas si drôle. « Les travestis sont-ils homosexuels ? », le quatrième sketch, où un monsieur tout à fait respectable (Jacobi) quitte la table lors d'un dîner chez des amis pour enfiler les vêtements de son hôtesse, reste sans doute le sketch le plus faible. Les possibilités de permutation sont si nombreuses (« Elle est mon époux ! ») qu'en termes de développement dramatique,

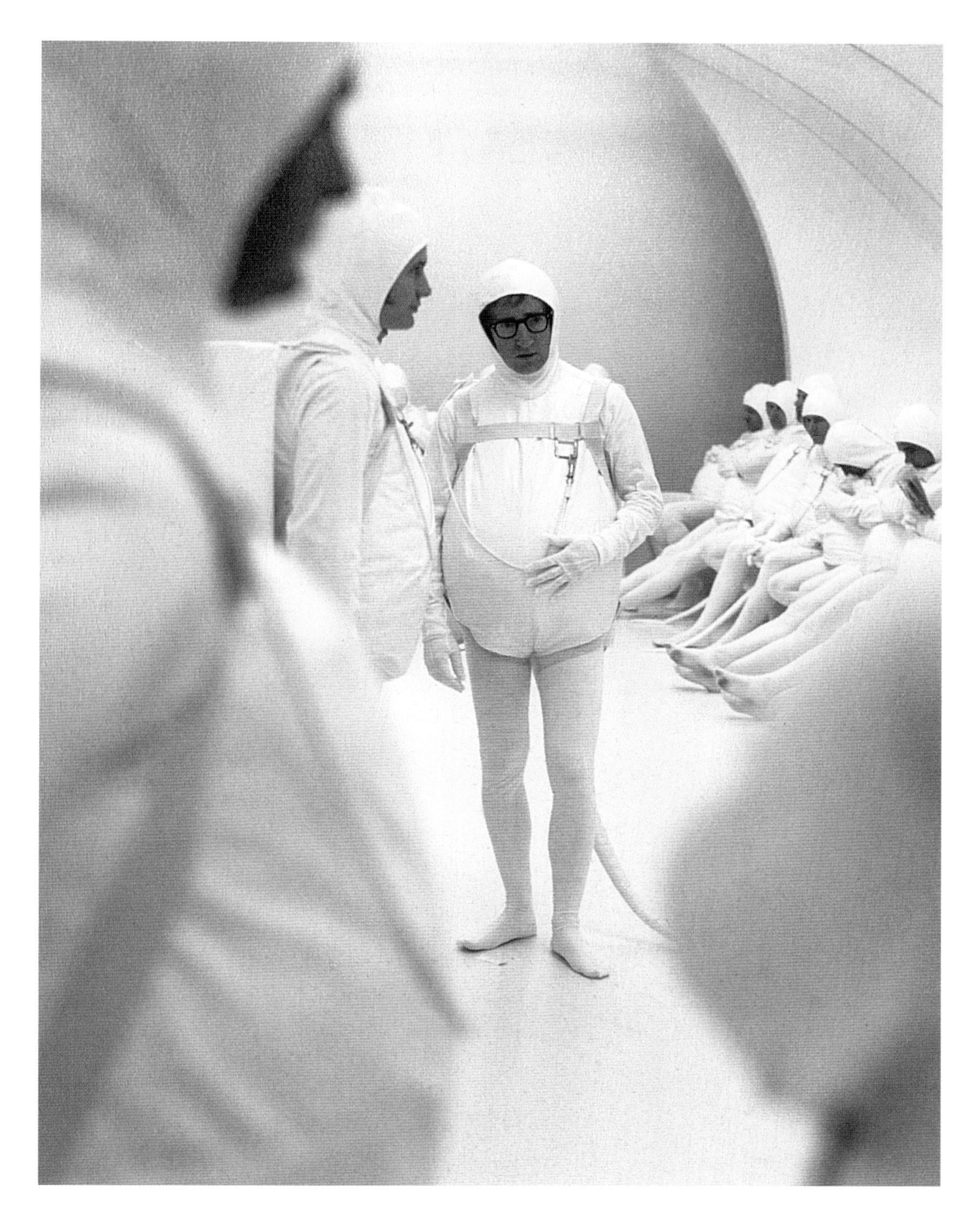

Dans la peau d'un spermatozoïde en route vers l'inconnu dans le sketch final, « Qu'arrive-t-il durant l'éjaculation ? »

le récit s'essouffle très vite. Allen y déploie un humour des plus ringards, alors que la présence de son personnage de poltron assumé aurait permis d'adoucir le propos maladroitement intolérant.

Le cinquième sketch s'avère meilleur : « Quel est votre vice ? » est une parodie de jeu télévisé dans lequel quatre candidats (Regis Philbin, Toni Holt, Robert Q. Lewis, et Pamela Mason) s'efforcent de deviner la perversion d'un invité sur le plateau (« Aime s'exhiber dans le métro »). Le sixième sketch, « Les expériences scientifiques sur le sexe donnent-elles des résultats satisfaisants ? », atteint des sommets avec la fameuse attaque du sein géant – un peu comme si Philip Roth revisitait le *Blob*. Et le septième, « Qu'arrive-t-il durant l'éjaculation ? », qui mérite son statut de classique, dépeint le déroulement d'un dîner aux chandelles observé depuis un centre de contrôle à l'intérieur du corps de l'homme . La scène finit sur le couple faisant l'amour dans la voiture (« L'érection est à 45 degrés et tient bon. ») et une file indienne de spermatozoïdes (l'un d'entre eux joué par un Woody Allen rongé d'inquiétude : « Et s'il se masturbait ? Je finirais au plafond ! ») prêts au lancement. Le décor blanc et les costumes, le jeu sur l'échelle, la polarité esprit/corps, l'hilarité provoquée par la vision d'Allen portant une calotte sur le crâne : la voie est ouverte pour *Woody et les robots*.

Woody et les robots

1973

La sortie de *Woody et les robots* dévoile un Woody Allen d'humeur étrangement enjouée. « *Sleeper* [le titre original] est un film que tous les enfants des Etats-Unis peuvent voir et trouver amusant », assure-t-il. « C'est exactement le genre de films que j'allais voir et que j'adorais, enfant. Je ne veux pas qu'on me confine à l'humour intellectuel, alors que je n'ai pas la moindre référence intellectuelle. Chaplin avait des gags très recherchés, lui aussi. J'en ai marre qu'on me considère spécialisé intellos. »

Le projet initial s'avérait encore plus ambitieux : un film de trois heures, divisé en deux parties. Dans la première, Miles Monroe, propriétaire du magasin de diététique Happy Carrot à New York, se rend à l'hôpital pour une opération bénigne d'un ulcère à l'estomac, mais bascule malencontreusement dans une cuve de nitrogène cryogénique. Après l'entracte, les spectateurs découvrent que deux cents ans se sont écoulés. Allen a déjà écrit une quarantaine de pages du scénario, quand il s'interrompe brusquement. « Faut-il vraiment que j'écrive tout un film pour montrer que je tombe dans une cuve de liquide glacial ? » se demande-t-il. « Je me suis dit, on ne va faire que la seconde partie, dans le futur, quand le type se réveille. »

Il en parle à Marshall Brickman, un scénariste télé qui jouait du banjo au Bitter End, à l'époque des spectacles de stand-up d'Allen. La grande force de Brickman, c'est la narration : de A à B à C. Installés dans le salon d'Allen, les deux hommes discutent pendant une heure, une heure et demie, puis l'un d'eux suggère de sortir. Ils partent se promener, laissant les idées venir à eux. Allen veut que, dans ce monde futuriste, il soit interdit de parler, pour créer une sorte de film muet revisité. Il tient également à tourner tout le film à Brasilia, la capitale futuriste du Brésil. Finalement, ce sera Denver, le désert des Mojaves et Culver City, ville de studios où Allen investit l'ancienne loge de Clark Gable, une coquette petite maison entourée d'un jardin fleuri. Le son de sa clarinette s'en échappe tous les matins, avant le début du tournage à 8 h 30.

« Qu'est-ce que je fiche ici, bon sang ? A 237 ans, je devrais toucher ma retraite. » Conservé grâce à la cryogénie après une fausse manœuvre, Miles Monroe, propriétaire d'un magasin de diététique, ressuscite 200 ans plus tard.

« Nous sommes tous à la merci des rushes. Je les visionne, et je me dis, 'Aucune de ces scènes n'est drôle', et je les filme à nouveau, puis je vais les monter dans le film, et les deux scènes les plus affreuses seront celles qui feront le plus rire. Voilà pourquoi les comédies sont si difficiles. »

Contraint de livrer son film pour Noël, Allen s'apaise en jouant de la clarinette, son accessoire le plus important sur le plateau.

« Les films au budget de deux millions ne sont qu'emmerdements, et en plus je suis loin de New York », se plaint-il. « Tout à L.A n'est que voitures et doit se faire à toute allure – douze semaines. » United Artists souhaite une sortie pour Noël et impose des pénalités en cas de retard ou de dépassement de budget. Allen commence le tournage le 30 avril. Or, dès le mois d'août, il a déjà dépensé ses émoluments de 350 000 $ et accuse un retard de 51 jours sur le planning initial. Robots, accessoires mécaniques, scènes de cascades : rien ne se passe comme prévu. Une combinaison spatiale refuse de gonfler. La banane géante a l'air trop fausse. Câbles et fils ne cessent d'apparaître dans le cadre… « C'est un film sur les câbles », grommelle Allen. « Ils ont envoyé des types dans le Colorado et je leur ai montré les rushes et, comme d'habitude, ils se montraient on ne peut plus gentils. Ils disaient, 'Laissons-le tranquille, il s'en sort bien.' »

Parmi le contingent dépêché par UA, se trouve Ralph Rosenblum, à qui le studio a demandé de procéder au montage, sept jours sur sept, tandis qu'Allen continue de tourner. « J'ai senti son état de stress intense dès qu'il m'a accueilli sur le plateau […]. Malgré ses efforts, il commençait à montrer des signes d'impatience à l'égard de la production. » Lorsqu'ils retournent à New York en septembre, Allen et Rosenblum ont déjà monté une bonne partie du film. Travaillant chacun de leur côté avec l'aide de leurs assistants respectifs, les deux hommes montent chacun des séquences différentes puis étudient le résultat. A la fin du mois, ils ont assemblé une première copie de deux heures et vingt minutes. Une séquence de rêve dans le désert des Mojaves, où Allen joue un pion sur un échiquier – « l'une des plus belles scène de cinéma qu'Allen ait jamais réalisées », aux yeux de Rosenblum – finit coupée au montage, tout comme la fin initiale, un gag visuel que Rosenblum trouve « rebattu ». Un dimanche, Allen retourne en Californie avec Diane Keaton, qui tourne alors *Le Parrain II*, pour tourner une nouvelle fin.

Ce n'est qu'après d'innombrables sessions de travail acharné que le film peut enfin sortir pour Noël. Le montage définitif, qui condense trente-cinq heures de rushes en quatre-vingt-dix minutes, est achevé seulement deux jours avant la première.

« *Sleeper* est le premier vrai film de Woody », assure Rosenblum, insinuant-là que l'œuvre renferme davantage de décors, de costumes et d'effets spéciaux que tout ce que Woody a réalisé jusqu'alors. « Avoir réussi à donner une esthétique claire à une comédie slapstick en couleurs est une victoire majeure », applaudit Pauline Kael, dont les louanges s'accompagnent toutefois d'un bémol :

« C'est un film sur les câbles. » Accessoires et cascades plomberont le budget et le calendrier de *Woody et les robots.*

« *Sleeper* [...] ne part pas dans tous les sens ni ne pète un fusible comme *Bananas* ou *Sexe*. C'est un film charmant – une œuvre très régulière, sans presque aucune réplique ostensiblement mauvaise. Pourtant, il ne possède pas les échappées survoltées de ces autres films. On en sort le sourire aux lèvres, tout à fait heureux, mais pas sur les nerfs... Allen a souvent été cité affirmant qu'il souhaitait conserver des techniques cinématographiques sommaires, et j'aimais lire ces citations parce que je trouvais qu'il avait raison. Dans *Bananas*, sa volonté de laisser les gags se dérouler sans aucune structure plutôt que de les tailler et de les contenir dans un cadre était payante. L'effet était complètement fou, mais d'une façon originale. »

C'est une critique qu'Allen va entendre beaucoup dans les années à venir, à mesure que ses films gagnent en compétence technique et en valeur productive. « Juste trop beau », dira Stanley Kauffmann de *Guerre et Amour.* « Le film a été tourné en France et en Hongrie, et c'est magnifique. Et rien ne devrait l'être. » Il va sans dire qu'avant Woody Allen, le concept d'une comédie esthétique est une abomination aux yeux de Hollywood. Personne ne se souvient des films des Marx Brothers pour leur photographie. La critique louait la réalisation de Buster Keaton, mais Chaplin s'en sortait moins bien. Preston Surges réalisait d'élégants travellings mais, comme le fera remarquer Allen lui-même, « La plupart des belles choses sont des choses qui ne font pas rire. » Ses ambitions artistiques le poussent vers des territoires inconnus : il proposera de collaborer avec le chef opérateur du *Parrain*, Gordon Willis, pour tourner *Annie Hall, Manhattan* et *Stardust Memories* ; celui de Bergman, Sven Nykvist, pour *Crimes et délits* et *Celebrity* ; et celui d'Antonioni, Carlo Di Palma, pour *Hannah et ses sœurs, Radio Days, Alice et Meurtre mystérieux à Manhattan* : des comédies restant néanmoins des œuvres cinématographiques à part entière, de belles choses qui font rire.

Tout commence donc avec *Woody et les robots*, dans lequel les habitants du futur forment une communauté hédoniste et échangiste, consommant sexe et drogue dans des maisons de Charles Deaton, ovoïdes et immaculées, et dont les immenses baies vitrées si lisses jurent avec la silhouette souffreteuse d'Allen. Pour Allen, le futur procure un environnement encore plus propice à la comédie que la jungle. Du moins, le futur rural. Allen donne à voir le plus hostile des futurs à ses yeux : un futur dénué de villes. Pendant les quarante-cinq premières minutes, le film file à la même vitesse survoltée que ses premières œuvres. D'abord, une succession de gags opposant Woody et les gadgets

"Je voulais faire une sorte de "slapstick comedy", un film visuel dans ce genre-là. J'ai trouvé ça plutôt très facile."

Des belles choses qui font rire. Allen commence à exiger le même niveau esthétique pour ses comédies que pour les genres cinématographiques considérés comme plus prestigieux.

spatial, l'engin à hélice) suivie d'une suite de gags où Woody *devient* le gadget (son personnage de robot mutique), qui fourmillent de clins d'œil aux classiques du muet. Le voilà, vacillant en haut d'une échelle, tel Harold Lloyd dans *Monte là-dessus !*, poursuivi comme dans les comédies burlesques des *Keystone Cops* (sur un air de clarinette joué par Allen lui-même), recroquevillé dans une usine de robots à la manière du boxer de Chaplin dans *Les Lumières de la ville*. Jusqu'ici, rien de bien neuf. Apparaît alors Diane Keaton.

C'est sa première apparition dans un film réalisé par Woody Allen, et quelle présence ! Le visage recouvert d'argile verte, porte-cigarette au bec, récitant ses vers atroces sur les chenilles, Keaton (Luna), les nerfs à vif, incarne le pendant féminin d'Allen à la perfection. En cavale, ils accordent leurs névroses comme le feraient des violonistes, et pour la première fois dans un film de Woody Allen, les scènes de ce dernier s'avèrent meilleures lorsqu'il est accompagné plutôt que seul. Miles taquine Luna (« Je n'arrête pas de plaisanter, tu me connais, c'est un mécanisme de défense. »), tandis qu'elle lui avoue son insécurité intellectuelle (« Me trouves-tu stupide ? »). Miles tente alors de la rassurer (« Ne dis pas de bêtises »), apaisant l'angoisse qu'il a lui-même provoquée. Leur baiser dans les escaliers de la maison-œuf, tandis qu'Allen bricole une vieille clarinette, est la première vraie scène romantique qu'il inclut dans l'un de ses films, où sexe et humour s'avéraient jusque-là indissociables. Un cap est franchi.

Miles se déguise en robot et s'acoquine avec Luna Schlosser, jouée par Diane Keaton, qui apparaît pour la première fois dans un film réalisé par Woody Allen.

Leur idylle suit un parcours étrangement familier. D'abord, Miles délivre Luna du conservatisme bourgeois où elle était engluée, puis, alors qu'il est fait captif par le gouvernement, elle vient le secourir, affublée de l'uniforme révolutionnaire et pérorant des slogans marxistes, au grand désarroi de Miles (« Elle lit quelques bouquins, et voilà qu'elle est intello »). L'intrigue s'articule donc pour la première fois autour du personnage de femme libérée, qu'il peaufinera dans *Annie Hall* – sorte de *Pygmalion* à la sauce Erica Jong – , qui surpasse puis quitte son mentor masculin. Les films d'Allen ne cesseront plus de revenir à ce thème, tournant et retournant le couteau dans la plaie. Or, *Woody et les robots* reste le seul qui finit bien, Miles et Luna filant ensemble dans leur buggy, vêtus de combinaisons et toques blanches de chirurgiens, sur un fond blanc d'où n'émergent quasiment que leurs visages. Deux passifs-agressifs transis d'amour.

« Je crois que tu m'aimes vraiment », dit Luna.

« Bien sûr que je t'aime », lui répond Allen. « Tout ne tourne qu'autour de ça. »

Le même échange surviendra dans *Manhattan*, mais pour la première fois dans son œuvre, une impression de sincérité se dégage. Allen a rencontré son alter ego, quelqu'un dont l'instinct comique, le sens du rythme et le don pour l'auto-flagellation n'ont d'égaux que les siens. Il doit désormais apprendre à partager l'écran.

« *Woody et les robots* m'a montré que le public aimait me voir à l'écran, ce que j'ai du mal à comprendre. »

Une des nombreuses scènes qui finiront coupées au montage, même si le poulet fait une apparition ailleurs.

Guerre et amour

1975

Une fois *Woody et les robots* terminé, Allen écrit à Eric Pleskow, producteur chez United Artists, pour l'informer qu'il a presque fini son nouveau scénario : une enquête criminelle à New-York dans laquelle un couple, Alvy Singer et *Annie Hall*, après une dispute devant un cinéma, rentrent chez eux pour découvrir qu'un collègue professeur, Dr Levy, s'est suicidé dans leur immeuble. Alvy, persuadé que ce grand philosophe n'aurait jamais pu commettre un acte qu'il disait réprouver lui-même, se met en tête de démontrer qu'il s'agit d'un meurtre. Allen aime la première partie, mais pas la seconde. L'absence d'humour lui fait peur. Alors qu'il réfléchit, ses yeux tombent sur un livre d'histoire russe : et pourquoi pas une parodie de *Guerre et Paix*, dont les thèmes (l'Amour, la Mort) lui sont si chers ?

L'idée consiste à revisiter Tolstoï à la sauce Perelman : duels et débats philosophiques, idiots du village et grand opéra, le tout sens dessus dessous. Le scénario s'écrit tout seul. Deux semaines après avoir prévenu Pleskow qu'il écrivait une enquête criminelle située à Manhattan, ce dernier reçoit à la place le premier jet d'une comédie sur les guerres napoléoniennes dans la Russie tsariste, saupoudrée d'une réflexion sur l'absurdité de l'existence.

« Qu'est-ce qui s'est passé ? » s'étonne Pleskow.

« Je l'ai déchiré », répond Allen.

En fait, il a remisé au fond d'un tiroir sa première idée qui, scindée en deux, deviendra plus tard *Annie Hall* et *Meurtre mystérieux à Manhattan*. Dans l'intervalle, Dr Levy apparaîtra dans *Crimes et délits* sous les traits de Louis Levy, un professeur de philosophie qui se suicide alors qu'un documentariste (Woody Allen) travaille à son portrait. Telle est l'étrange intemporalité avec laquelle l'imagination d'Allen semble travailler, qui le voit remiser des idées pour les utiliser, dépoussiérées, des décennies plus tard. Les producteurs d'United Artists, eux, ne le savent pas, et Allen est contraint de s'expliquer devant eux, comme il le racontera, non sans ironie, aux lecteurs du magazine *Esquire* :

« Je me suis retrouvé dans les bureaux des décideurs de United Artists, à leur expliquer que j'avais écrit une comédie sur l'aliénation de l'homme et la vacuité de son existence, alors qu'eux pensaient que je travaillais à un vaudeville basé sur une confusion d'identité entre deux jeunes filles au pair. »

Ci-contre : Allen écrit à toute vitesse une parodie de *Guerre et Paix* à la Perelman.

A droite : Mais intempéries et mauvaise communication lors du tournage en Hongrie le ralentissent. Il faudra attendre vingt ans avant qu'il ne consente de nouveau à filmer hors des Etats-Unis.

Boris Grushenko se surpasse durant une fête de famille.

Les cadres d'UA n'attendent pas grand chose de ce film, mais lui donnent le feu vert grâce à la bonne réception de ses précédents travaux : *Woody et les robots* vient de leur rapporter la somme record de 18 millions de dollars. Allen embauche Ghislain Cloquet, directeur de la photographie auprès de grandes pointures européennes, comme Louis Malle, Robert Bresson ou Jacques Demy, et part tourner en France et en Hongrie avec des centaines de figurants et des spécialistes des effets spéciaux dépêchés de Londres. D'humeur exubérante, il écrit à Keaton, qui s'apprête à le rejoindre à Paris :

« Cher asticot, Nous aurons suffisamment de temps pour répéter, mais pas autant qu'à LA. Je pense malgré tout que *Guerre et Amour* sera plus facile que *Sleeper*, puisqu'il n'y a pas beaucoup de chutes et de fuites et de cascades dans l'eau. Nos dialogues devraient être vifs et animés, mais on s'y fera. Aussi, ai fini le premier jet de deux textes pour le *New Yorker*. Hé ! Mon bouquin, *Getting Even* [*Pour en finir une bonne fois pour toutes avec la culture*] fait un malheur en France. Va comprendre. Toi, tu es une fleur – trop, trop délicate pour ce monde cruel – & Dorrie est une fleur & ta mère & ton père & Randy est une fleur à sa façon & Robin est un chat. Et moi, je suis une mauvaise herbe. J'appellerai. Woody. »

La Hongrie pose un tout autre défi. Lorsque Keaton y arrive, Budapest connaît son hiver le plus froid depuis vingt-cinq ans. Si froid qu'Allen ne sent même pas ses doigts lorsqu'il joue de la clarinette. Inquiet de la qualité de la nourriture servie, il ne consomme que des conserves et boit de l'eau en bouteilles qu'il fait venir des Etats-Unis. Résultat, il comptera parmi les rares membres du tournage qui échapperont à la dysenterie.

« Lorsqu'il fallait du beau temps, il pleuvait », écrira Allen. « Lorsqu'il fallait de la pluie, il se mettait à faire beau. Le cadreur était belge, son équipe française. Les assistants étaient hongrois, et les figurants, russes. Moi, je ne parlais qu'anglais. Chaque prise tenait du cauchemar. Le temps que mes directives soient traduites, la scène de bataille prévue s'était transformée en marathon de danse. » De retour à New York, il se promet de ne plus jamais tourner en dehors des Etats-Unis, promesse qu'il tiendra jusqu'à *Tout le monde dit I Love You*, en 1996.

Enrôlé de force dans l'armée russe pendant l'invasion napoléonienne, le lâche Boris se montre aussi mauvais soldat que danseur.

C'est Ralph Rosenblum qui suggère Prokofiev pour la musique, plutôt que Stravinsky, voulu par Allen. A l'écouter dans la salle de montage, Rosenblum trouve Stravinsky « trop envahissant pour le film. Comme un raz-de-marée qui submerge chaque séquence avec laquelle il entre en contact. » Il fait alors écouter Prokofiev à Allen – *La Suite Scythe*, *Lieutenant Kijé* et *Alexandre Nevski*, tiré du film d'Eisenstein. Le jour de la sortie nationale, le 10 septembre 1975, Allen et Marshall Brickman sont en train de déguster une pizza. « Allez viens, on va lire les critiques », lui suggère Brickman. Ils ouvrent le *New York Times* et tombent sur l'article dithyrambique de Vincent Canby : « Le *Guerre et Paix* de Woody [...]. Le film le plus personnel qu'ait fait un grand auteur-réalisateur depuis l'époque de Keaton, Chaplin et Jerry Lewis. » Dans le *New Yorker*, Penelope Gilliatt le décrit comme son film « le plus harmonieux », tandis que dans le *New York Magazine,* Judith Crist applaudit le jeu d'Allen, proche de la « perfection ». Allen semble fou de joie et suggère à UA de faire paraître une publicité qui rassemblerait toutes ces louanges, quitte à déborder de l'encart alloué.

Guerre et Amour grignote 20 millions des recettes engendrées par les *Dents de la mer* de Spielberg. Combien de parodies d'épopées littéraires russes a-t-on vues qui puissent ainsi faire de l'ombre à un blockbuster, et pas n'importe lequel : l'un des pionniers du genre ? Certains critiques parleront, à tort, de nivellement par le bas. Mais *Guerre et Amour* ne vise pas cela, bien au contraire, réussissant l'improbable exploit d'être à la fois le plus ésotérique des films d'Allen – rempli de références à Tolstoï, Gogol et Tchekhov – et l'une de ses œuvres les plus accessibles. La tête nous tourne rien qu'à énumérer tous les sujets parodiés – de Charlie Chaplin à John McCabe de Robert Altman, des *Frères Karamazov* au *Cuirassée Potemkine*, de Vladimir Nabokov aux Marx Brothers, d'Ingmar Bergman à Bob Hope.

Et c'est bien à la tête, et à elle seule que le film s'adresse. « *Dans Woody et les robots*, la plupart des gags d'Allen traitent du corps », remarque Maurice Yacowar, dans *Loser Take All*, une étude sur Woody Allen. « Dans *Guerre et Amour*, il provoque l'esprit. » Depuis l'ouverture sur un ciel couvert jusqu'aux incartades philosophiques impromptues, dans lesquelles les personnages se lancent comme

ils chanteraient dans une comédie musicale (« Je suis convaincue que nous vivons dans le plus beau et le meilleur des mondes. » – « Le meilleur, je sais pas. Le plus cher, certainement. »), le film est l'occasion pour Allen d'exploiter le registre supérieur. Les scènes d'entraînement militaire sont une version remaniées de celles de *Bananas*, tandis que l'interprétation d'Allen, qui incarne le « lâche militant » Boris fuyant comme un rat sous les tirs des baïonnettes ou haletant comme un chien devant une sémillante comtesse à l'opéra, constitue sa plus directe imitation de Bob Hope.

Condamné, Boris parvient à arracher une promesse de mariage à sa cousine Sonja (Diane Keaton) dont il est éperdument amoureux depuis l'enfance. Froide, égoïste, superbe et fourbe, Keaton se révèle bien éloignée de l'oie blanche de *Tombe les filles et tais-toi*. Elle est désormais l'égale d'Allen, maniant l'humour pince-sans-rire, la parodie et le sens du timing aussi magistralement que lui. Cette fois, ils ont droit tous les deux à leurs soliloques face caméra, simultanément : alors que Sonja soupèse le pour et le contre d'un mariage avec Boris, ce dernier s'extasie sur les récoltes de blé à venir. Leurs monologues en miroir reflètent bien le changement à l'œuvre chez Allen : sa méthode cinématographique s'est elle aussi scindée en deux. Ses films jusqu'ici articulés autour d'un seul personnage masculin, un seul astre comique autour duquel gravitent toutes les autres planètes, accueillent désormais une autre présence toute aussi importante, dont les pensées et les réactions occupent autant de place que les siennes. Allen a éclaté sa propre bulle. Bob Hope a trouvé son Bing Crosby.

« J'aime bien sûr les classiques russes depuis toujours, et j'ai essayé de faire un film au contenu philosophique, croyez-le ou non. Et j'ai appris qu'il est difficile de faire un film au contenu philosophique si l'on est trop grivois. On dirait que les gens ne peuvent comprendre la structure d'un film s'il est trop grivois, comme ils ne peuvent considérer avec sérieux ce que vous dites dans une comédie. »

Ci-dessus : Inspection du carnage lors d'une scène de bataille, véritable « marathon de danse ».

Page ci-contre : « Voyez-vous, selon moi, il ne faut pas considérer la mort comme une fin, mais davantage comme un moyen radical de réduire ses dépenses. » Boris finit par succomber à la Grande Faucheuse.

Déguisés en Espagnols et discutant à bâtons rompus dans les couloirs du palais de Napoléon, ils reprennent leur duo de *Woody et les robots*, comme s'ils étaient synaptiquement connectés. « C'est comment, la mort ? » demande Sonja à Boris, qui vient d'être exécuté. « Tu te souviens de tes œufs farcis à l'orange ? C'est pire ! » La nourriture s'invite partout, depuis les repas immangeables que Sonja sert à Boris (« De la neige ! C'est ce que je préfère ! ») jusqu'à la détermination de Napoléon de populariser le Bœuf Napoléon avant que ne soit inventé le Bœuf Wellington, en passant par les pâtisseries françaises que dégustent Boris dans sa cellule de prison après sa tentative d'assassinat ratée. « La gastronomie joue un double rôle, modérant les velléités philosophiques d'un côté, tout en suscitant des questions fondamentales », explique Ronald LeBlanc dans son merveilleux essai sur Woody Allen. Ce thème culinaire préfigure le prochain film d'Allen, dans lequel le protagoniste raconte la blague du fou qui se prend pour un poulet. Allen écrit à Keaton pour la préparer au scénario à venir :

« Tête d'ampoule, nigaude, malapprise,

J'ai décidé que ta famille allait me rendre riche ! Il se trouve qu'ils forment un merveilleux matériau pour un film. Un film assez sérieux, même si l'une des trois sœurs est une idiote et un clown. (Je crois que tu peux deviner laquelle, ma mignonne !) [...]. Je me demande si tu considères ma famille aussi étrange que moi je considère la tienne ? [...] La nuit dernière, j'ai fait un rêve plein de tendresse sur moi & ma mère. C'est la première fois que je rêve d'elle depuis des années. Je me demande pourquoi ? Dans le rêve, je sanglotais et mangeais mon linge sale. Je plaisante : je mangeais son poulet bouilli, dont le goût est pire.

Avec tout l'amour de Mister A, un homme à l'humour curatif. »

« Je ne crois pas à la vie après la mort
mais, à tout hasard, j'emporterai des
sous-vêtements de rechange. »

Annie Hall

1977

Le film le plus aimé de toute la filmographie de Woody Allen est également celui qui ressemble le moins à son projet initial, tel que l'avaient conçu le cinéaste et Marshall Brickman lors d'une promenade sur Lexington et Madison Avenue, fin 1975. « Woody voulait prendre un risque et faire quelque chose de différent », se souvient Brickman. « Le premier jet parlait d'un type âgé de quarante ans, vivant à New York et méditant sur sa vie, dont il examine les différents aspects. L'un concerne sa relation avec une jeune femme, un autre constitue une réflexion sur la banalité de notre vie, et un troisième explique son obsession à se trouver et à faire ses preuves. »

Intitulé *Anhedonia*, le film d'alors s'apparente à un long monologue intérieur, façon *stream of consciousness*, qu'utilise Alvy pour s'extraire de son quotidien, tel un homme dans une bulle. Une série de flashbacks nous plonge dans l'enfance d'Alvy à Coney Island, sa cousine Doris, son rêve où des Nazis l'interrogent, une séquence onirique figurant le Maharishi, Shelley Duvall et le Jardin d'Eden, et une autre à Madison Square Garden, où les New York Knicks jouent contre une équipe constituée des grands philosophes. « C'était un film sur moi », affirmera Allen. « Le truc était censé se passer dans ma tête. Quelque chose survenait et me rappelait un bref épisode de mon enfance, qui me rappelait une image surréaliste… Rien de tout ça ne fonctionnait. »

Ce qui fonctionnait, en revanche, c'était l'histoire d'amour. Allen feindra la lassitude lorsque, plus tard, on donnera au film une interprétation autobiographique, perçu comme son histoire avec Diane Keaton. « Je ne l'ai pas rencontrée comme ça », insistera-t-il. « Et on ne s'est pas séparés comme ça. » Comme à son habitude, son histoire d'amour avec le personnage joué par Keaton, sa façon de parler, de s'habiller et de commander un sandwich au pastrami et à la mayo, ne démarrera qu'après la rupture du couple à la ville, un peu avant le début du tournage de *Woody et les robots*. Un dîner de Thanksgiving chez les Keaton, où Allen a l'impression d'être « un extra-terrestre ou un objet exotique à leurs yeux, un drôle d'oiseau nerveux, rongé par l'angoisse, méfiant et blagueur », se trouvera reproduit dans *Annie Hall* (avec, en prime, la vision de la grand-mère, qui affuble Alvy d'une barbe rabbinique). « Colleen Dewhurst en moi n'était pas un grand moment », écrira plus tard la mère de Diane. Mais « Annie, appareil photo en main, son chewing-gum, son manque d'assurance : du Diane tout craché. »

Après des années passées à travailler sur les plateaux de cinéma et de théâtre, Woody Allen a l'habitude de voir arriver les actrices, absolument superbes, puis de les découvrir portant leur costume de scène et ressembler « aux amies de ma mère », selon ses propres dires. Cette fois, lorsque la costumière proteste devant la tenue que Diane est censée porter – le costume d'homme, la cravate, le corsage boutonné jusqu'au cou (« Ne la laisse pas porter ça ! ») – Allen résiste. « Moi, je la trouve magnifique. Absolument magnifique. »

Il réussit par-dessus tout à saisir l'essence de leur interaction verbale – les taquineries frisant l'invective, les confidences sur l'oreiller d'un couple moderne et amoureux. « Nous partagions le même plaisir à nous torturer l'un l'autre avec nos échecs. Il savait balancer des insultes, et moi aussi. On exultait à se rabaisser l'un l'autre », expliquera Keaton. « Ce qui m'inquiétait le plus en tournant *Annie Hall*, c'était de savoir si j'allais réussir à le faire à ma façon. J'avais peur qu'inconsciemment, je me retienne de montrer la vérité parce que ça me mettait mal à l'aise. Je voulais faire *Annie Hall* sans me soucier de ce que je ne faisais pas bien dans la vraie vie. »

Le tournage débute le 19 mai 1976 sur la péninsule de South Fork, à Long Island. La première scène filmée est celle des homards. Ils tournent sept ou huit prises, dont une où Allen et Keaton sont pris d'un fou rire irrépressible. Lors du visionnage des rushes en compagnie du chef opérateur Gordon Willis, Allen

En Diane Keaton, Allen trouve enfin son égal comique et sa partenaire de scène. Après avoir inauguré leur duo à l'écran dans *Woody et les robots* et *Guerre et Amour*, ils le perfectionnent dans *Annie Hall*.

« C'était un film sur moi. Sur ma vie, mes pensées, mes idées, mes origines. »

Ci-dessus : « Parle-leur, tu parles le crustacé, toi. » Alvy tâche de déjouer une rébellion de homards.

Page ci-contre : Les séances d'Annie et d'Alvy chez leurs psys respectifs semblent traitées en « split screen », mais c'est en fait une cloison qui divise le plateau unique.

sait aussitôt que c'est celle-ci qu'il doit utiliser en un long plan séquence. En tout, le film comptera seulement 282 plans d'une durée moyenne de 14,5 secondes. (Dans les autres films sortis en 1977, le plan moyen dure 4 à 7 secondes, et leur nombre total avoisine le millier). « Deux choses se sont passées sur *Annie Hall* », explique Allen lorsque interrogé sur la maturité nouvelle de sa réalisation. « La première chose est que j'ai atteint une sorte de palier personnel où j'ai senti que je pouvais mettre derrière moi les films que j'avais réalisés dans le passé. J'avais envie d'aller vers des films plus profonds et plus réalistes. Et la deuxième chose, c'est que j'ai rencontré Gordon Willis. »

Allen a failli ne pas l'embaucher, compte tenu des rumeurs le disant difficile, sans parler de son surnom, « le Prince des Ténèbres ». « Travailler avec moi, et je suis le premier à le dire, c'est comme être enfermé dans une pièce avec Attila », admettra Willis. Allen demande au producteur exécutif de prévoir une enveloppe pour un autre caméraman dans l'éventualité où ils devraient virer Willis. Lorsque ce dernier demande à voir le scénario, Allen l'invite chez lui, lui tend un exemplaire, et disparaît. Willis se souvient : « Il a quitté la pièce, et je l'ai lu jusqu'au bout, en riant aux éclats, tout seul. Voilà comment s'est passée notre première rencontre. »

Annie Hall est le premier des huit films qu'ils tourneront ensemble, parmi lesquels figureront *Manhattan*, *Stardust Memories*, et *La Rose pourpre du Caire*. Mais *Annie Hall* instaure le modèle stylistique de ce qu'on considère désormais comme un « film de Woody Allen » : les longs plans, parfois même plans-séquences ; les scènes de discussion sur le trottoir, filmées en travelling depuis le trottoir d'en face ; les personnages qui se rapprochent de la caméra, et celle-ci qui recule lorsqu'ils sont trop près. « Sans doute peu de spectateurs ont remarqué combien *Annie Hall* ne montre que des gens qui ne font que parler, simplement parler », soulignera Roger Ebert. « Ils marchent et parlent, s'assoient et parlent, vont chez le psy, vont déjeuner, font l'amour et parlent, parlent à la caméra, ou se lancent dans des monologues inspirés comme les libres associations d'Annie lorsqu'elle décrit sa famille à Alvy [...], brillante acrobatie exécutée en une seule prise. »

Une scène sans précédent montre, ou plutôt, fait entendre, deux personnes en train de discuter hors écran, une autre ruse d'Allen & Willis, dans la séquence où Alvy et Annie se partagent leurs livres après leur séparation. Le film s'achève sur un plan de trente secondes, montrant une rue déserte, après les adieux d'Annie et Alvy. « Je me souviens que nous préparions le plan du moment où Alvy et Annie se séparent et partagent leurs livres, et j'ai dit, 'Aucun des deux ne doit apparaître à l'écran. C'est possible ?' Et il [Willis] a dit, 'Oui, c'est super. Bien sûr, pas de problème.' S'il m'avait dit, 'Tu ne peux pas faire ça, qu'est-ce que tu t'imagines ?', je ne l'aurais pas fait. Mais dès que j'ai eu son feu vert, on s'est débrouillé pour le faire dans les films suivants, et je le fais encore maintenant. Dans chaque film, il y a au moins une scène où il n'y a personne mais où on entend parler. J'en place toujours une, en hommage à Gordon. »

Le scénario continue d'évoluer pendant le tournage. L'éternuement d'Alvy dans la cocaïne vient d'un incident survenu pendant les répétitions. La séquence montrant Alvy et Annie chez leurs psys respectifs, où l'image apparaît en « split screen », a en fait été tournée en une fois par Willis sur le même plateau divisé par une cloison. « Si une scène ne marchait pas, Woody faisait ce qu'il faisait toujours : il la réécrivait pendant que Gordon Willis préparait la prise », expliquera Keaton. Mais les plus gros changements interviennent lors du montage.

« Je suivais une analyse. J'étais suicidaire
et, à dire vrai, je me serais suicidé. Mais

Ci-dessus : L'une des influences majeures dans le parcours cinématographique d'Allen est le directeur de la photographie Gordon Willis, récompensé d'un Oscar.

Page ci-contre : Le film prend vie lorsqu'il se concentre sur la relation entre Annie et Alvy. Les scènes seront ainsi coupées, remontées, refilmées pour s'articuler autour de celle-ci.

La première copie nécessite près de six semaines de travail, condensant 30 km de pellicule en deux heures et vingt minutes, dont les vingt-cinq premières minutes sont « un désastre », selon Brickman. Le monologue d'ouverture n'en finit pas, entrecoupé de scènes soulignant les griefs et complexes d'Allen. Keaton y fait une brève apparition avant de disparaître de nouveau, noyée dans la logorrhée contemplative d'Alvy. Un peu comme une version très sophistiquée et plus philosophique des monologues d'Allen en discothèque.

« Je trouvais ça horrible, complètement irrécupérable », se souviendra Brickman. « C'était comme le premier jet d'un roman, comme la matière première dont on pouvait tirer un film, voire dont on pouvait tirer deux ou trois films. » Il ne croit pas si bien dire. Preuve de l'importance du film, plusieurs scènes coupées au montage referont leur apparition au cours des deux décennies suivantes, comme des fragments de roche issus d'une lointaine explosion. La plupart des scènes de Coney Island finiront, une fois réécrites, dans Radio Days. Un rêve dans lequel Annie et Alvy visitent l'enfer reparaîtra vingt ans plus tard, dans Harry dans tous ses états. Et, bien sûr, l'enquête criminelle sera réutilisée dans *Meurtre mystérieux à Manhattan*.

Et *Annie* ? A visionner le premier montage bout à bout, il semble clair que le film ne commence que lorsqu'il traite du présent avec Allen et Keaton. Brickman affirme que tout est là : dans l'histoire d'amour. Ils commencent donc à redécouper le film en fonction de la relation des deux protagonistes. Le monologue d'ouverture se voit réduit à six minutes ; les scènes évoquant la première et la deuxième épouse d'Alvy (Carol Kane et Janet Margolin) ne sont plus que de courts flash-back. Partis, la cousine Doris, les Nazis et l'interrogatoire, le Maharishi et le Jardin d'Eden. « Beaucoup des scènes coupées étaient à mes yeux merveilleusement drôles », dira Allen. « J'étais navré de perdre tout le côté surréaliste. Ce n'était pas ce que j'avais prévu. Moi et Marshall Brickman, on ne s'était pas dit, 'On va écrire un film sur une relation amoureuse'. En fait, le concept même du film a changé pendant qu'on le montait. »

Le dénouement connaît plusieurs réécritures. Le scénario original s'achevait sur l'incarcération d'Alvy, qui se lamente de ne pouvoir rejoindre Annie à Hollywood. « On le jette dans cette situation avec ces gens à la mine affreuse et ces voyous, et il se rend compte qu'ils ne sont pas si terribles », explique Allen. Face à l'insistance de son monteur, Ralph

Rosenblum, trois nouvelles fins sont tournées entre octobre et décembre 1976. L'une d'elles, où Alvy et Annie se rencontrent, embarrassés, devant un cinéma qui joue *Le Chagrin et la pitié*, « donne trop le bourdon », selon Rosenblum. Une autre montre Alvy à Times Square, indécis quant à sa relation avec Annie, et qui lève les yeux vers une enseigne lumineuse où est écrit, « Que fais-tu, Alvy ? Va en Californie. C'est bon. Elle t'aime. » Allen déteste tant la scène que, selon certains dires, il la jette dans l'East River.

La troisième idée consiste à revenir au dénouement de l'enquête criminelle initiale : un bref montage retraçant les grands moments de leur relation, commenté par Alvy en voix off. Tandis que les deux hommes discutent de cette version, l'assistante monteuse Susan Morse passe en revue les différentes cassettes et, à peine la troisième option validée, a déjà sélectionné tous les plans qui apparaissent dans la version définitive, qu'elle monte sur la reprise de « Seems Like Old Times » par Diane Keaton, avec le monologue final d'Alvy comparant la blague du fou qui se prend pour un poulet à la nécessité pour l'homme d'entretenir une relation : « On continue parce qu'on a besoin des œufs. » Un monologue qu'Allen écrit un matin, à l'arrière d'un taxi qui le mène vers la salle de montage.

Une partie du charme d'Annie réside dans son accoutrement. Allen devra pourtant se battre avec le département des costumes pour que Keaton puisse porter certaines de ses tenues les plus extravagantes.

« Beaucoup de gens pensent encore que mes meilleurs films datent de l'époque d'*Annie Hall* et de *Manhattan*, pourtant, si ces films tiennent une place privilégiée dans leur cœur – ce qui m'enchante – ils ont tort. »

« Je n'oublierai jamais », dira Brickman du moment où tout finit par se mettre en place sous ses yeux. « Brusquement, on avait une fin – et pas seulement ça, mais une vraie fin de film, une fin émouvante. L'ensemble du film aurait pu finir dans les toilettes sans cette dernière palpitation. » En somme, la seule chose rescapée du scénario d'origine est le titre : *Anhedonia*. United Artists supplie Allen d'en trouver un autre. Pour rire, le président Arthur Krim le menace de sauter par la fenêtre s'il ne le fait pas. « [Les spectateurs] ne sauront pas ce que ça veut dire », lui expose-t-il. « Et s'ils finissent par trouver ce que ça veut dire, ils vont vraiment détester. »

Allen finit par céder. Après plusieurs tests à l'écran avec différents titres – *Anhedonia*, *Anxiety [Anxiété]*, *Annie & Alvy* – il se décide : « Très bien, appelons-le simplement *Annie Hall*. »

La complexité de la genèse d'*Annie Hall* est éloquente. On ne peut inverser le solipsisme si central à la comédie allénienne sans casser des œufs, pour filer la métaphore. *Prends l'oseille et tire-toi* et *Bananas* sont des films essentiellement picaresques, narrant les aventures et mésaventures de leur héros. Contés depuis le point de vue de presque tout autre personnage, ces films ne se contenteraient pas de s'effondrer : ils s'avèreraient inconcevables. Dans *Annie Hall*, Allen articule un film entier autour d'un autre personnage tout aussi travaillé que le sien, sinon plus.

Dans le chaos de la salle de montage, Allen renonce à tout contrôler. Il confie le film à Keaton. Celle-ci imprègne la pellicule de la même façon qu'Anna Karina imprègne *Vivre sa vie*, ou Jeanne Moreau, *Jules et Jim* : comme un parfum. On entend parler pour la première fois d'Annie dans le monologue d'ouverture d'Alvy, qui médite sur leur rupture (« Annie et moi avons rompu. Et je n'arrive toujours pas à m'y faire. »), puis de nouveau, dans la bouche de son ami Rob (Tony Roberts), tandis qu'ils marchent dans la rue : « Tu n'es pas censé voir Annie ? » L'effet produit par ces évocations ressemble un peu à celui qu'exerce le nom de Rick Blaine avant que Bogart n'entre en piste dans *Casablanca* : une attente savamment entretenue qui, ici, confère à Annie un certain mysticisme.

Parmi les nombreux manquements aux « règles » de la comédie romantique classique, le film montre le couple central en train de se disputer dans la file d'attente d'un cinéma dès leur première apparition.

Et enfin, la voilà, en retard pour le film de Bergman parce qu'elle ne s'est pas réveillée et a raté sa séance chez son psy. Alvy, lui, met sa mauvaise humeur sur le compte de ses règles. « Chaque fois que quelque chose va de travers, tu dis que je vais avoir mes règles ! » réplique Annie. Si vous vouliez voir *Annie Hall* parce qu'on vous avait dit que c'était une grande histoire d'amour cinématographique, vous voilà servi. Dans le sillage d'*Annie Hall*, naîtront une génération entière de comédies romantiques se réclamant de Woody Allen. Mais son film sert de modèles à ces « rom-com » de la même manière que *Les Demoiselles d'Avignon* servent de modèle aux portraits de famille. Un homme-rencontre-une-femme, l'homme-perd-la-femme, et l'homme-retrouve-la-femme : oubliez ce schéma, et essayez plutôt ça : D'abord, le-type-et-la-fille-se-séparent. Puis, le-type-et-la-fille-se-diputent-car-la-fille-a-loupé-sa-séance-de-psy-et-arrive-en-retard-pour-le-film-de-Bergman. Ensuite, nous avons le-premier-mariage-du-type. Le-second-mariage-du-type. Ensuite, le-type-et-la-fille-lisent-en-silence (a-t-on mieux porté à l'écran cette torpeur du couple, entre ennui, querelles et détente ?). Enfin, vers la vingt-deuxième minute, on retourne au présent, et le type rencontre enfin la fille. Diane Keaton, après un match de tennis en double, hésitant entre partir et aborder Alvy, prononce son mémorable monologue plein de phrases en suspension.

L'arrivée de Keaton produit un effet immédiat. Fini, l'attirail stylistique – les adresses directes à la caméra, la rupture du quatrième mur, les inserts oniriques et la fuite de la réalité – tous les trucs avec lesquels Allen, en tant que comédien, cherche à tenir le film sous son joug, aussi fermement que, jadis, il tenait le micro. Son histoire est maintenant celle d'Annie. Le film est maintenant celui de Keaton. Sa performance contient à elle seule tout un attirail : ses petites pauses et hésitations, ses phrases bredouillées, voire inachevées. « C'est remarquable, ce qu'il a fait pour moi », dira plus tard Keaton d'Allen, qui a si bien retranscrit son parler de « Chippewa Falls », ses bafouillages. Enfin quelque chose de neuf : une femme moderne, gauche, névrosée, manquant d'assurance, un peu naïve quand elle cherche à paraître plus maligne qu'elle ne l'est, mais intelligente (évidemment), drôle, parfois caustique, toujours amusée par Alvy, et avide de tout ce qu'il peut lui apporter : livres, thérapie, films, cours pour adultes, confiance, liberté.

« Tu sais que c'est grâce à toi si je chante, maintenant, et si je suis plus à l'écoute de mon corps et tout ça » lui confie-t-elle, lors de leur troisième (et ultime) rupture dans un restaurant diététique de Sunset Boulevard, tandis que les voitures défilent derrière elle (y'a-t-il décor plus sordide pour Woody Allen ?).

« Pour ce qui est d'*Annie Hall*, le point que vous avez soulevé, quant au fait que c'est le premier de mes films qui ne tourne pas autour d'un personnage que j'interprète, souligne ce que j'ai toujours pensé sur l'immensité du talent et de la présence à l'écran de Diane Keaton », explique aujourd'hui Woody Allen. « Comme beaucoup de films que j'ai tournés avec elle, celui-ci devait être à propos de moi mais, même si je n'irais pas jusqu'à dire qu'elle me fait disparaître de l'écran, le film finit par être le sien. J'aime me remplacer dans les films parce que cela ouvre davantage de possibilités. Si je suis le protagoniste, cela limite le

Ci-dessus : « Si je t'aime ? Je te âme, je te hume, je totem, je t'intime ! »

Page ci-contre : Annie Hall remportera quatre des cinq statuettes pour lesquelles le film sera nominé : Meilleur film, Meilleur réalisateur, Meilleur actrice (pour Diane Keaton), et Meilleur scénario original. Allen n'assistera pourtant pas à la cérémonie.

Page suivante : Portrait par Brian Hamill, 1977.

personnage central à mon physique et à ma capacité de jeu alors que, sans moi, de nombreuses autres possibilités apparaissent. Faire des films et des films dont le personnage principal est, par exemple, un intellectuel de Manhattan, un névrosé ou un petit cafard comme Danny Rose ne m'empêche pas d'écrire des histoires comme *Blue Jasmine* ou *Match Point* ou *Vicky Cristina Barcelona* ou *La Rose pourpre* ou d'autres encore qui n'ont pas de rôle pour moi. Quand je termine un scénario, s'il y a un rôle que je peux endosser de manière crédible, je le prends, mais avec l'âge, il y en a de moins en moins, et ce n'est pas très drôle de jouer des personnages qui ne soient pas l'objet de l'intrigue romanesque, que l'on finisse par séduire la fille ou pas. »

L'histoire, comme *Woody et les robots* le suggérait déjà, est celle de Pygmalion. Ce qui en dit long sur l'inamovible passion d'Allen pour les renversements de situation, mais aussi sur l'agnosticisme ancré en lui, qui le lie aux dieux de l'amour. *Annie Hall* est perçu comme un film romantique et, dans un sens, il l'est, avec ses couchers de soleil, ses flirts au pied du pont de Brooklyn, où Alvy s'exclame : « Si je t'aime ? Je te âme, je te hume, je totem, je t'intime ! » Ces deux-là sont condamnés à rompre avec la même ambiguïté qui donne à cette ouverture de l'un envers l'autre un tel frisson. Le thème central d'*Annie Hall* est énoncé par la retraitée juive qu'Alvy accoste dans la rue après leur rupture. « Les gens sont comme ça », affirme-t-elle avec un haussement d'épaules. « L'amour passe. »

C'est en effet le thème des grandes œuvres littéraires, en particulier dans la poésie (Thomas More, Shelley et Yeats), et le théâtre russe et scandinave (Tchekhov, Strindberg et Ibsen) : la nature éphémère de l'amour romantique. Mais si l'amour a une fin, Hollywood a toujours préféré porter la faute sur un tiers parti : l'appel du devoir (*Casablanca*), la Guerre de Sécession (*Autant en emporte le vent*), ou le cancer (*Love Story*). Que la plupart des histoires d'amour finissent simplement par s'éteindre, comme des charbons jadis ardents, fait partie de ces idées qui terrifient les scénaristes hollywoodiens au rabais. Ne vous laissez pas décourager, comme Allen l'a été, pas le fait qu'il ait remporté l'Oscar du meilleur film. *Annie Hall* vaut bien mieux que cela. Son thème de l'amour qui s'en va se niche dans le réseau touffu des souvenirs, et la structure relâchée qu'Allen utilisait pour accommoder un torrent de gags devient désormais la plus souple des trames pour une étude du couple, au sein de laquelle ses talents d'humoriste et de dramaturge fusionnent.

« Son oreille pour le discours citadin n'a jamais été plus fine, son approche des personnages jamais plus directe, son aversion pour l'hypocrisie jamais plus criante, sa sobriété jamais plus spirituelle », écrira Penelope Gilliatt dans le *New Yorker*. « C'est une histoire d'amour racontée avec une douceur et une tristesse aiguës, malgré sa drôlerie. » Dans *Time*, Richard Snickel désigne le film comme « une comédie romantique malgré elle, aussi poignante qu'elle est drôle. Peut-être le film le plus autobiographique jamais réalisé par un grand humoriste. » Les films aussi tiennent de l'histoire d'amour : ils passent en un éclair (celui-ci dure seulement 93 minutes, mais reste logé dans le système limbique de toute une génération). Le public a eu une histoire d'amour avec *Annie Hall* en 1977. Le revoir est comme de renouer avec l'un de ses anciens béguins.

« A l'époque, ils décernaient les Oscars le lundi soir. Moi, le lundi soir, je jouais toujours de la clarinette avec mon orchestre de jazz. Je n'aime pas prendre l'avion. Je n'aime pas mettre un smoking. Je ne vais donc pas abandonner brusquement mon orchestre et m'envoler pour la Californie. On a fait tout un foin de ça, mais je n'écris pas des films pour recevoir des récompenses. »

« L'écriture est un plaisir complet pour moi. J'adore ça. C'est une activité intellectuelle, sensuelle, agréable, et amusante. Y réfléchir, l'organiser, la mettre en place, c'est atroce. Ça, c'est difficile. »

Intérieurs

1978

Un jour de l'été 1977, un exemplaire du dernier scénario d'Allen arrive par coursier chez le monteur Ralph Rosenblum. Celui-ci le lit pendant le week-end, puis se tourne vers sa femme, déboussolé : « J'ai l'impression qu'ils se sont trompé de scénario », lui dit-il. Celui-là est « affreux au-delà de toute expression. » Sa femme le feuillette à son tour, et se trouve tout aussi perplexe. « Comment cela a-t-il pu se produire ? » se demande-t-elle. Quelques jours plus tard, Rosenblum déjeune avec Allen pour discuter du projet.

« Ne le fais pas », lui conseille-t-il.

« Mais si, j'en ai envie », lui répond Allen.

C'est donc la fin d'une collaboration de dix ans, entamée avec *Prends l'oseille et tire-toi*. *Intérieurs* sera différent.

Avant même de terminer *Annie Hall*, Allen parle de son nouveau scénario à United Artists, par l'intermédiaire de son agent, Sam Cohn, de l'agence ICM. Ce n'est pas du Woody Allen tel qu'on en a l'habitude, explique Cohn, mais plutôt une pièce intimiste dans la veine d'Ingmar Bergman, sur trois sœurs dont la vie est détruite par leur mère perfectionniste. Quelques jours plus tard, Eric Pleskow, de UA, rencontre Cohn, Charles Joffe et Jack Rollins. « Je suis sûr qu'ils s'attendaient à être mis k.o, à sortir vaincus de l'arène », racontera-t-il. En fait, ils obtiennent son accord. Ce film est une sorte « d'exutoire pour Woody », raisonne le président d'UA, Arthur Krim, conscient que « à long terme, on en tirerait quelque chose de bien. » Mais dans les couloirs d'UA, les dirigeants se mettent à surnommer le réalisateur « Ingmar Allen » derrière son dos. Le feu vert accordé à *Intérieurs* compte, selon Steven Bach, d'UA, « parmi les rares exemples dans l'histoire du cinéma américain moderne où un artiste est autorisé à faire un film au vu de ce qu'il pourrait signifier pour son développement créatif, son succès ou son échec. »

Le film raconte l'histoire d'une famille new-yorkaise aisée dirigée par une matriarche glaciale, une décoratrice d'intérieur nommée Eve (Geraldine Page). Une femme qui, selon les mots d'Allen, est « psychotiquement et intensément dévouée à l'esthétique », attachée à trouver la meilleure disposition des vases, la coordination des tons beiges et bruns de sa maison, véritable « palais de glace ». La fille aînée, sa préférée, est Renata (Diane Keaton), poète renommée mariée à Frederick (Richard Jordan), romancier alcoolique en mal d'amour propre, qui représente, selon Allen, « l'artiste raté qui se tourne invariablement vers l'intellectualisme, le cérébral, la critique. » La fille cadette est Joey (Marybeth Hurt), chômeuse et frustrée, « un personnage plein d'émotions mais sans aucun talent artistique. » La benjamine, Flyn (Kristin Griffith), la seule qui semble heureuse malgré une carrière d'actrice télé vilipendée par sa famille élitiste, est « supposée représenter une sorte de sensualité vide. » Le film s'ouvre sur le père, Arthur (E.G. Marshall), annonçant au cours du petit-déjeuner qu'il compte

Page ci-contre : Telles des statues, les trois sœurs Renata (Diane Keaton), Flyn (Kristin Griffith) et Joey (Mary Beth Hurt) regardent dans le lointain.

A droite : Tandis que leur mère glaçante, Eve (Geraldine Page), gère ses démons à sa façon.

quitter sa femme pour vivre seul, et se clôt par son mariage avec Pearl (Maureen Stapleton), une joyeuse parvenue qui porte de la fourrure et des robes écarlates, et qui offre à ses filles l'occasion d'une « seconde naissance avec une nouvelle mère. »

Allen veut Ingrid Bergman pour le rôle de la mère, mais celle-ci s'est déjà engagée à tourner *Sonate d'automne* en Norvège. A la suggestion de Keaton, il contacte alors Page. Epaulé par son fidèle chef opérateur Gordon Willis, Allen démarre le tournage le 24 octobre 1977 dans les Hamptons. Pour la première fois, Allen choisit de ne pas apparaître à l'image, persuadé que sa présence à l'écran entraverait le sérieux de l'entreprise. Il dirige ses acteurs plus fermement qu'à son habitude, disant à Page après une prise : « C'était du soap-opéra pur jus. Ça pourrait passer à la télé en milieu de journée. » Lors du montage, il peine à cacher son inquiétude. « Il restait adossé au mur », se souviendra Rosenblum. « Je crois qu'il avait peur. Il était irritable, un peu soupe-au-lait. Craintif. Il pensait faire un bide. »

Les avant-premières de décembre sont accueillies par une stupeur muette. Craignant le pire, UA retarde la sortie du film jusqu'au 2 août 1978, où il ne rembourse que 4,6 millions de dollars des 10 millions dépensés. La critique est incendiaire. Dans le *New Republic*, Stanley Kauffman le décrit comme « une visite de la section Ingmar Bergman au musée de cire de Madame Tussauds. » « Un désastre commis devant un public crédule par un homme souffrant d'un complexe bergmanien », écrira John Simon. « Les personnages d'*Intérieurs* sont détruits par le despotisme du bon goût, tout comme l'est ce film », ajoute Pauline Kael dans le *New Yorker*. « *Intérieurs* est un catalogue des maniérismes du film d'auteur, si amateur et affecté qu'il aurait pu être réalisé par la mère glaciale elle-même – depuis sa tombe. »

On a beau le souhaiter très fort, ce film ne fait pas partie de ces œuvres qui, mal comprises à leur sortie, se bonifient avec le temps. Sa palette de gris ardoise, de bleu délavé et de beige mat, et ses émotions assorties, semble plus inaccessible

« Je n'avais pas envie de faire un petit drame, ou un drame conventionnel, ou un drame commercial. Je voulais viser le plus haut degré du drame. Et si j'échouais, j'échouais. Pas de problème. »

Page ci-contre : Renata et Frederick (Richard Jordan), son mari versé dans l'alcool et l'autodénigrement.

A droite : Un mot en privé avec Diane Keaton. Pour la première fois de sa carrière cinématographique, Allen reste derrière l'objectif.

encore, tel un croisement entre un film de Bergman et un catalogue de meubles de 1978. Aussi fermé et encadré qu'*Annie Hall* était débridé et improvisé, *Intérieurs* ne semble pas tirer l'enseignement de son prédécesseur, et succombe à la névrose esthétique qu'elle cherche justement à diagnostiquer chez la matriarche. Les personnages se disputent et se tourmentent les uns les autres, profondément ancrés dans leur amertume, éclairés par la pâle et grise lumière matinale qui filtre par les fenêtres, comme posant pour une sculpture. Willis suggérera même d'appeler le film *Windows* [Fenêtres]. C'est Keaton qui proposera *Intérieurs*, même si *Fenêtres* semblait plus approprié : Un intérieur est exactement ce qu'il manque à ces personnages.

Ce sont des surfaces extérieures, fragiles, des silhouettes bergmaniennes construites à partir de l'opinion envieuse, acerbe que les autres ont d'eux : « Mon travail n'a rien de prometteur, ça n'est pas sorti comme je le voulais, c'est aussi simple que ça. » Et : « Elle connaît toutes les affres et les incertitudes d'un tempérament d'artiste sans en avoir le talent. » Allen semble perdu dans un cauchemar épouvantable où fusent les bassesses artistiques, un peu comme la vision qu'il avait du sexe, écolier, où il s'imaginait que tout le monde le faisait, tout le temps, frénétiquement, derrière son dos. Ici, derrière le dos du cancre autodidacte, tout le monde débite des abstractions esthétiques, constamment, frénétiquement. Mais personne ne parle comme ça. Rétrospectivement, Allen comprendra certains défauts du film. « Après *Intérieurs*, des mois plus tard, j'étais à la maison et brusquement, je me suis dit, 'Bon sang, j'ai vraiment fait cette erreur ?' A cause de mon exposition aux films étrangers, de mon oreille pour les dialogues, n'aurais-je pas écrit les sous-titres d'un film étranger ? Quand vous voyez, par exemple, un film de Bergman, vous le suivez parce que vous lisez les sous-titres. Et quand vous lisez les dialogues, ils ont une certaine cadence. J'avais à l'oreille des dialogues de sous-titrage, que j'ai créés pour mes personnages. [...] C'est quelque chose que je n'ai jamais vraiment bien décidé. Je ne sais pas. »

Dans un essai, le critique cinéma Richard Schickel suggère que le public populaire a alors abandonné Allen, mais ce dernier réfutera cette idée : « C'est moi qui ai abandonné mon public. Voilà ce qui s'est vraiment passé. Ils ne m'ont pas quitté », insiste-t-il, comme s'il s'agissait de l'équivalent cinématographique d'une relation amoureuse. Et il est vrai que la carrière du cinéaste reflète jusque-là le processus d'une parade nuptiale. Le jeune réalisateur monte sur scène, désireux de plaire et d'impressionner. Il attire le regard du public, le fait rire, obtient son numéro de téléphone. Il appelle et ils sortent ensemble. C'est un triomphe au box-office. Ils sortent une deuxième fois ensemble – ils battent tous les records – et une troisième fois. Il finit par remporter un Oscar, et ils s'installent ensemble. Ils se marient. Mais le public commence à étouffer. Les mêmes blagues et combines qui rendaient le réalisateur si touchant agacent désormais. Le cinéaste, quant à lui, se rappelle de l'époque où il n'avait pas à s'inquiéter de savoir s'il avait rincé la baignoire, ou s'il avait bien rabaissé la lunette des WC. Ce qu'*Intérieurs* représente alors aux yeux de Woody Allen semble manifeste : c'est une demande de divorce.

« L'art, c'est le catholicisme des intellectuels, c'est la promesse d'une vie après la mort, mais évidemment, c'est faux – on le fait simplement parce qu'on veut le faire. »

Portrait par Brian Hamill, 1979.

Manhattan

1979

Manhattan est né d'une conversation entre Allen et Gordon Willis au cours du tournage d'*Intérieurs* dans les Hamptons, durant lequel les deux hommes ont pris l'habitude de dîner ensemble. Un soir, Allen évoque l'idée de tourner un film à Manhattan, où la ville incarnerait presque un personnage, et entièrement filmé en noir et blanc, car c'est la vision qu'il en a – en tout cas, celle que donne à voir les vieux films. Ce serait une déclaration d'amour au New York du champagne, de la fourrure et des hauts-de-forme, des nightclubs et des calèches de Central Park, comme celle que James Stewart empruntent dans *L'Amiral mène la danse* (1936). Willis suggère de tourner en format panoramique avec une lentille anamorphique, comme du temps des films de guerre, sauf que là, ce serait pour raconter cette histoire intime d'amour et de chagrin. Ce sera le film préféré de l'irascible caméraman avec le réalisateur. « Manhattan est le plus cher à mon cœur », dira-t-il. « Nous percevions ce film comme une « réalité romantique », sur toutes les choses que nous adorions tous deux à New York. Comme j'y avais grandi, j'ai trouvé ça très facile à faire. »

Passées les réserves initiales à le laisser tourner en noir et blanc, United Artists donne le feu vert à Allen. Le tournage démarre dans différents extérieurs de la ville. « Woody a toujours su éviter la paperasserie grâce à son expérience sur *Candid Camera* [l'équivalent de *La Caméra cachée*] » remarque un chroniqueur. « Lui et son équipe se contentent d'arriver sur place et de tourner. » Le film marquera le point culminant de la collaboration entre Allen et Willis, menant à maturité le style dépouillé, elliptique, développé sur le vif avec *Annie Hall* : de longs plans-séquences, sans même un gros plan ou un contre-champ pour casser le rythme, des acteurs qui sortent du cadre régulièrement, alors même qu'ils parlent encore, pour y revenir un peu plus tard. « Gordon et moi cherchions toujours des moyens pour pousser des personnages hors champ, puis pour

Tourné en noir et blanc, *Manhattan* constitue la sixième collaboration entre Allen et Diane Keaton.

A gauche et ci-contre : Les efforts du cinéaste pour mettre la jeune Mariel Hemingway à l'aise seront récompensés par l'une des interprétations les plus poignantes du film, pour laquelle l'actrice de seize ans sera nominée aux Oscars.

Page suivante : « Ah, j'aime cette ville. Qu'importe ce que les gens disent. C'est une ville sublime. »

les ramener de nouveau, et ainsi de suite, tout le temps [...]. Nous avons utilisé ce style dans plein d'autres films. »

Au Hayden Planetarium, Willis persuade Allen de ne filmer que la silhouette d'Isaac (Allen) et de Mary (Diane Keaton). Pour le plan au pied du Queensboro Bridge, où les deux protagonistes regardent le soleil se lever, ils se réveillent à trois heures du matin, et apportent leur propre banc. « Le pont est muni de deux sets de lumières en chapelets régis par un minuteur », précisera Willis. « Lorsque le jour se lève, les lumières du pont s'éteignent. Sachant cela, nous avions négocié avec la municipalité pour qu'ils laissent les lumières allumées. Nous leur avons dit que nous les préviendrions quand nous aurions bouclé le plan. Après ça, ils pourraient éteindre. Je me dis toujours que je ne devrais pas faire confiance à ce genre d'arrangements. Je me tourne vers le régisseur qui devait appeler les services, et de mon ton le plus calme, je lui dis, 'Tu sais que j'ai besoin de ces lumières, hein ? Tu sais que si elles s'éteignent quand le jour pointe, je vais te tuer.' Dix minutes plus tard, ils sont sur le banc, le jour se lève et... un des chapelets de lumières s'éteint. Ce qu'il y a dans le film reste un plan superbe, mais ce ne sera à tout jamais qu'avec un seul chapelet. »

Pour le personnage de Tracy, Allen retient Mariel Hemingway, 16 ans, après l'avoir vue dans son premier film, *Viol et Châtiment*, et en couverture du magazine d'Andy Warhol, *Interview*.

La jeune fille sait à peine qui est Woody Allen. Elle a bien vu *Woody et les robots* dans son cinéma de quartier, dans l'Idaho. Pourtant, lorsqu'elle passe l'audition dans ses bureaux de New York, elle a bien révisé, et se sent si nerveuse qu'elle se cache le visage derrière le livret du scénario. « J'étais vraiment une fille naïve, et je n'avais pas beaucoup d'expérience. Je n'étais jamais sortie avec un garçon, alors le fait que Woody soit mon petit ami plus âgé dans ce film, et devoir parler de choses sexuelles dont j'ignorais tout représentait un vrai défi pour moi. » N'ayant jamais embrassé de garçon, elle s'inquiète pendant des semaines du baiser qu'ils doivent échanger dans la calèche à Central Park. Elle finit par demander conseil à sa mère.

Mais cette dernière, trop embarrassée, élude la question. Mariel finira donc par se tenir devant son miroir, à embrasser son bras pour voir de quoi elle a l'air. Le jour venu, elle constate à son grand soulagement qu'Allen a décidé de tourner la scène en plan large. Elle n'a donc pas à faire grand-chose. Le réalisateur l'emmène plusieurs fois se promener en ville, dans les musées, les galeries d'art, afin qu'elle gagne en assurance et qu'elle se sente plus en confiance à ses côtés. « Je crois qu'il savait qu'à moins de se lier d'amitié avec moi, je ne réussirais pas », dira-t-elle. « Et donc, au moment de la séquence au comptoir du snack, où il rompt avec moi, c'était comme si je rompais avec quelqu'un de ma famille, comme si je perdais quelque chose qui m'était très familier, parce que je tenais beaucoup à lui en tant qu'ami. Je me revois le regarder dans les yeux et écouter très attentivement ce qu'il me disait. Et donc, quand j'ai pleuré, c'était pour de vrai, parce que je pensais, 'ça aussi, ça va se terminer', vous voyez ? Cette famille va disparaître. Et tu vas me manquer. »

Pour la séquence finale, dans laquelle Isaac comprend soudain que Tracy est la femme de sa vie alors qu'elle s'apprête à partir pour Londres, Allen s'inspire des *Lumières de la ville*, de Chaplin, où la jeune femme aveugle recouvre la vue et comprend que le vagabond est celui qui l'a aidée tout du long. Il adore

« Ce n'est pas un film qui dit 'Nettoyez Central Park'.
C'est un film qui dit 'Nettoyez votre vie émotionnelle

TOW
AWAY
ZONE
NO
STANDING
ANY
TIME

par-dessus tout le sourire timide, si touchant, qu'esquisse Charlot. « Les tout derniers plans n'ont jamais bougé », racontera-t-il. « Mais il manquait un point culminant, celui ou je vais dans la salle de classe de Yale pour m'expliquer avec lui. Ça, ça n'y était pas. » Dans le scénario original, Isaac affronte Yale (Michael Murphy) au téléphone, mais la femme de Marshall Brickman, le coscénariste, visionne le film et dit, 'Ce qu'il manque, c'est le genre de scène où tu règles le problème une bonne fois pour toutes. » Brickman pousse Allen à écrire une nouvelle scène dans laquelle Yale et Isaac se font face, parmi les squelettes d'hommes et de primates d'un labo de biologie.

La musique de Gershwin fait également partie des ajouts de dernière minute. A l'origine, la musique qui doit accompagner la scène d'ouverture est « I Can't Get Started », interprété par Bunny Berigan, car c'est toujours cette chanson que joue le juke-box chez Elaine's, le restaurant de la première séquence. Mais quand Allen a l'idée de commencer le film par un assemblage – la ligne d'horizon de Manhattan à l'aube, la silhouette de l'Empire State Building, le Radio City Music Hall, les pubs géantes lumineuses sur Broadway, l'enseigne Coca-Cola, Central Park sous la neige – sa monteuse, Susan Morse, lui dit, « Je ne vois que 'Rhapsody in Blue' ici. » Allen finit par tourner des plans pour accommoder la musique, plutôt que l'inverse, et en particulier la ruée vers l'appartement de Tracy à la fin. L'équipe reste perplexe devant son insistance à tourner différents plans de la ville sans les acteurs. « Quand vous verrez ça avec la musique, vous comprendrez ce que je veux dire », songe Allen. « Je savais qu'il fallait un bon bloc de plaisir musical, et à plusieurs reprises, j'ai laissé traîner les choses en longueur afin de me laisser suffisamment de place pour injecter une bonne dose de Gershwin. »

Le 14 avril, United Artists projette le film pour les amis et proches associés du réalisateur dans le vieil immeuble de la MGM sur la Sixième Avenue. Steven Bach est venu en avion de Londres rien que pour le voir. Si un instant de tout le temps passé chez UA devait rester gravé dans sa mémoire comme « un plaisir pur, sans équivoque, ce sont ces deux heures-là », écrira-t-il plus tard. Lorsque les lumières se rallument, il salue Rollins et Joffe de la tête sans une parole, puis va se promener le long de la Sixième Avenue presque déserte, souriant en songeant à « toutes les raisons qui m'ont donné envie de vivre à New York, toutes les raisons qui m'ont donné envie de travailler dans le cinéma. »

Mais Allen, lui, déteste ce qu'il voit et souhaite racheter le film à UA, leur offrant même de réaliser un autre film gratuitement, plutôt que de le voir sortir sur les écrans. « Je me suis dit, 'A ce stade de ma vie, si c'est ce que je peux faire de mieux, ils ne devraient pas me payer pour réaliser des films' », dira-t-il. « Je voulais faire un film qui soit plus sérieux qu'*Annie Hall*. Un film sérieux avec de l'humour [...]. Mais bien sûr, quand mon film rend quelqu'un encore plus déprimé, j'ai l'impression que j'ai fait mon boulot. »

« Pour une raison qui m'échappe, le film a eu un impact et un succès énormes dans le monde entier. J'en ai été le premier surpris. »

Page ci-contre : Quand Allen visionnera le résultat final, il détestera tant qu'il proposera de le racheter à UA plutôt que de le voir sortir sur les écrans.

A droite : « Cette pièce dégage une merveilleuse altérité, tu ne trouves pas ? » Lors de leur visite au Museum of Modern Art, Isaac et Mary peuvent enfin rire de leur difficile première rencontre au musée Guggenheim.

Alors que *Manhattan* sort sur les écrans le 25 avril 1979, le persiflage né avec *Intérieurs* bat son plein. Dans un long article publié le 16 août dans la *New York Review of Books* et intitulé « Lettre de Manhattan », Joan Didion écrit :

« L'étrange et hermétique amour-propre dans *Annie Hall*, *Intérieurs* et *Manhattan* semble ne correspondre en rien à ce à quoi beaucoup de gens aimeraient s'identifier. Au mieux, les personnages se contentent d'essayer. Ils semblent faire de longues promenades et aller dans des restaurants chics dans le seul but de se poser des questions difficiles. 'C'est sérieux, avec Tracy ?' demande le personnage de Michael Murphy au personnage de Woody Allen dans *Manhattan*. 'Es-tu toujours folle de Yale ?' demande le personnage de Woody Allen au personnage de Diane Keaton. 'Je crois que je suis toujours amoureuse de Yale', confesse-t-elle plusieurs scènes plus tard. 'Vraiment ?' réplique-t-il. 'Tu l'es ou tu penses que tu l'es ?' [...] Le paradigme de l'action dans les films récents de Woody Allen est le lycée. Les personnages de *Manhattan* et d'*Annie Hall* et d'*Intérieurs* sont, à une exception près, présentés comme des adultes, sensibles dans les années les plus productives de leur existence, mais leurs intérêts et leurs conversations sont ceux d'enfants intelligents, de 'premiers de la classe' qui joueraient aux adultes. »

L'accusation de repli sur soi s'avère assez facile à réfuter pour Allen : si tel est le cas, pourquoi ses films ont-ils autant de succès à Paris ou à Buenos Aires ?

Un point plus délicat à justifier reste celui de voir un homme de 42 ans sortir avec une adolescente, comme le fait Allen dans *Manhattan*. « Quel quadragénaire, hormis Woody Allen, pourrait faire passer sa prédilection pour les adolescentes comme une quête de valeurs authentiques ? » s'interroge Pauline Kael. Les mœurs ont suffisamment changées depuis la sortie du film (il y a 35 ans), et que cette idée n'ait pas choquée plus que cela le public de 1979 en dit long sur l'image inoffensive qu'Allen véhiculait alors. En jean et t-shirt, baskets aux pieds, flânant en ville avec son fils, Isaac semble lui-même à peine sorti de l'adolescence. Côte à côte dans la rue, ils font presque la même taille. L'humeur distillée dans *Manhattan* est plus blasée que celle d'*Annie Hall*, les piques plus acerbes, et le sarcasme à l'égard des opinions artistiques de Diane Keaton (« Cette pièce dégage une merveilleuse altérité, tu ne trouves pas ? ») reste sa charge la plus appuyée contre l'intellectualisme – ou, du moins, contre le bavardage de cocktail qu'il tente lui-même de maîtriser depuis toutes ces années. Mais l'esprit du film reste, comme Didion le constate, celui d'un éternel adolescent. L'une des premières choses que fait Isaac dans *Manhattan* est de quitter son job de scénariste comique pour la télévision avant d'errer sans but dans la ville, décriant le monde de l'art, du cinéma et des médias, comme le ferait un Holden Caulfield [le héros de *L'Attrape-cœurs*] devenu adulte – ou pas. Seule Tracy se détache de cette foule de bavards, son visage aux pommettes hautes tel un rempart de pureté contre

A gauche : Meryl Streep joue l'ex-femme d'Isaac, Jill, qui publie un livre très indiscret sur leurs années de mariage.

Page ci-contre : « Bon, pourquoi la vie vaut-elle d'être vécue ? Excellente question. Eh bien, il y a plusieurs choses. Tout d'abord, Groucho Marx, pour n'en citer qu'une. Et Willie Mays, [...] »

les poseurs, à l'image de la petite sœur de Holden Caulfield, Phoebe. Et là réside peut-être la source de frustration d'Allen à propos de *Manhattan* : sa version de l'*Attrape-cœurs* renvoie si peu de l'angoisse de Holden qu'elle ne vaut à peine plus qu'une rom-com à la superbe photographie.

Pour l'essentiel, l'intrigue consiste en une reprise de *Tombe les filles*, dans laquelle Allen séduit la maîtresse de son meilleur ami, même s'il ne s'agit cette fois pas de sa femme, ce qui rend l'histoire (à peine) plus légitime. La peur de l'autre semble entraîner une certaine sournoiserie dans les méthodes de séduction des protagonistes. Cloîtrés dans leurs petits milieux, ils ne peuvent exercer leur choix amoureux que parmi leurs cercles d'amis. Pas une fois dans ses films Allen ne semble sortir avec une fille choisie au hasard. Isaac attend que Mary ait rompu avec Yale, mais leur liaison a déjà débuté avec leur promenade nocturne jusqu'aux pieds du Queensboro Bridge pour admirer le soleil levant, et leur visite au planétarium où, réfugiés après une averse, ils se laissent électriser par les étincelles de leur attraction respective, encerclés par les gigantesques anneaux de Saturne. La photographie de Gordon Willis exploite avec astuce le registre héroï-comique. Tout le monde garde à l'esprit la fabuleuse scène d'ouverture – la ligne d'horizon illuminée de *Manhattan*, et les cymbales de Gershwin, reprises à la fin, tandis que la ville baigne dans ce contentement de fin de journée. Mais plus impressionnantes encore, les compositions elliptiques qui parsèment le film, grâce auxquelles Willis détache les figures humaines des murs blancs d'une galerie d'art, ou de couloirs vides, ou les rend totalement invisibles, comme il l'avait fait pour la première fois dans *Annie Hall*. *Manhattan* bruisse de dialogues hors-champ, enregistrés de manière si intime qu'on en perçoit chaque chuchotis, tandis que les images de murs et de couloirs semblent éloigner les personnages les uns des autres autant qu'ils les rapprochent. La ville y apparaît dépeinte aussi bien en caisson d'isolation sensorielle, à la manière d'Antonioni, qu'en catalyseur romantique.

L'effet produit s'avère un peu lugubre, avec ces personnages comme des souris dans un labyrinthe, leurs conversations intimes suspendues en plein vol comme les spectres de discussions passées et à venir. Ces murs parlent vraiment, et survivront sans aucun doute à ce quartet agité, à l'image du squelette tout droit sorti de *Hamlet* qui semble rire du discours final qu'Isaac adresse à Yale. La bordée d'injures qu'il récolte par le biais du livre de son ex-femme (Meryl Streep) contient tout l'autodénigrement d'Allen à son plus haut niveau : « Il était sujet à des crises de rage, de paranoïa de juif de gauche, de machisme, de misanthropie pharisaïque, et à des accès de désespoir nihiliste. Il se plaignait de la vie, sans apporter de solutions. Il aspirait à être un artiste mais renâclait devant les sacrifices qu'il fallait faire. Quand il s'épanchait dans l'intimité, il parlait de sa peur de la mort avec une grandiloquence tragique qui n'était autre que du narcissisme. » Aïe, ça fait mal. Tout le drame du film s'articule autour du dilemme suivant : Issac devrait-il sortir avec quelqu'un de cérébral mais d'angoissé, comme lui, ou devrait-il choisir plutôt quelqu'un de trop jeune pour faire la différence ? Au bout du compte, ce problème se résout tout seul, car Mary le quitte pour retourner avec Yale, et Isaac se lance dans cette célèbre course contre la montre – il est si peu habitué à courir qu'il doit plusieurs fois s'arrêter et reprendre son souffle – pour voir Tracy avant son départ pour Londres. La scène qui s'ensuit dévoile l'une des interprétations les plus délicates de sa carrière d'acteur, même

« J'aime à penser que dans cent ans, si des gens voient mon film, ils apprennent quelque chose sur ce que c'était de vivre dans cette ville dans les années 70. »

si Mariel Hemingway mérite au moins la moitié des louanges. Si pondérée dans ses réactions, elle semble opérer selon son rythme propre, comme si chacune de ses émotions résonnait d'abord à travers ces larges pommettes. Elle inspire une tendresse à Allen jamais vue auparavant ou depuis. Il faut voir Isaac la supplier de rester, les traits de son visage traduisant peu à peu sa prise de conscience que, cette fois-ci, il ne va pas gagner. La perspective d'un échec amoureux semble le déchirer tout entier, et lorsque Tracy lui demande de « faire un peu confiance aux gens », le rictus qui passe sur le visage d'Isaac, comme s'il cherchait du regard où trouver une telle chose, n'a pas de prix.

A la sortie du film, les files d'attente s'étirent à perte de vue. Andrew Sarris entame sa chronique en le décrivant comme « le seul vrai grand film américain des Seventies. » Dans le *Chicago Sun-Times*, Roger Ebert écrit qu'il s'agit de « l'un des films les mieux photographiés jamais réalisés. » Frank Rich, critique cinéma du magazine *Time*, le désigne comme « un portrait prismatique d'une époque et d'un lieu qui pourrait faire l'objet d'une étude d'ici quelques décennies pour comprendre quelle sorte de gens nous étions. » *Manhattan* engrangera près de 40 millions de dollars – à ce jour, son plus grand succès. Quant à Woody Allen, mécontent du film, il esquive la première parisienne pour s'accorder les premières vacances de sa carrière. « Il faut comprendre que Woody met toujours en doute ce qu'il fait », expliquera Willis. « Il est comme ça. » Ce point fera en effet le sujet de son prochain film.

« D'aussi loin que je m'en rappelle, j'ai été amoureux de Manhattan, mais pas seulement : j'aimais tous les films qui se passaient à New York, tous les films qui s'ouvraient au-dessus de la ligne d'horizon de New York, puis plongeaient dans la ville. »

Chez lui, dans son appartement de l'Upper East Side, sur Central Park. Portrait par Manuel Bidermanas, 1979.

Stardust Memories

1980

« Tout tourne autour du malaise, le malaise d'un homme sans centre spirituel, sans attachement spirituel », dira Allen de *Stardust Memories*. « L'ensemble du film survient subjectivement, dans l'esprit d'un personnage au bord de la dépression, tourmenté, en proie au doute, et dont les idées noires finissent par le faire s'évanouir. Il a une conscience terrifiante de sa propre mortalité. Il a beau avoir accompli des choses, elles ne signifient rien pour lui. »

Allen démentira furieusement le rapprochement autobiographique avec Sandy Bates, même si, comme Sandy, il ne peut que constater que succès et fortune n'ont pas réussi à museler ses démons. Il achète deux appartements sur la Cinquième Avenue, qu'il remplit de Picasso et de tableaux d'expressionnistes allemands. Il fait l'acquisition d'une Rolls-Royce et d'un abonnement saisonnier pour les matchs des Knicks. Il cesse de se promener avec de l'argent liquide, préférant compter sur ses amis pour ses menues dépenses, et fuit les chasseurs d'autographes. *Stardust Memories* s'inspire d'un week-end bien précis, en avril 1973, où il se rend à Tarrytown, dans l'état de New-York, à environ une heure au Nord de Manhattan, pour prononcer un discours lors d'un festival de cinéma organisé par Judith Crist, chroniqueuse au magazine *Time*. Au cours du week-end, Allen se retrouve assiégé par des fans qui lui demandent de leur signer des autographes, ou de lire ceci ou cela. Un étudiant en droit à Yale lui demande s'il pourrait venir à New Haven pour jouer un expert du karaté lors d'un faux procès.

« Je suis là, à faire de mon mieux pour rendre service à Judith Crist, que j'aime beaucoup, et j'ai pensé que ça ferait un film très drôle », se souviendra-t-il. Ce soir-là, à travers la cloison de sa chambre, il entend un couple se disputer à propos de ses films, la femme lisant tout haut sa courte pièce *Death Knocks*, avec un accent juif hilarant. On lui propose une autre chambre,

« Nous aimons votre œuvre, ma femme a vu tous vos films », « J'aime en particulier vos tout premiers films comiques. » Harcelé, le réalisateur Sandy Bates affronte les meutes de fans venus l'applaudir lors d'un festival de cinéma dans une banlieue balnéaire.

« L'esclandre a vraiment démarré quand j'ai fait *Stardust Memories*. Les gens étaient outrés. Je continue de penser que c'est l'un de mes meilleurs films. J'essayais juste de faire ce que je voulais, et pas ce que les gens voulaient que je fasse. »

Page ci-contre, en haut : la photo murale dans l'appartement de Sandy sert à refléter son état d'esprit du moment. Ici, Groucho Marx illustre le flash-back d'une phase heureuse dans sa relation avec Dorrie (Charlotte Rampling).

Page ci-contre, en bas : Lors d'un surréaliste rassemblement en plein air, Sandy fait la démonstration de ses pouvoirs magiques sur sa groupie névrosée, Daisy (Jessica Harper).

Ci-dessus : Sharon Stone fait ses débuts à l'écran dans *Stardust Memories*, sous les traits d'une jolie jeune femme assise dans le train voyageant dans le sens contraire de celui, bien moins attrayant, où se retrouve installé Sandy au début du film.

mais il refuse, trop curieux d'entendre ce que ces deux-là ont à dire. Cette expérience sera retranscrite à l'écran, ainsi que la figure de Judith Crist, qui apparaît dans l'une des nombreuses séquences oniriques felliniennes. Les deux pontes du show-biz qui critiquent le film de Sandy sont interprétés par les cadres de UA, Andy Albeck et le coproducteur d'Allen, Jack Rollins. Dorrie, le personnage joué par Charlotte Rampling et apparemment inspiré de la deuxième épouse d'Allen, Louise Lasser. Le titre provisoire du film, *Woody Allen n°4*, pousse encore une fois le cinéaste à l'autodérision : « Je ne suis même pas la demie du Fellini de *8 ½*. »

Le tournage (qui s'étirera sur six mois) commence en septembre 1979 à Ocean Grove, station balnéaire sur le déclin du New Jersey, dont certaines des demeures aux façades décaties accueillent des patients de l'hôpital psychiatrique voisin jugés suffisamment inoffensifs pour vivre parmi la population. On peut les apercevoir de temps à autre, errant sans but dans une torpeur médicamenteuse – l'ambiance idéale pour la dépression nerveuse fictionnelle de Sandy Bates.

« Au commencement de *Stardust*, j'ai cru qu'on n'y arriverait jamais », racontera le chef décorateur Mel Bourne. « Il [Allen] restait là, assis répétant, 'Je crois que ça ne va pas marcher.' J'avais le moral à zéro. Ce genre de trucs finit par vous déprimer. » De nouveau épaulé par Gordon Willis, Allen veut une lumière parfaite, attendant des semaines avant d'obtenir la bonne couleur de ciel tandis que l'équipe joue au poker ou au base-ball. Début décembre, ils ont déjà cinq semaines de retard sur le planning initial. « C'était un film extrêmement difficile à réaliser parce qu'il était extrêmement bien orchestré », soulignera Allen. « Et on a dû refaire des prises. Problèmes de climat. C'était vraiment un film compliqué à faire. »

Le résultat final réussit l'exploit de déprimer le pourtant jovial Charles Joffe. « Quand je suis sorti de la projection, je me suis surpris à tout remettre en question », racontera-t-il. « Je me suis demandé si j'avais contribué pendant vingt ans à la détresse de cet homme. Mais j'en ai discuté avec mon ex-femme, mes enfants, qui ont grandi avec Woody, et j'ai parlé avec Woody lui-même pendant des heures. Il m'a dit, 'Est-ce vraiment l'impression que cela donne de ce que j'éprouve ?' Le film est laminé par la critique, qui y voit une manifestation d'ingratitude : comment Woody ose-t-il produire cette interminable jérémiade sur les divers fléaux du succès ! Dans *The Village Voice*, Andrew Sarris estime que le film « a été façonné par le désir masochiste de se mettre à dos une bonne fois pour toutes les admirateurs d'Allen. » Dans le *New Yorker*, Pauline Kael déplore « une horrible trahison [...]. Un vent de nostalgie avariée. Si Woody trouve le succès si douloureux, *Stardust Memories* devrait l'aider à ne plus s'inquiéter. » Fatigué de défendre son film, Allen abandonne. « Peut-être que ça n'a marché pour personne d'autre que pour moi. »

Stardust Memories est-il le film qui se rapproche le plus de ce à quoi la première version d'*Annie Hall* ressemblait ? Car il s'agit bien d'un *stream of consciousness* en images, sur un homme incapable d'éprouver du plaisir, sur un humoriste qui ne veut plus faire rire, sur le souvenir d'un échec amoureux – cette fois avec Charlotte Rampling – tandis que des flash-back dévoilent son enfance à Brooklyn. C'est le double maléfique de son si populaire prédécesseur. Son jumeau grincheux. Le film se termine d'ailleurs dans une prison, comme Allen le souhaitait pour *Annie Hall*. « Je ne veux plus faire de films comiques », se lamente Sandy Bates, qui a fui les querelles avec ses producteurs pour assister à une rétrospective de son œuvre dans une station balnéaire décrépie. Sandy ressasse la même question qui tourmentait déjà Isaac Davies dans *Manhattan* : doit-il ou non continuer de sortir avec de ravissantes idiotes ? Lorsque Sandy appelle son psy d'une cabine téléphonique et s'aperçoit que Daisy (Jessica Harper), jolie groupie névrosée, fait exactement la même chose dans la cabine adjacente, c'est l'équivalent de la charmante rencontre entre Claudette Colbert et Gary Cooper dans *La Huitième femme de Barbe-Bleue*, où les deux personnages achètent chacun la moitié d'un même pyjama.

Devrait-il plutôt choisir la maternelle et prévenante Isobel (Marie-Christine Barrault) ? Même le souvenir de la bipolaire Dorrie (Charlotte Rampling) ne semble pouvoir éloigner Sandy de ses vieilles habitudes. La succession de gros plans où Charlotte Rampling passe d'une émotion à l'autre, de la joie à l'hystérie, figure parmi les grands moments du film, mais elle aussi n'est qu'un simple spectre des conquêtes féminines passées. Personne ne peut extraire Allen de lui-même, ou le défier comme le faisait Diane Keaton dans *Annie Hall*, et le

Charlotte Rampling est Dorrie, le fantôme des petites amies passées qui hante Sandy tout au long du film.

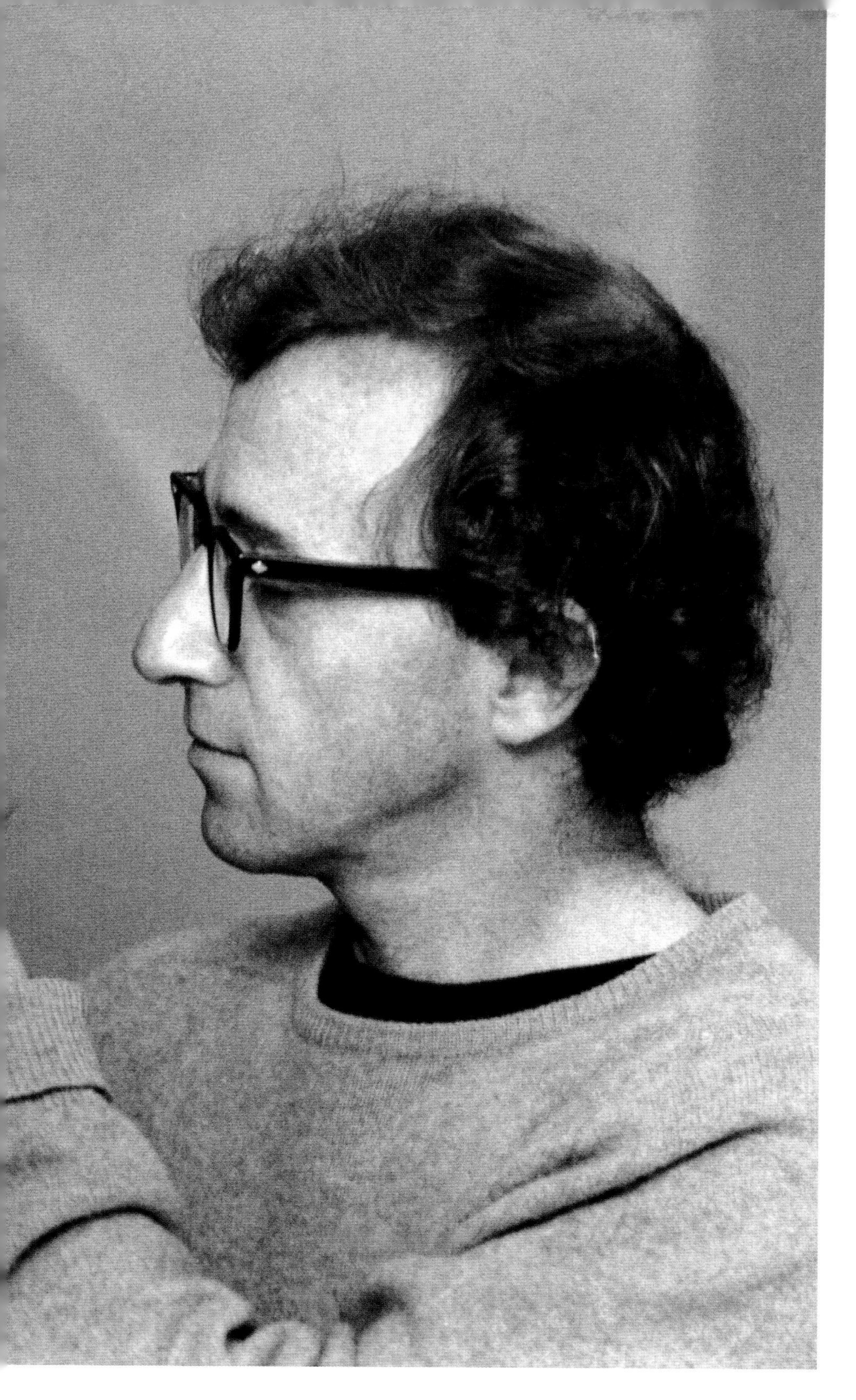

« Si belle et si sexy et si intéressante. Elle possède un côté névrosé intéressant. »

WA à propos de Charlotte Rampling.

résultat donne l'une de ses œuvres les plus indéfinies, qui tourne sans cesse autour de la figure de Sandy, assailli de requêtes dès qu'il montre sa tête en public : « Si vous aviez dix minutes à m'accorder, je fais un topo sur l'indifférence de surface des personnalités célèbres et riches », lui dit un journaliste, qu'on ne revoit plus. « Pouvez-vous simplement écrire, 'Pour Phyllis Weinstein, sale menteuse infidèle ?' » lui demande un chasseur d'autographe. Ces sinistres poursuivants émettent un bourdonnement constant tout le long du film, comme le cri des mouettes qui volent dans le ciel.

De tout cela, se dégage une fougue agréablement acidulée. L'idée d'une déconstruction de la célébrité nous apparaît bien moins choquante à présent qu'elle ne l'était pour le public d'alors. Nous sommes désormais habitués à voir des comédiens tomber le masque, comme Peter Sellers dans *Bienvenue, Mister Chance*, ou Jerry Lewis dans *La Valse des pantins*. Aujourd'hui, le problème du film n'est pas qu'Allen y conspue sa célébrité, mais qu'il ne va pas assez loin : il n'a pas le courage de sa propre rancœur. Car s'il se plaint d'être oppressé par nos rires, il livre dans le même temps une flopée de répliques justement destinées à provoquer cette même hilarité : « On ne peut rien contrôler dans la vie. A part l'art. L'art, et la masturbation. Deux domaines dans lesquels j'excelle. » « Pour toi, je suis un athée. Pour Dieu, je suis l'opposition légitime. » Alors, devrions-nous rire ? Ou pas ?

Stardust Memories est un film déroutant, dont Allen brouille davantage encore les pistes en jouant la carte de l'aveuglement. Le philistinisme des grands studios dont se plaint Sandy dans le film reste, après tout, quelque chose auquel Allen a rarement été confronté, sauf lors du tournage de *Quoi de neuf, Pussycat ?* (UA l'a même laissé tourner *Intérieurs* !) Sa mainmise sur ses propres réalisations s'avère déjà légendaire à l'époque. A ce stade de sa carrière, la seule personne qui force Woody Allen à tendre vers le happy end est Woody Allen lui-même. La bataille livrée dans *Stardust Memories* n'est pas contre ses détracteurs ou son public, mais bien contre lui-même : faire de l'art ou plaire aux foules, telle est la question. Lorsque Woody Allen l'admettra enfin, le résultat sera un film très différent et au succès bien plus retentissant, sur les humiliations et l'absurdité de la célébrité : *Zelig*. *Stardust Memories* dégage une certaine légèreté, mais pas la légèreté d'une comédie. Le film évoque davantage l'image d'un enfant menaçant ses parents pour rire et qui, pris à son propre piège, se met à bouder.

Comédie érotique d'une nuit d'été

1982

Mia Farrow et Woody Allen se rencontre pendant le tournage de *Stardust Memories*. Ils se sont déjà croisés avant, lors d'une fête en Californie, après laquelle elle lui écrit pour lui dire combien elle a aimé *Manhattan*. Il lui répondra en la remerciant poliment. Mais il faut attendre 1979, alors qu'elle donne la réplique à Anthony Perkins dans la pièce de Bernard Slade *Romantic Comedy*, pour qu'ils fassent véritablement connaissance. Agée de 34 ans, et divorcée depuis près d'un an d'André Previn, Farrow est présentée au réalisateur par l'entremise de son vieil ami Michael Caine et de son épouse, un soir après le spectacle chez Elaine's. Allen y dîne à sa table habituelle. Caine s'arrête pour le saluer, et lui présente Farrow.

« Je pourrais énumérer nos différences sans jamais m'arrêter », confessera plus tard Allen au *New York Times*. « Elle n'aime pas la ville, et je l'idolâtre. Elle adore la campagne, et moi j'aime pas. Elle n'aime pas du tout le sport, et moi j'adore le sport. Elle aime dîner à la maison tôt – à 17 h 30, 18 heures – et j'adore dîner dehors, tard. Elle aime les restaurants simples, sans chichis, et j'aime les endroits chics. Elle ne peut pas dormir avec la clim, et je ne peux dormir qu'avec la clim. Elle adore les animaux, je déteste les animaux [...]. Elle aime l'Ouest de New York, j'aime l'Est de New York. Elle a élevé neuf enfants à ce jour et ne possède pas un seul thermomètre. Je prends ma température toutes les deux heures. »

Comédie érotique d'une nuit d'été est le premier fruit créatif de leur union. Ecrit en deux semaines alors qu'Allen attend que le budget pour *Zelig* se mette en place, le film est censé en offrir le pendant sérieux et poignant – « une sorte de récit tchekhovien sérieux, presque dans le style d'*Intérieurs*. » Mais plus il avance, plus l'intrigue devient vaudevillesque. Un petit

« Un critique qui aime beaucoup mon travail a dit que c'était le seul film futile que j'aie jamais fait. »

Abrité derrière une moustiquaire lors du tournage, pendant un été chaud et humide.

intermezzo avec filets à papillons, courts de badminton et éclats de rire. « Je voulais faire pour la campagne ce que j'avais fait pour New York avec *Manhattan* », racontera-t-il. « Nous voulions filmer les plus belles journées campagnardes qu'on puisse imaginer. On a tout fait aussi joli que possible. Et tout s'est résumé à ça. On a veillé à ce que la luminosité soit parfaite à tout moment et à ce que le soleil soit exactement à la bonne place. »

Allen déteste la campagne, c'est bien connu. Cet été de 1981, il fait chaud et humide sur le plateau du domaine Rockefeller, à une quarantaine de minutes de New York. Farrow, tournant pour la première fois avec son amant, se sent par moments « submergée par une telle paralysie que je n'arrivais plus à comprendre ce que les personnages étaient censés être ou faire », écrira-t-elle plus tard. « Woody, à présent réalisateur, était un étranger pour moi. Son austérité glaciale transformait mon appréhension en peur primale. Je n'étais pas une artiste, seulement la plus inepte des poseuses. » Et il est vrai qu'Allen se montre alors inhabituellement brusque avec ses comédiens. A José Ferrer, il fait répéter la phrase « Ce sont de fausses dents » quinze fois jusqu'à ce que Ferrer quitte le plateau, furieux. Au milieu du tournage, Farrow fait un ulcère et doit prendre du Tagamet quatre fois par jour. Alors que l'été touche à sa fin, l'équipe doit peindre les feuilles des arbres en vert – un symbole éloquent de l'accueil réservé au film à sa sortie, le 16 juillet 1982.

« Le film est si sobre, si mignon, désinvolte et léger qu'on a parfois l'impression qu'il n'est pas heureux d'être un film », écrit Roger Ebert dans le *Chicago Sun-Times*. « On ne sent pas de raison pressante pour Woody Allen de faire ce film – pas même le plaisir que certains réalisateurs éprouvent à faire des films », écrit quant à elle Pauline Kael dans le *New Yorker*, elle aussi agacée par cette impression de pusillanimité. « Si vous n'avez pas l'esprit à voir le monde sous un jour amusant, et que vous écrivez, réalisez et jouez dans une comédie, vous obtiendrez au mieux une bizarrerie, ce qu'offre Woody Allen avec *Comédie érotique d'une nuit d'été*. »

Au Nord de l'état de New York, six personnages dans divers état de confusion sentimentale et sexuelle se retrouvent dans la résidence estivale d'un inventeur farfelu, Andrew (Allen), et de sa frigide de femme Adrian (Mary Steenburgen), qui prétexte une migraine depuis six mois. Les premiers arrivants sont le meilleur ami d'Allen, Maxwell (Tony Roberts), médecin libidineux, et sa conquête du moment, Dulcy (Julie Haberty), jeune infirmière nymphomane. Viennent ensuite le cousin d'Adrian, Leopold (José Ferrer), professeur pontifiant, et sa jeune fiancée, la belle Ariel (Mia Farrow), qui a décidé que le pédantisme de son mari était la seule façon de réfréner ses propres ardeurs sexuelles. Après leur mariage, celui-ci compte l'emmener à Londres, « pour une visite privilégiée de la sépulture de Thomas Carlyle. » La règle du jeu qui s'ensuit

Six personnages en quête d'intrigue : Adrian (Mary Steenburgen), Dulcy (Julie Hagerty), Ariel (Mia Farrow), Maxwell (Tony Roberts), Leopold (José Ferrer), et Andrew (Woody Allen).

est simple : 1) Chaque personnage doit, avant la fin du jour, tomber amoureux d'au moins une personne en dehors de celle avec qui il est venu. Et 2) les spectateurs doivent feindre de remarquer la différence.

La première tentative d'Allen de réaliser un film d'ensemble souffre de d'uniformité des personnages. Toutes les femmes semblent se fondre en une seule et même nymphomane, à la voix fluette et à la minceur nimbée de taffetas, tandis que les hommes ne sont que des variantes d'un seul et même satyre. Mia Farrow paraît gauche et empruntée dans un rôle mal attribué. Woody a en effet écrit ce rôle pour Diane Keaton, mais cette dernière étant indisponible (elle tourne alors *Reds*), Allen propose le rôle à Farrow alors qu'il n'a pas encore découvert son rythme, ses particularités, comme il l'a fait pour Diane Keaton à l'époque d'*Annie Hall*. Ici, coiffée à la manière d'une nymphe des bois préraphaélite, filmée de dos dans un halo de lumière, elle fait de timides œillades à Allen comme une vierge effarouchée, alors qu'elle est censée avoir couché avec la terre entière.

Si le film d'Allen ne devait posséder ne fut-ce qu'une once de folie shakespearienne, serait grace à à José Ferrer, qui donne au bouffon Leopold une vraie résonance cabotine. Mais le film reste une défaite à tous les égards. En admettant qu'*Intérieurs* incarne la demande de divorce qu'Allen adresse au grand public qui a applaudi *Annie Hall*, et que *Stardust Memories* ressemble à la querelle finale sur les marches du tribunal, alors *Comédie érotique d'une nuit d'été* est l'équivalent cinématographique de la séparation des biens une fois le divorce prononcé. Premier d'une série de quatre films d'époque (avant *Zelig*, *Broadway Danny Rose* et *La Rose pourpre du Caire*), l'œuvre voit Allen échanger sa verve acerbe et sa rancune à l'égard du monde contemporain pour une palette visuelle plus apaisée, de la musique classique et des clins d'œil au *Songe d'une nuit d'été* de Shakespeare, aux *Sourires d'une nuit d'été* de Bergman et à la *Règle du jeu* de Jean Renoir – les remèdes favoris d'Allen rassemblés en un seul opus. Trop bruyant, le rire risquerait de troubler sa belle surface magnifiquement photographiée. Le film arrache plutôt quelques sourires ironiques, au mieux quelques gloussements discrets face à ces batifolages estivaux et ces bicyclettes volantes, aussi futiles et vaporeux qu'une fleur de pissenlit : un souffle, et il n'y a plus rien.

Zelig

1983

Zelig est né d'un projet de court-métrage, une étude de caractère d'un homme toujours d'accord avec tout le monde. « C'est ce besoin que l'on ressent à être aimé qui nous pousse de la manière la plus instinctive qui soit à dire qu'on a aimé un film ou un spectacle, ou qu'on a lu Moby Dick – alors qu'on ne l'a pas lu – dans le seul but d'apaiser les gens autour de nous », expliquera Allen. « J'ai pensé que ce désir de ne pas faire de vagues, porté à l'extrême, peut avoir des conséquences traumatiques. Cela peut mener à une mentalité conformiste et, en définitive, au fascisme. Voilà pourquoi je voulais utiliser la forme documentaire : on ne veut pas voir la vie intime de ce personnage, on s'intéresse davantage au phénomène et à la façon dont il traite de la culture. Autrement, ce serait juste l'histoire pathétique d'un névrosé. »

En d'autres termes, Leonard *Zelig* n'a pas de vie privée. Ce qui fait de l'écriture du scénario une tâche particulièrement astreignante. A l'origine, le cadre se veut contemporain : *Zelig* est un employé d'une chaîne de télévision publique à New York. A l'époque, un ami d'Allen, Dick Cavett, présente une série d'émissions historiques pour HBO, où l'animateur apparaît grâce à un montage photographique parmi des images d'archives. Fasciné par le procédé, Allen a l'idée de réaliser un faux documentaire – comme il l'a fait pour *Prends l'oseille et tire-toi* – basé sur du récit, des extraits d'actualités, des photos et des interviews. Il commande des centaines de milliers de mètres d'archives filmées des années 20, dont des meetings nazis, le joueur de baseball Babe Ruth en pleine action, et le seul film montrant F. Scott Fitzgerald, la plupart des images provenant d'albums de famille et des archives Bettmann. « Une véritable galère », se souviendra Allen, « mais pour le tournage, c'était du tout cuit. »

A l'aide de lentilles, de caméras, d'éclairages et d'équipements sonores des années 20, ils tournent dans plusieurs studios new-yorkais. « De tous les films qu'on a faits, l'ambiance sur ce plateau était la plus détendue », précisera Mia Farrow, qui joue la psychiatre Eudora Fletcher, tombée sous le charme de *Zelig* pendant ses « séances de la chambre blanche », filmées dans la même demeure qui servait de décor à la *Comédie érotique d'une nuit d'été*. La plupart des acteurs sont non professionnels (famille, amis, membres de l'équipe) afin de renforcer le naturalisme des archives. Allen écrira même à Greta Garbo, qui ne répondra pas, mais Mae Questel, la voix originale de Betty Boop, offrira sa voix à Helen Kane pour la chanson « Chameleon Days ». Saul Bellow, invité à fournir une interprétation philosophique de l'existence de *Zelig*, acceptera seulement après avoir corrigé la grammaire d'Allen.

Le tournage est bouclé en seulement douze semaines, mais la postproduction prendra plus d'une année, durant laquelle Gordon Willis et l'équipe des effets spéciaux s'attellent à étalonner les différentes qualités de pellicules. « Vous ne pouvez pas vous figurer le nombre de boîtes de pellicule accumulées », dira Willis. Le plus grand défi reste de trouver des images offrant suffisamment de place autour du sujet pour y insérer Allen. « Il y avait souvent plein de monde sur ces films », précise la monteuse Susan Morse. « Il nous fallait assez d'espace, et il fallait nous assurer que personne ne passe devant [son personnage]. » Après cela, le nouveau film doit être « vieilli » pour s'harmoniser à l'ancien. Ils ajoutent des rayures sur le négatif, froissent les bobines, les surexposent au soleil – tout pour retrouver le grain texturé, délavé des années 20 et 30. Willis emporte même des négatifs sous la douche et les piétine. « J'ai cru un moment que nous n'allions jamais terminer, et j'ai cru devenir fou », se rappellera-t-il. « Je n'ai jamais autant trimé pour faire paraître simple quelque chose de compliqué. »

Le « conformiste absolu » Leonard Zelig prend la pose à côté du légendaire poids lourd Jack Dempsey.

La réalisation de *Zelig* suivra un processus minutieux, mêlant plans très précis des acteurs et archives des actualités filmées des années 20, dont des scènes de rue à New York et une triomphale parade de Charles Lindbergh.

« Woody m'a dit un jour, 'Tu crois qu'on est allé trop loin ?' A l'époque, je me suis dit peut-être. C'était très difficile de trouver un équilibre visuel et émotionnel. Il fallait que ça ait l'air vrai, mais il fallait aussi que ça marche pour les spectateurs, il fallait que ce soit divertissant. Il y avait toujours un risque à travailler si dur sur un plan précis qu'on en oubliait comment il devait fonctionner dans l'œuvre finale. Mais quand on sent qu'on perd cela de vue, il faut laisser tomber un moment et recommencer. Et c'est ce qui est arrivé. »

Le premier montage ne durant que trois quarts d'heure, Allen tourne des scènes supplémentaires et ajoute quelques archives. Ne reste plus qu'à trouver un titre. Allen a beau se creuser la cervelle, il ne trouve pas. Plusieurs idées sont abandonnées : *The Chameleon Man*, *The Changing Man* (le titre du film dans le film), *The Cat's Pajamas*, *The Bee's Knees*, et *Identity Crisis and Its Relationship to Personality*. Allen réunit même quelques amis autour d'un dîner pour trouver un titre. En vain. « Finalement, j'ai projeté plusieurs fois le film avec différents titres. A la seconde où j'ai vu *Zelig*, j'ai su. »

Zelig compte parmi les merveilles de l'œuvre d'Allen : une pépite comique sans pareil, à la fois délicate et grandiloquente, riche d'une émotion véritable, mais bien trop légère pour creuser les thèmes plus profonds qu'elle véhicule en sous-texte. « Woody Allen y est émouvant de la même manière que Chaplin était émouvant », note Pauline Kael. La comparaison n'est pas anodine : hormis les quelques paroles que Leonard *Zelig* prononce sur un enregistrement lors de ses séances avec le Dr Fletcher, il n'a pas plus de voix que de visage. De tous les hommages et emprunts d'Allen à Chaplin, Buster Keaton et Harold Lloyd, *Zelig* reste son personnage le plus marqué par leur héritage : un spectre muet, incapable de formuler ses doléances, désireux de plaire, l'expression la plus pure de la passivité qu'Allen a lui-même insufflée à son personnage

de comique. Même si le film ne dévoile pas autant de détails autobiographiques que *Radio Days*, il s'avère, à beaucoup d'égards, son autoportrait le plus pénétrant.

Comme les parents d'Allen, ceux de *Zelig* se tiennent dans un état de guerre permanente, poussant leur fils à se construire dans l'opposition : « extrêmement asocial », avec « de mauvaises manières et une piètre estime de soi », il montre un désir presque pathologique de plaire aux autres, prêt à tout pour être aimé et se sentir en sécurité. Ses diverses incarnations – en Chinois, en gangster, en noir – lui valent les gros titres des journaux, puis un séjour à l'hôpital, où le Dr Fletcher (Mia Farrow) le prend en charge. On pense alors à un autre personnage qui « évolue en tous sens sur les murs et le plafond » : celui de Gregor Samsa, dans *La Métamorphose* de Kafka. Même si la transformation de ce dernier s'avère plus durable que les incarnations éphémères de *Zelig*, on y retrouve le même reflet allégorique. De tous les personnages d'Allen, il reste sans doute celui ayant suscité le plus grand nombre

« Il a fallu trois ans pour le faire, avec un calendrier serré et d'incessantes expérimentations techniques. »

Page ci-contre, en haut et à droite : « Si je ne suis pas là, ils commenceront sans moi. » Sujet d'étude du Dr Eudora Fletcher (Mia Farrow), Zelig est persuadé être lui aussi un professeur et prétend qu'il doit retourner en ville pour dispenser son cours sur la masturbation de pointe.

Page ci-contre, en bas : Pose présidentielle avec Calvin Coolidge et Herbert Hoover.

d'études, comme le merveilleux essai d'Iris Bruce considérant *Zelig* comme une figure kafkaïenne, ainsi qu'un représentant de la diaspora juive, avide d'assimilation, et de l'Américain ultime, véritable melting-pot à lui tout seul.

Zelig s'est toujours destiné à la considération des érudits. Allen semblait dès le début savoir que sa fable susciterait l'attention des intellectuels, même si les zéligologistes en herbe doivent patienter derrière Saul Bellow, Bruno Bettelheim et Susan Sontag, qui jouent tous leur propre rôle dans le film, avant de pouvoir donner leur avis sur la condition de *Zelig*. « C'est le conformiste absolu », acquiesce Bettelheim. *Zelig* incarne en effet à la perfection l'esprit et la culture de l'époque, même si Allen se garde bien d'enfermer son film dans une seule interprétation, préférant plutôt lui offrir des pistes variées, tandis que *Zelig* lui-même continue de se dérober à toute définition figée. Ce qui frappe le plus aujourd'hui est la sobriété même du film, qui fait naître gags et émotions de son histoire d'amour. « Peut-être est-ce justement cette impuissance qui m'émeut », suppose Eudora Fletcher, inquiète et maternelle dans ce rôle qui a été écrit pour Farrow et qui lui va comme un gant. « Elle ne le met pas au défi (comme le fait Diane Keaton dans les rôles qu'[Allen] lui a écrits) », écrit Kael. « Elle le libère de son stress, et il invente alors des scènes d'une délicate fraîcheur, comme celle où, sous hypnose, il murmure : 'Je vous aime… ces pancakes… Je vous aime, je veux prendre soin de vous… Mais s'il vous plaît, arrêtez les pancakes.' »

Zelig reste le plus clairvoyant de tous les scénarios d'Allen. Leonard *Zelig* est le bouc émissaire du vingtième siècle dans son ensemble, comme le Prufrock de T. S. Eliot ou le « nowhere man » de John Lennon : sans lui, Forrest Gump n'existerait sans doute pas. La description d'Allen d'une vie publique à l'américaine est implacable : *Zelig* est applaudi en vedette pendant l'âge d'or du Jazz, puis diffamé et poursuivi pour « adultère, bigamie, conduite dangereuse, plagiat, endommagements, négligence, dégradation de bâtiments, et extractions abusives de dents parfaitement saines », avant de trouver la rédemption grâce à une prouesse à la Lindbergh – le pilotage d'un avion pour aller vaincre les Nazis. Affirmer que *Zelig* est Allen s'avère trop direct, mais ce portrait puise son inspiration au plus profond de la personnalité caméléon qui se cache chez tous les dramaturges – cet opportunisme rusé qui frôle l'empathie et permet de se frayer un chemin dans le cœur et l'esprit d'autrui. Certains détecteront dans *Zelig* la trajectoire future de la carrière du cinéaste. Les années suivantes, lui aussi sera accusé d'adultère et, pire, trouvera la rédemption en revenant au genre de divertissements grand public qui lui ont valu ses premiers succès.

« Je fais des films pour les gens instruits. J'en conclus qu'il y a dans le monde des millions de personnes cultivées et instruites en quête de divertissement sophistiqué qui ne se destine pas au plus bas dénominateur commun et qui ne traite pas seulement d'accidents de voiture et de gags scatologiques. »

Surnommé le « caméléon humain », Zelig entame une carrière de phénomène de foire, traîné par sa sœur à travers tout le pays, avant de devenir l'objet d'une ferveur nationale.

Broadway Danny Rose

1984

L'histoire du malheureux impresario Danny Rose (Allen, à droite) nous est contée par flash-backs par un groupe de comédiens et d'agents de Broadway (dont le propre agent d'Allen, Jack Rollins, tout à droite) attablés au Carnegie Deli.

L'une des distractions favorites des couples new-yorkais consiste à observer les individus farfelus et étranges qui sillonnent la ville. Lors d'un dîner chez Rao's, un minuscule restaurant italien de la 144ᵉ rue à Harlem, Mia Farrow et Woody Allen repèrent un personnage haut en couleur : la belle-fille du propriétaire, Annie. Choucroute sur la tête, talons aiguilles, lunettes fumées, cigarette coincée à la commissure des lèvres. « Qu'est-ce que j'aimerais jouer une femme comme ça ! » lui confie Farrow un soir.

Ainsi naît l'idée qui deviendra *Broadway Danny Rose*, le douzième film d'Allen, sur un imprésario qui se démène comme un pauvre diable pour ses artistes ringards de music-hall. Racontée par un groupe d'humoristes juifs rassemblés au Carnegie Deli, l'histoire replonge Allen dans ses souvenirs des années 50, quand lui, Jack Rollins et Charles Joffe se rendaient, après le spectacle, dans les delis de Broadway et de la Septième Avenue – le Carnegie, le Stage, Lindy's – à une époque où ils gagnaient tout juste de quoi payer leur dîner. Une table accueille des humoristes, une autre leurs agents, et une troisième des directeurs de clubs. Tous échangent des anecdotes pendant des heures. La devise de Danny Rose pour encourager ses poulains, « les trois S : Super, Sourire, Star », vient d'un comédien qu'Allen a entendu au Carnegie un soir, tandis que la salle où Danny s'efforce de placer ses artistes, Weinstein's Majestic Bungalow Colony, dans les Monts Catskill, abrite la première scène où Allen s'est produit adolescent, sous les traits d'un magicien.

« Je connaissais très bien ce milieu », soulignera-t-il. « Il y avait deux raisons de faire ce film, en fait. L'une était que Mia voulait jouer Miss Rao, Annie Rao, que nous connaissions et voyions tout le temps au restaurant. Et moi, je voulais jouer une autre sorte de personnage que le New-yorkais névrosé et érudit. Et l'un des personnages que je sais jouer est le voyou. La vérité, c'est que je viens des rues de Brooklyn. Je ne suis pas instruit – en fait, on m'a renvoyé de la fac dès ma première année. Je ne suis pas un gangster, mais je fais partie de ce monde. Je suis plus le type à l'aise avec une bière coincée sous son maillot de corps, planté devant la télé à regarder un match de baseball, que celui qui étudie les romanciers russes. Oui, j'ai lu ces trucs au fil des ans pour faire bonne figure auprès des filles, mais la vérité, c'est que mon cœur ne bat que pour le stade de baseball. »

Allen va de nouveau trouver Gordon Willis. Il dit au chef op' : « Je vois ça en noir et blanc. »

« Je suis complètement d'accord », acquiesce Willis.

Ils auditionnent des dizaines de candidats pour leur chanteur, dont Danny Aiello, Robert de Niro et même Sylvester Stallone. Désespérée, Juliet Taylor, la directrice de casting d'Allen, écume les disquaires de Broadway et tombe un jour sur un album intitulé *Can I Depend on You*, par un certain Nick Apollo Forte. Le crooner italo-américain à fossettes, la quarantaine bien en chair, travaille sur un bateau de pêche et joue du piano dans un bar à cocktail pour arrondir ses fins de mois. « C'était comme s'il avait toujours attendu ce grand jour », se remémorera Taylor. « Il venait du Connecticut et fréquentait ce genre de petits

A gauche : « As-tu pensé aux trois S ? » Allen prodiguera ses conseils à l'écran et sur le plateau à l'acteur novice Nick Apollo Forte, qui joue Lou Canova.

Page ci-contre : Mia Farrow porte des lunettes noires tout au long du film pour éviter que ses yeux de biche ne décrédibilisent son rôle de Tina Vitale, véritable harpie italienne.

clubs, et son audition était bonne. A la fin, j'avais une poignée de finalistes, dont plusieurs très célèbres, comme Jerry Vale. J'ai donc montré les bandes à Diane Keaton, à qui je me fie toujours pour ce genre de choses, et elle m'a dit, 'Ce type est le meilleur', et j'ai dû me rendre à l'évidence. »

Mais une fois le tournage démarré, à l'automne 1982, le talent de Forte montre vite ses limites : Allen se voit forcé de donner des cours de théâtre au chanteur pour des actions aussi simples que celle de traverser une rue. Dans l'intervalle, Farrow met le paquet pour interpréter Tina Vale, puisant son inspiration chez Annie Rao et chez Honey, l'ex-femme de Jilly Rizzo, un ami de Sinatra. Elle boit des milk-shakes à longueur de journée pour prendre du poids, regarde *Raging Bull* en boucle et enregistre des heures de conversation avec des femmes de Brooklyn pour se pénétrer de leur accent. « Peut-être est-ce mon apparence physique qui déroutait les gens. J'étais très mince, et je sais qu'on me voit comme ça », soulignera Farrow, qui n'est pas à l'époque « le premier choix de Rollins, ni le neuvième, ni le cinquantième », fera-t-elle remarquer. Même avec une tonne de maquillage, ses yeux de biche la trahissent. Elle décide donc de porter des lunettes noires tout au long du film, à l'exception d'une scène où l'on entrevoit quelques secondes son reflet dans le miroir de la salle de bains. « C'était très, très courageux de sa part », dira Allen, « parce qu'elle devait jouer tout le film sans utiliser son regard, et ça, c'est très dur à faire. »

« Woody Allen n'a pas su donner à Mia Farrow le lyrisme à l'écran qu'il donnait à Diane Keaton », écrit le critique James Wolcott dans *Vanity Fair*. « Son adoration a quelque chose de muselé, de retenu. Il semble l'adorer de loin, et l'approcher sur la pointe des pieds. Il est révélateur de voir comment, dans *Zelig* comme dans *Broadway Danny Rose*, l'union d'Allen et de Farrow survient à la fin, dans un discret plan d'ensemble. Et il nous garde aussi à distance. » Cette observation en dit long sur la nature changeante des histoires d'amour du cinéaste, à la scène comme à la ville. Si Keaton incarnait l'adversaire d'Allen, les nerfs à vif mais pleine de répartie (« Je dis ce que je pense, et si ça te dérange, eh bien va te faire voir », dit-elle à Isaac dans *Manhattan*), alors Farrow offre une présence chaude, réconfortante pour l'esprit tourmenté de Leonard *Zelig*. Dans *Broadway Danny Rose*, Allen lui fait le cadeau qu'il a offert à Keaton dans *Woody et les robots*, et récidivera dans *Meurtre Mystérieux à Manhattan*. Partager l'affiche est la première chose qu'il accomplit avec ses amoureuses préférées – c'est sa vision ultime de l'union romantique.

« Si tu suis mes conseils, tu deviendras le plus grand plieur de baudruches de tous les temps ! » dit Danny Rose (Allen) à l'un

Ci-dessus et à droite : Le faux couple que Danny forme avec Tina s'avère suffisamment convaincant pour lui valoir des ennuis avec la Mafia.

Page suivante : Dans son avant-dernier film avec Woody Allen, le directeur de la photo Gordon Willis éclaire à merveille ce doux moment à l'arrière d'un taxi.

de ses protégés. Imperturbable optimiste, l'impresario s'échine à placer les numéros improbables de ses artistes, en vain. Son seul espoir réside en la personne de Lou Canova (Nick Apollo Forte), ténor de salon alcoolique ayant connu son heure de gloire dans les Fifties. Lou ne peut se produire sur scène sans la présence dans le public de sa maîtresse, Tina (Farrow). Mais celle-ci, une furie italienne en imprimé léopard et choucroute peroxydée, est folle de rage contre lui parce qu'il l'a « trompée avec sa femme. » Pour couronner le tout, sa famille de mafiosi pense que Danny est le nouvel homme de sa vie. La mission de ce dernier devient donc double : il doit convaincre Tina d'assister au spectacle, et échapper aux gorilles qui cherchent à lui donner la pâtée.

Pantalon moulant, lunettes noires, cigarette au bec, Farrow frétille dans son rôle comme dans une paire de jeans bien serrée. Dans la scène de la salle de bains, son visage aux traits délicats apparaît presque comme on entrapercevrait un nu. « Le tape-à-l'œil parti, [...] elle est tendre, pure – comme un nouveau-né », écrit Wolcott qui, comme beaucoup d'autres, voit dans l'interprétation d'Allen une performance un peu surjouée. D'un débit de mitraillette, il entrecoupe chacune de ses phrases d'un « sweetheart » ou d'un « darling », agitant les bras en tout sens comme un agent de piste guidant un 747 à l'atterrissage. Certes, il semble flotter dans ce rôle, mais cette façon d'en faire des tonnes ne pourrait coller davantage au personnage de Danny Rose lui-même, ce cabotin de première, et le rythme que lui et Farrow établissent s'avère si frénétique qu'ils emportent le film à eux deux. L'histoire gambade et trébuche, sans chercher à s'excuser de sa frivolité : une anecdote parmi d'autres que se remémorent cette bande de vieux de la vieille au Carnegie Deli. Une tranche bien fine de Damon Runyon, mais non moins savoureuse et bien piquante.

« Tu connais ma philosophie de la vie ? Qu'il est important de rigoler un peu, pas de doute, mais qu'il faut souffrir un peu, aussi. Parce que, sinon, tu passes à côté du sens de la vie. »

Danny Rose

La Rose pourpre du Caire

1985

Ci-dessus : Allen mettra tout son amour du cinéma des années 30 et 40 dans *La Rose Pourpre du Caire*.

Page ci-contre : Gil Sheperd (Jeff Daniels) rencontre Cecilia (Mia Farrow), sa plus fervente admiratrice et la seule personne qui sait où trouver son alter ego en cavale.

De toute l'œuvre d'Allen, *La Rose pourpre du Caire* est le film qui, selon lui, est resté le plus proche de son scénario initial. « 99 % du temps, je me retrouve avec un film qui n'a presque rien à voir avec l'idée géniale qui m'est venue au lit. Le film a beau remporter un beau succès auprès du public, je me dis que s'ils avaient su ce que j'avais eu en tête dans mon lit, ils verraient quelque chose de vraiment superbe. Si seulement j'avais pu leur donner *ça.* »

Le film s'inspire des longues après-midi passées chez Rita, sa cousine férue comme lui de cinéma, dont la chambre est tapissée d'affiches de stars découpées dans *Modern Screen* et autres fanzines. A l'âge de onze ans, le petit Allen peut déjà citer la plupart des acteurs des comédies des années 30 et 40 – un univers vaste et argenté où tout le monde porte un smoking, habite Park Avenue, boit du champagne dans des night-clubs chics et échange des réparties pleines d'esprit. Devenu adulte, il songe alors : Ne serait-ce pas drôle qu'un des personnages traverse l'écran ? « J'ai écrit ça et, arrivé à la moitié, j'ai vu que ça ne menait nulle part, et j'ai laissé tomber. J'ai imaginé d'autres idées. Ce n'est que lorsque j'ai trouvé l'idée, bien plus tard, du vrai acteur qui débarque en ville et qu'elle doit choisir entre l'acteur [sur l'écran] et le vrai acteur, qui finit par la quitter, que c'est devenu un vrai film. »

Michael Keaton est choisi pour le rôle de Tom Baxter/ Gil Sheperd. Mais lorsque Allen visionne les rushes, il se rend compte que l'acteur n'a pas la carrure d'une vedette de cinéma des années 30. Il est trop contemporain, « trop cool ». Ainsi, après dix jours de tournage, Allen le remplace par Jeff Daniels, alors âgé de 29 ans, qui vient juste de terminer *Tendres passions*. « Aucune discussion sur les personnages, leurs motivations ou leurs milieux d'origine », racontera Daniels. « C'est comme s'il soufflait sur une plume et qu'elle partait dans toutes les directions à la fois. »

Le tournage a lieu à Piermont, dans l'état de New York, une bourgade en bordure de l'Hudson, ville ouvrière des années 30 restée en l'état. Allen y investit tout un pâté d'immeubles et recrée la façade d'un cinéma. Pour les scènes d'intérieur, il tourne dans l'une des salles de cinéma les plus prisées de sa jeunesse, le Kent, dans son quartier de Midwood, « l'un des lieux les plus significatifs de mon enfance », qui projetait des films pour douze cents et se situait si près des voies ferrées qu'on entendait les trains de marchandises passer toutes les cinq minutes. Il dégote même un rôle pour Van Johnson, l'idole des femmes de l'âge d'or du cinéma, tête d'affiche d'*Un nommé Joe* et d'*Ouragan sur le Caine*. Allen est si timide qu'il ose à peine lui parler. « Vous imaginez : je me tiens à un mètre de Van Johnson ! Le type qui, quand j'étais gosse, me faisait oublier ma vie fade et morne – Van Johnson aux commandes d'un avion, ou en Argentine avec Esther Williams, qui était une sacrée beauté. Donc peut-être

« Mon opinion est qu'on est forcé de préférer la réalité au fantasme, et la réalité finit par nous faire du mal, tandis que le fantasme tient juste de la folie. »

« Il n'y a rien d'exotique dans ce film. Il se déroule pendant la Grande Dépression et parle des pauvres gens sans travail qui, pour passer le temps en attendant que quelque chose survienne, ne cessent d'aller au cinéma. »

Las de fréquenter les mondains oisifs de Manhattan (à droite), l'explorateur Tom Baxter, toujours coiffé de son casque colonial, franchit le quatrième mur et emmène Cecilia dîner dans un restaurant chic (à gauche).

que cette identification totale d'un acteur avec le rôle qu'il joue est l'un des sujets de *La Rose pourpre du Caire*.»

Comme pour *Zelig*, quelques problèmes purement techniques surviennent. Le film noir et blanc dans le film en couleurs ne s'avère pas si difficile à réaliser, mais ajuster le regard des acteurs sur les spectateurs à qui ils s'adressent dans la salle « a demandé beaucoup de travail. [...] Un vrai problème mathématique. » expliquera Allen. La fin pessimiste pose également problème, du moins aux yeux des dirigeants d'Orion, l'un d'eux appelle Allen pour lui demander s'il y tient vraiment. Un happy end rapporterait plusieurs millions de plus, lui fait-il remarquer. « La fin est la raison pour laquelle j'ai fait ce film », insiste Allen, qui voulait par là retrouver quelque chose de « l'humeur mélancolique, nostalgique » d'*Amarcord* de Fellini (1973). Il réitérera ce point de vue lors d'une interview accordée au magazine *Esquire*. Pourquoi n'a-t-il pas préféré une fin heureuse ? lui demande-t-on.

« C'était *ça*, la fin heureuse », réplique-t-il.

On hésite à qualifier *La Rose Pourpre du Caire* d'œuvre mineure, car comme la plupart des meilleurs travaux d'Allen de cette époque – *Zelig*, *Broadway Danny Rose*, *Radio Days* – le film atteint le statut de miniature à la facture superbement nostalgique. Ce n'est ni le fruit d'une ambition démesurée, ni d'un déni agressif de la réalité, mais une prise en compte des subtils diktats d'une imagination puisant sa source dans l'enfance et la culture que le cinéaste a absorbée comme une éponge. « Le meilleur des tranquillisants et des calmants qui existent », dira Allen en parlant de son enfance passée dans les salles obscures. Le même effet que semblent produire les films sur Mia Farrow dans *La Rose pourpre du Caire* : tranquillité et apaisement. De tous ses personnages, Allen désignera Cecilia comme celui auquel il s'identifie le plus. Absorbée toute entière dans les films projetés à l'écran, la fluette Cecilia (Farrow) arbore la même

expression de torpeur cotonneuse – la main allant lentement du sachet de pop-corn à sa bouche – qu'Allen lui-même au début de *Tombe les filles et tais-toi*. Dans ce film, Bogart sort de l'écran pour dispenser au jeune homme quelques conseils de séduction. Dans *La Rose pourpre*, Allen va plus loin encore : Et pourquoi pas une idylle en bonne et due forme entre fiction et réalité ? Alors qu'elle regarde pour la énième fois une de ces romances à l'eau de rose qu'elle affectionne, Cecilia reste bouche bée quand Tom Baxter (Jeff Daniels), le héros du film, un explorateur à la mâchoire carrée et au casque colonial, descend de l'écran, laissant derrière lui ses snobs acolytes new-yorkais, qui arpentent l'écran dans divers états de panique et d'ennui. « Ils passent leur temps à s'asseoir et à discuter ! » se plaint l'un des spectateurs, comme s'il regardait un film de Woody Allen.

S'ensuit une histoire tendre, enchevêtrée, lyrique, qui porte la signature caractéristique de la prose allenienne, et en particulier celle de « The Kugelmass Episode », sa nouvelle publiée dans le *New Yorker*, sur un professeur de lettres qui, grâce à l'intervention d'un magicien, s'immisce dans les pages de *Madame Bovary* pour entamer une liaison torride avec son héroïne, bouleversant l'intrigue pour toutes les générations à venir. Il inverse alors le processus et fait venir Emma à New York, où il se retrouve à lui payer ses notes d'hôtel mirobolantes. Face à l'humeur maussade d'Emma, Kugelmass se jure de ne plus jamais tromper sa femme, mais retourne néanmoins voir le magicien trois semaines plus tard pour qu'il l'expédie cette fois dans *Portnoy et son complexe*. Une mauvaise manipulation, et le voilà coincé dans un manuel d'espagnol, poursuivi par le verbe « avoir ». Le parallèle avec *La Rose pourpre du Caire* s'avère assez manifeste, mais ne doit pas occulter les différences entre les palimpsestes espiègles de son œuvre littéraire et l'immense effort d'imagination qui insuffle la vie à ses scénarios. Le

« Quoi ? Il n'y a pas de fondu au noir ? » Tom peine à comprendre cet univers où les scènes d'amour ne sont pas censurées par le code Hays.

magicien a enfin trouvé comment se faire lui-même disparaître. « C'est le premier film de Woody Allen dans lequel tout un tas d'acteurs interagissent véritablement et s'éveillent les uns les autres », note Pauline Kael. « Même s'il ne possède pas la même vivacité sexuelle et les querelles de ses autres comédies, et ne s'adresse pas au public avec cette immédiateté journalistique de ses films à l'intrigue contemporaine, il reste néanmoins l'expression la plus complète de son style humoristique. »

Le film semble en tout cas l'expression la plus complète de la lutte centrale au cœur de son œuvre, entre le penchant irrépressible d'Allen pour l'imaginaire et l'ennuyeux retour à la réalité. « Je viens de rencontrer un homme merveilleux », s'enthousiasme Cecilia. « Il n'existe pas, mais on ne peut pas tout avoir. » L'idée se ramifie avec un fabuleux dynamisme : Gil Sheperd, le personnage de la « vraie vie » qu'incarne Jeff Daniels, doit suspendre une tournée promotionnelle à la demande des studios qui paniquent à l'idée que son double farceur se promène dans la ville en toute liberté. Ce dernier, quant à lui, séduit Cecilia, réfutant toutes ses protestations. « Le pays entier est au chômage », lui fait-elle remarquer. « Eh bien, nous vivrons d'amour ! » Avec ses fossettes de jeune premier, Jeff Daniels endosse le rôle de Tom Baxter avec un savant mélange de vaillance et d'égotisme étrangement candide. Il renforce ce dernier trait lorsqu'il incarne Gil Sheperd, la star hollywoodienne obsédée par sa réputation, qui arrive en ville pour affronter son double mais se désintègre à la moindre flatterie de Cecilia.

« [Ce film] est depuis toujours mon préféré, parce que j'ai eu une idée que j'ai réussi à transposer à l'écran telle que je la souhaitais. Quand je l'ai fini, je me suis dit, 'Oui, j'avais un scénario et une idée – et voilà le résultat !' »

« Comme le ferait un Surréaliste digne de ce nom, elle accepte l'illogisme comme l'ordre naturel des choses. » Vincent Canby, critique cinéma du *New York Times*, loue l'interprétation de Mia Farrow.

Son expression devant ces louanges reste l'un des grands moments du film : son sourire ravi, vite réprimé, laisse place à un rictus de fausse humilité, le regard perdu au loin suggérant les Espoirs et les Rêves de cet homme sérieux, avant de revenir à une œillade insistante. L'image de la plume sur laquelle soufflerait Allen est parfaite, car s'il existe un film pour montrer que l'art possède une vie au-delà de l'imagination de l'artiste, c'est bien celui-là. Conversation exubérante sur la nature de la création, *La Rose pourpre du Caire* est le produit d'un esprit créatif insensible au monde extérieur mais en plein dialogue animé avec lui-même. Davantage peut-être que tout autre film qu'Allen a réalisé depuis *Annie Hall*, il révèle l'essence véritable de son talent et, à bien des égards, fait de l'imagination créative son plus beau sujet.

Son œuvre revient encore et toujours à des créateurs-pygmalions menés en bateau par leurs créations désobéissantes. Dans sa pièce en un acte *Old Saybrook*, un auteur abandonne un scénario à mi-chemin et le remise au fond d'un tiroir avant de voir ses personnages se rebeller, rouvrir le tiroir et envahir sa maison du Connecticut. « Ça marchait très bien quand je l'ai mise en scène pour l'Atlantic Theatre », se souvient Allen. « Il y a des années, Larry Gelbart m'a dit qu'il écrivait un spectacle dont les personnages lui échappaient, et j'ai compris son problème puisque ça m'était arrivé aussi : cela mène souvent au chaos. Je crois qu'il est important de garder le contrôle de ses personnages inventés, et *La Rose pourpre* constitue un bon exemple de ce qui se passe dans le cas contraire. »

Hannah et ses sœurs

1986

Ci-dessus, de gauche à droite : Hannah (Mia Farrow) et ses sœurs – Lee (Barbara Hershey) et Holly (Dianne Wiest).

Le titre est venu d'abord. Puis l'idée : un homme tombe amoureux de la sœur de sa femme. Allen a toujours été fasciné par les sœurs. Sur le tournage de *Prends l'oseille et tire-toi*, il se lie d'amitié avec sa partenaire Janet Margolin et ses deux sœurs. Diane Keaton et ses deux sœurs formeront la source d'inspiration originale d'*Annie Hall*. *Intérieurs* traite également de trois sœurs. « Je suis immensément attiré par les films ou les pièces ou les livres qui explorent le psychisme des femmes, surtout celui des femmes intelligentes », confiera-t-il. « Je réfléchis très rarement en termes de personnages masculins. J'étais le seul homme dans une famille de nombreuses, très nombreuses femmes. J'avais une sœur, des cousines, une mère avec sept sœurs. J'ai toujours été entouré de femmes. »

Ayant récemment relu *Anna Karenine* de Tolstoï, il envisage d'étudier un groupe de personnages, en commençant par

« Les gens me disent, ‘Ce film est si positif, si optimiste’, et moi je pense, ‘J’ai dû rater un truc.’ »

Page ci-contre : Portrait de famille. Mia Farrow pose avec ses vrais enfants et sa mère (Maureen O'Sullivan), qui endosseront leur propre rôle dans *Hannah et ses sœurs*.

A droite : Promenade hivernale dans Central Park lors du tournage, début 1986. Absent du casting de *La Rose pourpre du Caire*, Allen revient à l'écran dans la peau de l'ex-mari d'Hannah, Mickey.

l'histoire d'une première personne, puis de la suivante. Les sœurs ont des parents, des maris, des ex-maris, des amis et des proches, tout cela sur une période de deux ans et de trois Thanksgivings, durant laquelle des relations naissent et s'achèvent, les choses changent, et la vie continue. « Tandis que nous marchions, travaillions, mangions, dormions et vivions nos vies, l'histoire d'*Hannah* se dessinait, de détail en détail familier », se souviendra Mia Farrow, dont la relation avec ses deux sœurs fournira à Allen le gros de son inspiration (Tina, la benjamine, a même déjà eu un petit rôle dans *Manhattan*). A la lecture du scénario fini, Farrow se montre curieusement critique.

« Les personnages s'apitoyaient sur leur sort et semblaient dissolus », écrira-t-elle plus tard. « Pour autant, [Woody] était mon partenaire. Je l'aimais. Je lui aurais confié ma vie. Et c'était un auteur : c'est ce que font les auteurs. Tout est bon à prendre. Dans une famille, il y a toujours des râleurs. Il a pris les aspects ordinaires de nos vies pour les élever au rang d'art. Nous étions à la fois honorés et outrés. »

Allen propose à Farrow de choisir n'importe quel rôle, même s'il espère qu'elle demande celui d'Hannah, la plus complexe et énigmatique des sœurs, dont il compare la force silencieuse à celle de Michael, joué par Al Pacino, dans *Le Parrain*. Ce rapprochement souligne l'ambivalence qu'il éprouve à l'égard du personnage, dont il n'a pas encore décidé du degré de vertu au moment de l'écriture. Pour le mari d'Hannah, Elliot, il envisage Jack Nicholson, mais ce dernier s'étant engagé auprès de John Huston pour *L'Honneur des Prizzi*, Allen se tourne vers Michael Caine, ami de vingt ans de Mia Farrow qui les a présentés l'un à l'autre. « L'ambiance sur le plateau de Woody donnait l'impression de travailler dans une église », racontera Caine. « C'était un homme très calme et sensible qui aimait travailler dans une ambiance très calme, et même l'équipe – dont la plupart des membres avaient travaillé pour lui de nombreuses fois – était l'équipe la plus calme avec laquelle j'aie jamais travaillé. »

Epaulé pour la première fois par le directeur de la photographie d'Antonioni, Carlo Di Palma, Allen commence à tourner à l'automne 1984 dans New York. C'est le vrai appartement de Mia Farrow, sur Central Park West, qui sert de décor à la maison d'Hannah, et ce sont ses vrais enfants qui apparaissent dans les grandes scènes de Thanksgiving qui ouvrent et concluent le film. L'équipe investit l'appartement dès huit heures du matin, mais ne commence parfois à tourner qu'à huit heures du soir, le temps que la lumière soit réglée. « L'endroit était un véritable capharnaüm », décrira Farrow qui, par moments, ne retrouve même plus son lit. « Chaque pièce débordait de matériel. Quarante personnes débarquaient dès l'aube et s'amassaient dans tous les recoins possibles, nos précieux objets personnels se volatilisaient on ne sait où. La cuisine a fait office de plateau pendant des semaines [...]. C'était étrange de tourner des scènes dans mes propres pièces – ma cuisine, mes pots, mes propres enfants prononçant des répliques, Michael Caine dans ma salle de bains, en peignoir, fouillant dans mon armoire à pharmacie. Ou moi-même, étendue

« Je ne sais pas si tu te souviens de moi, mais la pire soirée de ma vie, je l'ai passée avec toi. » Grâce à une rencontre fortuite chez un disquaire, Mickey et Holly peuvent enfin rire de leur première fois désastreuse.

sur mon propre lit, à embrasser Michael sous le regard de Woody [...]. Tout ce cirque, et le fait de ne plus rien retrouver, me rendait parfois un peu folle. Mais les gosses ont adoré. »

Comme d'habitude, la seule direction d'acteur de la part d'Allen consiste à laisser les comédiens s'approprier le texte. « La première chose qu'il nous a dit a été : 'si tu n'es pas à l'aise, change [les dialogues]' » se souviendra Dianne Wiest. « Quelques petites bricoles, comme changer le verbe et le nom, ou ajouter un 'tu vois'. Tu vois ? » Il encourage également tout le monde à parler en même temps, à s'interrompre et à réagir aux répliques des autres. « Woody s'avançait et disait, 'Ne te contente pas d'écouter passivement. Tu dois réagir de manière audible' », dira Farrow. « D'autres réalisateurs n'aiment pas les dialogues qui se chevauchent, parce que cela les empêche de monter le film de façon conventionnelle, avec gros plans et champ contre champ. Mais la cadence de Woody consiste à laisser la caméra tourner de longs plans séquences, pour couvrir la scène d'un mouvement unique et fluide, et cela nécessite parfois de poursuivre la conversation plutôt que de se contenter des dialogues écrits. »

Allen se s'insurge que s'il pense que ça sonne faux. Un jour, il entend Carrie Fisher imiter le débit haché de Diane Keaton et lui

« Le film possédait une intrigue simple : un homme tombe amoureux de la sœur de sa femme... Mais j'ai relu Anna Karénine, et je me suis dit, c'est intéressant comme ce type parvient à raconter plusieurs histoires, en passant de l'une à l'autre. J'aimais l'idée d'expérimenter ce genre de choses. »

dit : « Ne fais pas ça, sors la phrase d'un seul bloc », et lorsqu'elle arrive dans une scène de fête en gesticulant dans tous les sens, il la reprend : « Tu ressembles à ma tante Velma. » C'est lui qui choisit tenue et coiffure de chaque actrice et supervise leur maquillage, vérifiant chaque scène quitte à la tourner de nouveau s'il estime qu'un détail de leur apparence ne va pas. Un jour, Barbara Hershey arrive sur le plateau avec un de ses pulls préférés dans l'espoir de le porter dans le film. « Il m'a dit, 'Ne porte jamais cette couleur tant que tu vivras.' J'ai du mal à le mettre depuis. »

Seul 20% du scénario original finira dans le film. De nombreuses scènes tournées se voient éliminées, comme une séquence dans une galerie d'art avec Tony Roberts, et une scène de sexe entre Hershey et Caine. Comme d'habitude, certaines scènes sont refilmées, dont le dénouement qui, à l'origine, montrait Elliot toujours transi d'amour pour Lee mais coincé dans son mariage avec Hannah. « Mais quand je l'ai regardé, c'était trop négatif, vraiment déprimant. D'instinct, j'ai donc fait en sorte de mener les choses vers une fin où tous les personnages finissaient heureux, et le film a eu beaucoup de succès. Mais moi, je n'en ai jamais été content. J'avais une idée très émouvante que je n'ai jamais réussi à mettre en œuvre. »

Le réalisateur finira d'ailleurs par se désolidariser totalement du film (« *Hannah et ses sœurs* est, à mes yeux, un film que j'ai complètement foiré »), comme à chaque fois qu'un de ses films remportera un succès populaire. Pourtant, beaucoup ne lui donneront pas raison, dont Barbara Hershey. « Dans l'ensemble, cela montre combien nous sommes idiots et tristes et drôles et attachants de nous engager dans ces relations alors que nous allons tous mourir. Et pourtant, que peut-on faire d'autre ? C'est cette merveilleuse idée de rappeler l'importance de la vie, et dans le peu de temps qu'il nous reste, que peut-on faire de mieux que de se ridiculiser à s'efforcer de vivre ? C'est cette jolie conclusion qui m'a véritablement émue. »

L'hypocondriaque Mickey appelle une nouvelle fois son médecin pour lui parler de sa santé.

A sa sortie, en février 1986, la critique est dithyrambique. « Le plus grand triomphe de Woody » déclare Rex Reed dans le *New York Observer*. « L'écriture et la direction d'Allen sont si fortes et assurées dans ce film que la mise en scène elle-même devient une voix narrative », écrit Roger Ebert dans le *Chicago Sun-Times*. Même Pauline Kael s'avoue conquise, le décrivant comme un « film agréablement habile. » Le film bat des records d'entrées à Londres et conquiert Cannes, où il est projeté avec une interview spéciale d'Allen réalisée par Jean-Luc Godard. Il remporte trois Oscars, dont Meilleur scénario original, Meilleur second rôle masculin pour Caine et Meilleur second rôle féminin pour Dianne Wiest, ce qui ne modifiera en rien la piètre opinion du réalisateur sur son film. « Je ne pense pas qu'*Hannah* est aussi bon que *Blue Velvet* », dira-t-il. « A mon avis, le meilleur film de l'année était *Blue Velvet*. J'ai tout aimé de ce film. » Ainsi, lorsque David Lynch sera nominé pour un Oscar, ce dernier lui lancera un clin d'œil par le biais de la presse : « J'aimerais remercier Woody Allen. »

Le problème pour les génies créatifs aussi allergiques à la réalité que Woody Allen est le suivant : la matière. Comme le rappelle sa vieille blague, il a beau détester la réalité, c'est tout de même le seul endroit où se faire servir un bon steak. La vie doit être vécue, les expériences traversées, la matière accumulée si l'auteur souhaite exister autrement que dans cet état d'autosatisfaction hermétique. Or, le don d'Allen pour l'autosatisfaction est immense. Après le traumatisme du succès populaire dans les années 70, il passe les années 80 replié dans une sorte d'idylle imaginaire nourrie par le premier *home run* de Babe Ruth ou l'ultime opus des Marx Brothers, à inventer des films comme *Zelig* ou *La Rose pourpre*

A gauche, en haut : Frederick (Max Von Sydow, deuxième en partant de la gauche) refuse l'offre d'un acheteur que lui a présenté le mari d'Hannah, Elliot (Michael Caine, à droite).

A gauche, en bas : « Ah oui ! Tu habites dans le coin, c'est ça ? » Transi d'amour pour sa belle-sœur Lee, Elliot s'arrange pour la croiser dans la rue.

du Caire – des œuvres aussi complexes, charmantes et originales que des œufs Fabergé. Pourtant, dans l'intervalle, il explore Mia Farrow comme il a exploré Diane Keaton, petit bout par petit bout : ses habitudes, son rythme, son rapport à sa famille. Dès la toute première scène, un repas de Thanksgiving très animé entre Hannah (Farrow) et ses sœurs Holly (Dianne Wiest) et Lee (Barbara Hershey), où nous entrapercevons les pensées lubriques du mari d'Hannah, Elliot (Michael Caine), à l'égard de Lee, ainsi que les réflexions intérieures de celle-ci dans le taxi du retour (« C'est moi, ou Elliot en pince pour moi ? »), *Hannah et ses sœurs* se construit avec la densité d'un roman tout en s'accordant les libertés d'un film. C'est le scénario le plus riche d'Allen depuis *Annie Hall*, et restera le plus bel exemple de ce qu'il se passe lorsqu'il est présent au monde, les sens en éveil, l'esprit alerte.

Il ne tranchera jamais sur la nature sympathique ou non d'Hannah, ambivalence offrant à Farrow son interprétation la plus subtile. La perfection d'Hannah (« d'une perfection répugnante ») lui confère une sorte de vernis, comme si elle refusait les défauts par lesquels les autres apprennent à se connaître, même lorsqu'elle élève sa petite armée d'enfants avec son financier de mari. « Hannah a quelque chose de doux et de vrai, elle me donne le sentiment très profond de faire partie de quelque chose », songe Elliot après avoir couché pour la première fois avec Lee, résolu à mettre fin à cette liaison avant qu'un coup de fil de Lee ne le fasse changer d'avis. Le jeu de Caine oscille entre extase (« Je suis sur un petit nuage ! ») et agonie, tandis qu'il tressaille comme un ver sur un hameçon. Les divers alter ego masculins d'Allen tendent tous à souffrir d'allenite aiguë, tant ces acteurs talentueux cherchent à imiter ses manières et son débit balbutiant. Mais les hésitations de Caine, avec son doux accent britannique, se révèlent idéales pour convoyer l'ambivalence romantique d'Allen – sa propension à l'intrigue, son opportunisme et sa sobriété morale chancelante se perçoivent tour à tour dans les traits de l'acteur.

Le déjeuner se transforme en règlement de compte entre Holly et Hannah, tandis que Lee est rongée de culpabilité à cause de sa liaison avec Elliot.

Dans le même temps, tout l'orgueil intellectuel et la misanthropie d'Allen se trouvent rassemblés chez Frederick, l'amant artiste de Lee interprété par Max von Sydow, morne intellectuel terré dans son loft de Soho à regarder des documentaires sur l'Holocauste, et dont la critique du vingtième siècle se voit interrompue par la révélation de l'infidélité de Lee. Il se frappe alors la tête des phalanges, comme s'il maudissait son propre intellect, conférant une vraie gravité morale à ce portrait d'une liaison – une étude complète, du premier regard à la rupture, sur un air de Bach qui tranche avec le jazz qui emporte le reste du film. « Le cœur est un petit muscle qui a du ressort », dit Allen lui-même, dans le rôle de Mickey, l'ex-mari d'Hannah, pour la réconforter. Hypocondriaque, il profite d'une suspicion de tumeur au cerveau pour démissionner de son poste de scénariste pour la télévision (comme Isaac dans *Manhattan*), et se glisser ainsi dans la position favorite d'Allen, à lancer des piques savoureuses sur les joggeurs, les punks et les Hare Krishnas. Autre grande première : pour une fois, il ne vole pas la vedette dans ce rôle secondaire. Chacun est ici son propre soleil, tandis que le public se voit mis dans le secret non seulement des pensées de Mickey, en voix off, mais aussi de celles d'Elliot et des trois sœurs, comme autant de fréquences radio alternées. Quant au chef opérateur Carlo Di Palma, il promène sa caméra de pièce en pièce, et de visage en visage, alors que les sœurs se retrouvent dans un diner.

Dianne Wiest s'y révèle comme l'une des actrices d'Allen les plus marquantes aux côtés de Keaton et de Farrow. Dans le rôle de Holly, percluse de névroses et toujours encline à faire le mauvais choix, elle est pourtant observée avec une telle clémence qu'on ne voit plus que son visage, qui semble toujours baigné d'un doux halo. C'est la cinglée la plus séduisante depuis *Annie Hall*. Pour une fois, l'ovation de la critique semble juste : *Hannah et ses sœurs* reste sans doute la plus belle œuvre d'Allen en tant qu'auteur-réalisateur. Avec une durée record de 107 minutes, le film reste malgré tout rapide, vif et trépidant, débordant d'astuce et de personnages pris entre leur idiot de cœur et leur âme fautive, observés par un réalisateur qui pourrait incarner leur père – un patriarche bienveillant qui traite chacun de ses protégés avec la tendresse et la brusquerie que l'on réserve à ses proches. Le film est, à tous les égards, une histoire de famille.

Radio days

1987

Ci-dessus : Joe (Seth Green, deuxième en partant de la droite) et ses amis recherchent des avions nazis, mais font une découverte bien plus séduisante.

Page ci-contre : Le foyer surpeuplé et bruyant de Joe s'inspire non sans exagération de la maison d'enfance de Woody Allen.

« Un grand dessin animé haut en couleur, pas tout à fait une comédie musicale, mais presque », dit Allen de *Radio Days*. Tout est parti de la musique. Allen a d'abord sélectionné quelques morceaux qui l'ont marqué dans sa jeunesse – le « Begin the Beguine » d'Artie Shaw, « Pistol Packin' Mama » de Bing Crosby et les Andrews Sisters, « Mairzy Doats » des Merry Macs – et a laissé chacun d'eux lui suggérer un souvenir, en brodant ou en exagérant selon le besoin. « Certaines choses sont très proches [de la réalité], et d'autres non », soulignera-t-il. « Mon rapport aux professeurs ressemblait à ça. Mon rapport à la radio aussi. Idem pour l'école hébraïque. Nous allions aussi à la plage pour observer les avions et navires allemands. Et j'avais vraiment une tante qui n'arrêtait pas de choisir les mauvais types et qui n'arrivait pas à se marier. Elle ne s'est jamais mariée, d'ailleurs. Et nous avions vraiment des voisins communistes. Beaucoup de tout ça est véridique. On m'a emmené à l'Automat de New York et aux enregistrements d'émissions de radio. Mon cousin habitait avec moi. Nous avions vraiment une ligne téléphonique avec laquelle nous pouvions écouter les voisins. Tout cela a bien eu lieu. »

Le film est tourné à Rockaway, une station balnéaire décatie de Long Island, durant l'hiver 1985. On y retrouve la patte de Carlo Di Palma, avec ses couleurs bien saturées qui tranchent sur le fond gris ardoise de la plage. Là, Woody Allen n'a aucun scrupule à faire attendre ses soixante-dix figurants (ou à bazarder de la pellicule) parce que la lumière n'est pas la bonne. « Dès que je tourne sur une plage, j'attends que le ciel soit gris », explique-t-il. « Bien sûr, beaucoup de gens parviennent à rendre la campagne incroyablement belle. Dans certains films anglais, et chez Stanley Kubrick, c'est beau à mourir. Mais moi, ce que je préfère, c'est filmer sur la plage par temps gris. »

L'idée initiale d'Allen consiste à rattacher chaque chanson à l'heure et à l'endroit exacts où son alter ego, Joe (Seth Green), se trouve lorsqu'il l'entend pour la première fois. Mais le procédé finissant par lasser, Allen commence à ramifier son histoire à celle d'autres auditeurs et de vedettes de la radio. Jeff Daniels y joue une star de la radio des années 40 nommée Biff Baxter. Danny Aiello, Diane Keaton, Wallace Shawn, Mia Farrow, Julie Kavner et Tony Roberts y font tous une apparition. On notera que c'est le seul film de Woody Allen où Mia Farrow et Diane Keaton figurent toutes deux au générique. Allen aura du mal à placer Keaton dans cette composition entièrement juive, mais finira par lui faire chanter le classique de Cole Porter « You'd Be So Nice to Come Home To » lors de la soirée de réveillon. Le personnage de Farrow, Sally, n'émergera qu'au bout de trente-cinq prises, où seront testées trente-cinq voix différentes. Ils ne choisiront la bonne qu'au commencement du montage.

Comme il est désormais habituel, de nombreuses scènes seront refilmées. Les 220 rôles parlants – « le plus gros casting

« Je considère avant tout *Radio Days* comme un dessin animé. Et j'ai choisi les acteurs pour leur apparence cartoonesque. »

« Du plaisir pur, qui ne se refuse rien. »

Page ci-contre : Sous tous les angles. Mia Farrow est Sally, une vendeuse de cigarettes rêvant de percer dans le monde de la radio.

A droite : Diane Keaton dans un rôle inhabituellement mineur, celui d'une chanteuse du Nouvel An dont le nom n'est même pas cité. *Radio Days* est le seul film de Woody Allen où apparaissent à la fois Keaton et Farrow.

Ci-dessus : « Ceil, je suis rentré ! Ceil, j'ai pêché du poisson ! J'ai pêché plein de poisson ! » Oncle Abe (Josh Mostel) rapporte une nouvelle prise à la maison.

Ci-dessus : « Bon sang que c'était rapide ! Mon hoquet a probablement aidé. » Sally lors d'un rendez-vous galant avec le libidineux Roger (David Warrilow).

A droite : En extérieur, sur la plage de Rockaway dans le Queens.

que nous ayons jamais rassemblé » – sont réduits à 150. Le choix initial d'opposer la chaleur des intérieurs domestiques à la froideur art déco des studios d'enregistrement est abandonné. Dianne Wiest devant se rendre à l'enterrement de son père, Allen imagine d'autres scènes où Sally se voit présentée à la mère d'un gangster censé l'éliminer. Grâce au budget modeste du tournage (même avec les scènes re-tournées, *Radio Days* ne coûtera que 16 millions de dollars), Woody Allen peut se permettre d'ébaucher son film avant de le remplir plus tard de détails et d'intrigues secondaires. Aucun auteur-réalisateur dans l'histoire du cinéma – pas même Chaplin ou Preston Sturges – ne fera aussi bon usage de cette souplesse inhérente à sa double casquette.

Si le film marche si bien, il le doit en grande partie à cette méthode de travail unique. Allen lui-même la désigne comme un exercice nostalgique « purement personnel, égoïste », « un dessin animé ». Le film pourrait tout aussi bien se voir comme une série de sketches vaguement reliés par la musique seule. Cela démontre combien la musique infiltre l'œuvre du cinéaste, et combien ses souvenirs s'entremêlent à ces vieilles chansons. Ce procédé crée un univers en soi, plein de péripéties et de personnages colorés, celui qui se rapproche le plus de l'enfance du cinéaste, avec ses incessantes allées et venues d'oncles et de tantes, et ce bon à rien de père qui fomente des coups farfelus dans l'espoir de décrocher le gros lot, mais dont on finit par découvrir qu'il exerce en tant que taxi. La scène la plus significative reste sans doute celle où le jeune Joe traverse les couloirs aux dorures art déco du Radio City Music Hall pour voir James Stewart et Katharine Hepburn s'étreindre dans Indiscrétions. « C'était comme entrer au paradis », relatera

Allen de ce premier émoi cinématographique, sa version à lui de la lanterne magique si chère à Ingmar Bergman. « Je n'avais rien vu d'aussi beau de toute ma vie. »

Tout romancier comprendra le genre de libertés que prend Allen avec sa propre histoire, et sa joie à détourner ses souvenirs dans *Radio Days*. Ainsi, qualifier le film du terme peu élogieux de « nostalgique » n'est pas juste. A l'instar des autres pépites sorties de sa plume dans les années 80 – *Zelig*, *La Rose pourpre du Caire* et *Broadway Danny Rose* – avec lesquelles il partage le même concept d'oralité et d'histoires tirées par les cheveux, la distension du récit *fait* l'histoire. D'où les trois fins différentes proposées pour clore le destin de Sally, coincée sur le toit du St Regis avec l'insistant Roger (David Warrilow), chaque version plus surpeuplée que la dernière, si bien qu'on croit finalement assister à une véritable réunion de stars alleniennes (Farrow se voit bientôt rejoindre par Jeff Daniels, Wallace Shawn et Tony Roberts) qui fêtent au champagne le nouvel an 1944 tandis qu'un chapeau géant illuminé s'élève au-dessus de Broadway. Quelle meilleure représentation de ce qui se passe dans la tête de Woody Allen ?

September

1987

Avec Mia Farrow dans le rôle de la plaintive et indécise Lane, *September* marque une rupture nette avec les œuvres plébiscitées que sont *Broadway Danny Rose*, *La Rose Pourpre du Caire* et *Radio Days*.

Dès la genèse du film, la confusion règne. Le projet est alors de tourner quelque chose chez Mia Farrow, à Frog Hollow, dans le Connecticut, où la lande solitaire et le lac bordé de saules pleureurs font dire à un Allen oisif et désoeuvré qu'il n'y a rien d'étonnant à ce que les gens aient envie d'en finir. L'idée émerge d'un drame tchékhovien sur le désamour familial et les blessures du passé. Retardé par les prolongations du tournage de *Radio Days*, Allen achève son scénario en octobre 1986, alors que l'hiver approche, oblitérant tout velléité d'obtenir une ambiance de fin d'été. L'intégralité du film sera donc tournée dans les Kaufman Astoria Studios de New York. Agoraphobe notoire, Allen en est ravi : « Je voulais cette rigueur propre à la structure d'une pièce de théâtre. Plus nous étions intériorisés, plus j'étais content. » Mais que dire d'une œuvre cinématographique dont l'inspiration initiale provient d'un paysage justement si peu propice à l'inspiration ?

Si Hannah et ses sœurs et *Radio Days* ont prouvé l'efficacité de la technique de tournage d'Allen poussée à plein régime, *September* souligne exactement ce qui se passe lorsqu'un film suit les instincts trop perfectionnistes d'un cinéaste maîtrisant mal son matériau. « Nous avons refilmé chacune des scènes au fil du tournage – parfois quatre ou cinq fois », soulignera Farrow, qui joue le personnage principal, Lane. « Woody réécrivait certaines scènes majeures pendant la nuit ou le déjeuner, tandis que les acteurs peinaient à apprendre leurs nouveaux textes et à rendre crédibles et légers leurs longs monologues et dialogues parfois un peu indigestes. De bons acteurs ont quitté le navire, dont ma mère. Des rôles ont été redistribués. Il y avait un certain malaise dans l'air. »

D'abord choisi pour jouer l'éternel soumis Peter, Christopher Walken est jugé trop sexy pour le rôle, dont hérite alors Sam Shepard. Allen l'apprécie à peine davantage, et enrage lorsque l'acteur se lance dans une improvisation sur les mérites du Montana (« *Le Montana* ? maugrée-t-il dans sa barbe. Le Montana ? »). Dès qu'il voit Denholm Elliott incarner le beau-père physicien de Lane, il songe à lui attribuer plutôt le rôle d'Howard, le voisin veuf que joue Charles Durning, dont l'interprétation ne le satisfait pas non plus, tout comme celui de Maureen O'Sullivan, la mère de Mia Farrow à la ville, dans le rôle de sa mère à l'écran. Allen voit le premier montage, et le déteste.

« La première fois que j'ai vu *September*, j'ai su qu'il fallait que je recommence », expliquera-t-il. « Je me suis donc dit, 'Puisque j'ai quatre semaines pour refilmer, pourquoi ne pas refilmer le tout et le refaire bien ?' ». Eric Pleskow, responsable chez Orion, reste « hébété » en apprenant la nouvelle, qui provoque de vifs remous parmi les dirigeants du studio. Refilmer quelques scènes, d'accord. Mais recommencer un film dont le tournage est bouclé, c'est du jamais vu. Pourtant, « nous n'allions pas détruire une relation de confiance à cause de ça », argumentera

September, deuxième ! Allen surprend le studio lorsqu'il décide de tout refaire, avec un nouveau scénario et un casting complètement revisité. Ici, les nouvelles recrues Elaine Stritch et Sam Waterston.

Pleskow. Ainsi, alors que Shepard s'est engagé sur une pièce en Californie, et que O'Sullivan se soigne d'une pneumonie, Allen réécrit l'intégralité du script, redistribue presque tous les rôles principaux et refilme le tout une seconde fois, en attribuant le rôle de Shepard à Sam Waterston et celui de O'Sullivan à Elaine Stritch, tandis que Denholm Elliott prend le rôle de Durning (« même performance, plus d'argent », ironisera Elliott) et que Jack Warden est recruté pour incarner le beau-père. Pour la première fois, Allen multiplie par plus de deux les frais de production et dépasse largement le temps de tournage imparti. « Je savais pertinemment qu'il ne ferait pas un radis », dira-t-il. « Pas un radis. »

Avec seulement 486 000 $ au box-office, *September* sera le film le moins rentable de la carrière du cinéaste. Et l'on devine pourquoi. Le film est construit comme une succession de dialogues, qui sont en fait une alternance de monologues d'individus en pleine lutte intérieure avec leurs contradictions. Traumatisée par une mère tonitruante et dominatrice, Lane (Farrow) se lamente sur l'inconsistance de sa carrière. Dans le rôle de sa mère, Elaine Stritch entre dans chaque pièce comme si elle tentait de faire bonne figure parmi des inconnus rassemblés-là. Les changements dans la distribution n'ont pas vraiment contribué à créer une véritable cohésion parmi les acteurs. Lors d'une tempête, Peter, Howard, Lane et son amie Stephanie (Dianne Wiest) s'avouent leurs attirances respectives pour se voir aussitôt rembarrés. La mère de Lane obtient davantage de succès en communiquant avec ses amants défunts lors de séances de spiritisme. En fait, le film dans son ensemble ressemble à un dialogue funèbre avec l'au-delà. Il s'avère si décoloré, si insaisissable, qu'il nous traverse sans qu'on y prenne garde : un fantôme de film.

C'est le septième film qu'Allen tourne avec Mia Farrow, et leur collaboration commence à stagner. Le ressentiment imprègne désormais les rôles qu'il lui offre, et l'actrice semble se ramasser sur elle-même au fil de ses interprétations, comme si elle se sentait agressée – en un sens, à raison. Premier de trois films montrant Farrow aux prises avec une mère alcoolique et actrice ratée, *September* semble moins procéder d'un désir d'Allen d'élaborer un drame engageant que de celui de psychanalyser sa partenaire. Le film se révèle introspectif mais figé, comme *Intérieurs*, selon un schéma où Allen combat le traumatisme que provoque chez lui le succès populaire en réalisant un film aussi fermé que les personnages qu'il se targue d'étudier. Ainsi, après *Annie Hall*, *Intérieurs*. Après *Hannah et ses sœurs*, *September*. La vue très personnelle d'Allen sur la fin d'*Hannah* est, en ce sens, éloquente. Si, comme lui, l'on considère le repas final de Thanksgiving chez Hannah comme une façon d'amadouer les masses, plutôt que comme un élan crucial de bienveillance à l'égard du monde de la part d'un artiste majeur, alors il fallait un film aussi lugubre et monotone que *September* pour compenser.

« Ce n’est pas exactement ce que j’avais prévu d’écrire. Ça s’appelle ‘patauger’. »

Une autre femme

1988

Une autre femme voit le jour comme une « sorte de comédie chaplinesque » sur un homme qui écoute les confessions d'une femme à son psy. Lorsqu'il découvre qu'elle est belle, il utilise les informations recueillies lors de ces séances pour devenir son homme idéal. Allen n'est d'abord pas d'attaque pour une telle chicane romantique – l'écoute aux portes laisse sourdre de forts relents hitchcockiens – mais l'idée ne le lâche pas, si bien qu'elle finit par déboucher sur une nouvelle étude du refoulement émotionnel. « Le film parle d'une femme froide, intellectuelle et talentueuse, qui ne veut pas connaître la vérité sur sa propre vie, n'est pas intéressée par la vérité et la refuse en bloc », dira-t-il. « Son mari qui la trompe : elle ne veut pas le voir. Elle est froide. Elle est froide envers son frère. Elle n'est pas proche de son père. Elle ne veut pas savoir et ne veut pas y faire face à tout ça. Et puis, finalement, elle avance en âge, et la vérité la rattrape. »

C'est la première fois qu'il tourne avec le chef opérateur Sven Nykvist, qui a développé avec Ingmar Bergman un style intime et un cadre serré. Allen n'est pas aussi féru de gros plans que Bergman, et préfère une palette plus sombre qui demande un apprivoisement plus lent. « C'est difficile de faire un film entier dans la boue », raillera le costumier Jeff Kurland. « Mais leurs visages ressemblent à des tomates », se lamente alors Nykvist. « Il y a pris goût », arguera Allen. « Mais encore à présent, le labo peine à croire que je veuille un film aussi sombre. »

Comme pour *September*, le casting voit tomber plusieurs têtes. Mia Farrow est d'abord pressentie pour le personnage principal, Marion, mais sa grossesse l'en empêche. Gena Rowlands se voit donc offrir le rôle. Elle doit donner la réplique à Ben Gazzara dans le rôle de Ken, le mari, mais Allen lui préfère Ian Holm. Malade, Dianne Wiest est contrainte de renoncer au rôle de Hope, attribué finalement à Jane Alexander. Mais celle-ci n'est pas convaincante, et le réalisateur rappelle Farrow, dont la grossesse est intégrée au rôle en dernier ressort. Le producteur Robert Greenhut et le chargé de production Joe Hartwick croient devenir fous face au nombre de modifications qu'Allen apporte au scénario durant le tournage. A l'origine, le film doit s'ouvrir sur un long travelling qui suit Marion, les bras chargés de courses, marchant vers son appartement. Au bout de deux heures, alors que l'équipe technique vient de terminer l'installation des rails, Allen change d'avis : « Non », dit-il simplement. Une autre séquence qu'Allen tient à réécrire

Page ci-contre : Tourné dans la même direction, avec Gena Rowlands (Marion).

A droite : *Une autre femme* comporte une scène onirique de dix minutes née du subconscient de Marion, durant laquelle son mari, Ken (Ian Holm), et son amie Claire (Sandy Dennis) répètent une pièce.

A gauche : Marion se remémore sa relation avec Larry (Gene Hackman).

Page ci-contre : A la demande d'Allen, le directeur de la photo Sven Nyqvist travaillera une palette plus sombre que celle qu'il utilisait avec Ingmar Bergman.

et refilmer intégralement le dernier jour du tournage ne fera même pas partie du montage final.

Plus rentable que *September*, le film n'obtient pas pour autant le succès escompté par Allen, qui comptait notamment sur l'originalité de sa première partie, qui explore un terrain inconnu dans son œuvre : le suspens. Seule dans l'appartement qu'elle loue pour écrire, la belle et austère Marion (Rowlands) surprend les confessions d'une femme suicidaire (Farrow) à son psychanalyste. « Aveuglement », diagnostique-t-elle. « Un peu commun, non ? » fait remarquer le psy. Tout comme le film, qui souffre d'un manque crucial d'évolution. Les conversations surprises suscitent des réflexions à Marion sur sa propre vie – son premier mariage, son second mariage peu satisfaisant avec un cardiologue réputé (Ian Holm), le souvenir d'un homme (Gene Hackman) qui l'a aimée à la folie – mais alors que l'on s'attend à ce que l'intrigue s'épaississe, Allen nous assomme avec une séquence onirique de dix minutes à la Bergman, dans laquelle Marion cherche à régler ses comptes avec ses fantômes, dans une langue formelle, littéraire, tandis qu'une *Gymnopédie* d'Erik Satie fournit un élégant fond sonore. Les pubs pour déodorants devraient en prendre de la graine. « On peut tous imaginer ce qui aurait pu se passer, mais tout ça, c'est du passé », dit Hope, lors d'une rencontre avec Marion. On décèle ici aussi le potentiel dramatique de l'intrigue, qui finit encore une fois par s'étioler en un échange larmoyant.

Si le film avait été une comédie Allen se serait certainement posé la bonne vieille question de Danny Simon, « et après ? » Les films qu'Allen réalise durant cette période – surtout *September*, *Une autre femme* et *Ombres et brouillards* – ont en commun ce récit relâché dont on a vite fait le tour, qui explore ces vies coincées dans leur routine et ne fait que reproduire malgré lui leur énergie capricieuse et vaine. Ses aspirations intellectuelles semblent susciter chez Allen des pulsions perfectionnistes qui anéantissent l'énergie qui vivifie si bien ses comédies, et enrobent ses drames dans d'innombrables épaisseurs techniques qui étouffent l'émotion en leur centre. Au vu de toutes ces menaces d'échecs, sans parler du thème récurrent de l'adultère, on devine l'éclatement imminent de la vie domestique du cinéaste, dont on perçoit déjà les prémisses. C'est donc moins l'art qui imite la vie que l'art qui porte en lui les trames de la vie à venir.

« Je le vois comme l'aboutissement d'un voyage qui, selon moi, allait durer dix ans, mais qui en a plutôt duré vingt-cinq. »

Crimes et délits

1989

Allen écrit *Crimes et délits* dans divers hôtels alors qu'il voyage en Europe durant l'été 1988, notant ses idées sur les bloc notes de chaque établissement dans lequel il séjourne – les longues et fines feuilles de papier de la Villa d'Este du Lac de Côme ; le papier immaculé à en-tête doré du Gritti à Venise ; le bleu élégant du Claridge à Londres… A son arrivée dans la capitale anglaise, ses poches de manteau, où il fourre toutes ses notes, sont renflées comme s'il transportait des miches de pain. Son assistante, Jane Martin, le persuade de placer son travail dans le coffre-fort de l'hôtel, ne serait-ce que pour éviter de le tacher de soupe au restaurant. Chaque jour, Allen accumule davantage de notes, les plie en deux et les met à l'abri avant de partir explorer le West End.

De retour à New York, il élabore un premier brouillon de scénario, provisoirement intitulé *Brothers*. L'histoire est celle de deux frères, dont l'un, chirurgien renommé harcelé par sa maîtresse, demande à l'autre de la tuer. « Et il s'en tire ! Et a priori, mène ensuite une existence merveilleuse. A moins qu'il ne choisisse de se punir, il s'en tire », expliquera-t-il. « Si quelqu'un d'autre avait réalisé *Crimes et délits*, on aurait eu une superbe scène de meurtre. Hitchcock ou Scorsese : un type frappe à la porte, des fleurs à la main, elle ouvre et s'ensuit une minute et demie de fabuleux cinéma. La seule explication que je puisse fournir est que, pour moi, parce que je suis plus auteur qu'autre chose, tout cela devient matière à argumenter, débattre, philosopher. Le meurtre lui-même ne m'intéresse pas. Le meurtre a lieu pour que les types parlent de culpabilité et de Dieu. »

Cliff (Woody Allen) découvre qu'il a perdu Halley (Mia Farrow) au profit de son beau-frère détesté, Lester (Alan Alda).

Invité à auditionner pour le rôle de Judah, Martin Landau s'emballe pour le rôle, mais s'inquiète de perdre son public. « Pourquoi diable aurait-on envie de regarder ce connard ? » demande-t-il ? Allen l'engage sur-le-champ et accepte d'apporter quelques changements au scénario, notamment

dans les scènes avec sa maîtresse, jouée par Anjelica Huston (qui ne reçoit que les passages du scénario concernant son personnage). De la même façon, les acteurs incarnant la famille de Judah ne savent rien du rôle de Huston, si ce n'est que le personnage de Landau disparaît régulièrement pour passer des coups de fil. A l'origine, Allen n'a pas prévu d'apparaître dans le film, mais à la demande de Touchstone, il s'écrit un petit rôle : un documentariste appelé Cliff Stern qui tourne un film sur d'anciennes vedettes de variétés et s'éprend d'une infirmière incarnée par Mia Farrow. « Bien », dit Allen après avoir visionné le premier montage, « la bonne nouvelle, c'est que c'est mieux que prévu, mis à part quelques coupes nécessaires à effectuer ça et là. La mauvaise nouvelle, c'est que l'histoire de Mia et la mienne ne marchent pas. »

Les semaines suivantes, il liquide un bon tiers de l'histoire, dont le documentaire sur les vieilles vedettes, et retape l'intrigue. Il finit par refaire 80 des 139 scènes du film. Le film arrive juste derrière *September* en termes de remaniement radical. Au fil du tournage, les boîtes de pellicule renfermant des scènes avec des personnages éliminés de l'intrigue s'empilent dans la salle de projection. Ainsi, les scènes de Sean Young sont coupées au montage, le rôle de Daryl Hannah se voit réduit à une apparition éclair qui ne sera même pas créditée au générique. Dans l'intervalle, Alan Alda, qui joue Lester, le beau-frère frimeur de Cliff, hérite d'un rôle bien plus important qu'auparavant, alors qu'il ne devait apparaître que dans une scène, au bras de Daryl Hannah. Allen a en effet compris qu'il tenait-là un digne méchant.

Allen offre ici son interprétation la plus grave sous les traits de Cliff, documentariste torturé qui suit à contrecoeur le producteur télé m'as-tu-vu incarné par Alan Alda. Son visage a succombé à l'affaissement de la cinquantaine et gagné un air de chien battu d'une extrême douceur – un loser angélique perdu par son intégrité. Il jouit néanmoins d'un certain nombre de moments comiques – notamment un fou rire silencieux

Page ci-contre : Un flash-back montre Judah (Martin Landau) et sa difficile maîtresse Dolores (Anjelica Huston) enlacés sur la plage. Les acteurs qui jouent la famille de Judah n'ont alors aucune idée de la présence de l'actrice dans le scénario.

A droite : « Je peux te demander quelque chose ? Tu me trouves poseur ? » Lester interroge sa sœur Wendy (Joanna Gleason), la femme de Cliff.

derrière le dos d'Alda – même si le film reste sa charge la plus manifeste contre le miroir aux alouettes de la *success story* à l'américaine. Dans les deux intrigues, les gagnants se frayent un chemin sur le devant de la scène à grand renfort de muscles et d'agressivité, tandis que les vertueux plongent. C'est également le thème de *September*, où Mia Farrow se fait manger par sa mère tonitruante. Dans le monde d'Allen, à ce stade, les faibles n'héritent pas de la Terre. Ils se retrouvent écartés et piétinés par les vainqueurs à la peau dure.

Allen est, à juste titre, fasciné par le jeu de Landau dans le rôle de Judah, le visage marqué par la faute, sa voix grave, au timbre de violoncelle, résonne à merveille avec les méditations d'Allen sur la culpabilité et Dieu. « D'une petite infidélité, nous sommes allés jusqu'au sens de la vie ! » s'exclame le rabbin, joué par Sam Waterston. Or, l'interprétation de Landau va à l'encontre de la thèse centrale d'Allen – il est la culpabilité personnifiée – et faiblit lorsqu'il doit analyser les conséquences morales et philosophiques de ses actes, notamment dans une scène où Judah revisite un souvenir d'enfance où sa famille débat des méfaits des Nazis. « L'Histoire est écrite par les vainqueurs », affirme une de ses tantes. Soit. Mais les Nazis ont perdu. Hitler est mort dans un bunker pendant la chute de Berlin. Là, les gentils ont gagné, pas de doute là-dessus.

Alda est également génial dans le rôle de l'adipeux et suffisant Lester, dont les bras s'enroulent autour de la taille de toutes les femmes, et qui pontifie bruyamment sur tous les sujets favoris d'Allen, depuis New York jusqu'à la politique, en passant par la comédie (« une comédie, c'est une tragédie avec du temps »), sous le regard incrédule de Cliff. Que les vainqueurs se montrent terriblement frivoles reste l'une des consolations illusoires du lectorat de la *New York Review of Books*, même si l'on est en droit de se demander quels aspects du succès Allen trouve-t-il si factice, à ce stade précis de sa carrière ? Adulé dans son pays comme à l'étranger, le lauréat de toutes les récompenses dont un réalisateur puisse rêver possède davantage de points communs avec Lester qu'avec

A droite : Les deux trames principales se rejoignent dans la scène finale, où Judah et Cliff se rencontrent enfin.

Page ci-contre : « Ça me fera prendre un peu de recul. » « Environ 3 000 miles, plus précisément. » Quand Halley lui annonce qu'elle part pour Londres, Cliff est pris de court.

le pauvre Cliff. Lester est Allen dans un miroir déformant : débarrassé de ses doutes, baignant dans les louanges, profitant du succès comme Allen ne l'a jamais fait.

« Lorsque je sors un film qui jouit d'un accueil sans la moindre réserve, je deviens aussitôt méfiant à son égard », souligne-t-il. « Quelques réactions positives me satisfont et me rendent fier. Mais au-delà, je commence à me dire qu'une œuvre vraiment fine, subtile et profonde ne peut pas être aussi populaire que ça. » Comme pour appuyer ses propos, *Crimes et délits* reçoit un accueil dithyrambique lors de sa sortie, en partie parce que la critique est soulagée de voir Allen de nouveau à l'écran, gémissant comme en 1977. Dans le *New York Times*, John Simon y voit son « premier mélange heureux de drame et de comédie dans une intrigue et une sous-intrigue » – une ineptie flagrante. En fait, les deux moitiés du film se déroulent presque indépendamment l'une de l'autre. Seul le thème les relie jusqu'au dénouement final, où Cliff et Judah finissent par se rencontrer : le pécheur débarrassé de ses scrupules et le loser vertueux mais perclus de doutes, assis côte à côte devant un piano, à méditer sur ce monde profondément injuste. Dans le scénario, la scène est censée se dérouler entre Judah et Ben, le rabbin, mais Waterston s'avérant indisponible au moment de tourner, Allen le remplace au pied levé. Il est difficile aujourd'hui d'imaginer la séquence autrement. Une grande douceur s'en dégage, où le visage d'Allen émerge des ombres délicates de Nykvist, comme s'il se parlait à lui-même – et n'est-ce pas ce qu'il fait, après tout, dans cet échange feutré entre surmoi musclé et subconscient insidieux ?

« Il y a certains de mes films que j'appelle des 'romans sur pellicule', et *Crimes et délits* en fait partie, où plusieurs personnages sont disséqués et plusieurs histoires se déroulent en même temps [...]. Le truc, c'est alors de conserver le rythme pour chacune des histoires, pour pouvoir toutes les suivre et se plonger dedans sans que cela devienne ennuyeux. »

Alice

1990

L'idée d'*Alice* vient à Allen alors qu'il recherche un traitement alternatif pour un orgelet à l'œil. « Je me souviens qu'à l'époque, des amis consultaient un toubib à Chinatown, qui leur donnait à sucer des herbes et leur faisait payer des fortunes. J'avais ce problème à l'œil dont je n'arrivais pas à me débarrasser. Ça revenait encore et toujours, et je suivais tout un tas de traitements. Finalement, une amie m'a dit, 'Je t'offre une séance avec ce docteur, et je te promets qu'il va t'en débarrasser.' J'ai dit, 'Je ne vais pas à Chinatown.' Et elle m'a dit, 'Il viendra chez toi et te soignera. Tu n'as rien à perdre. Accorde-lui une visite, et s'il ne te soigne pas, tu ne prends aucun risque.' Alors j'ai dit d'accord, et le type est venu chez moi, avec une moustache de chat. Il me la met dans le conduit lacrymal, puis il part – évidemment, pas le moindre effet. Quand je l'ai raconté à mon ophtalmo, il m'a dit, 'Ne laissez personne mettre quoi que ce soit là-dedans ! Ça aurait pu s'infecter ! Dieu sait ce qui aurait pu se passer ! »

L'anecdote de la moustache de chat a déjà figuré dans *Crimes et délits* mais l'histoire d'*Alice*, dont le titre provisoire est *The Magical Herbs of Dr. Yang*, revisite directement l'avant-dernier film d'Allen : « *Alice* est la version comique d'*Une autre femme* », dira-t-il. « Dans *Une autre femme*, Marion, l'héroïne, entend des voix derrière son mur, et ces voix la poussent à changer de vie. Dans cette histoire, c'est l'approche comique. Le même genre de femme finit par remettre sa vie en question d'une façon différente, mais toujours avec le même objectif. » C'est donc l'histoire d'une femme au foyer bourgeoise et hypocondriaque, Alice Tate (Mia Farrow), que son mari (William Hurt) délaisse, et qui prend divers traitements prescrits par un herboriste chinois. Avec ce film, Allen se joue de son propre scepticisme. La surprise, c'est que ces potions fonctionnent et rendent Alice invisible, lui permettant ainsi d'espionner son mari infidèle, de retrouver un ancien amant, d'entamer une liaison avec un autre homme, et de nourrir ses ambitions d'écrire. Le toubib n'est donc pas un charlatan.

« *Alice* avait un certain style », acquiescera Allen. « Un agréable aspect de dessin animé, un peu comme *Radio Days.* » Le tournage voit de nouveau ressurgir le fameux perfectionnisme du réalisateur. A l'issue de six jours de tournage en novembre 1989, Allen estime qu'il n'a rien de viable et recommence tout, exaspéré par un mauvais angle de vue, ou la brusque vision de la robe blanche de Farrow sous son manteau rouge alors qu'elle traverse Central Park. « Toute cette obsession, ce n'est pas du perfectionnisme », se défend-il. « C'est de la compulsion – et rien de toute cela ne garantie que le film va être bon. »

Une précision qui ne fait guère la différence, certes – mais le film est bon, une ravissante fantaisie sur une renaissance de l'existence à mi-parcours. Loué surtout comme un bon divertissement après le plus sérieux *Crimes et délits*, Alice voit son réalisateur transformer en réalisme magique ce qu'il considérait comme une tragédie latente dans *Une autre femme* et *September*. Conférant au film une durée record de 102 minutes, l'idée s'avère

Page ci-contre : Mia Farrow est Alice Tate, une femme au foyer bourgeoise et hypocondriaque, dans cette charmante fantaisie sur la renaissance à mi-parcours de l'existence.

A droite : Mise au point avec Farrow et Alec Baldwin (Ed).

Ci-dessus et page ci-contre : « Dis-moi que je n'ai pas l'air si terrible pour un mort. » « Oh, non, pour un mort tu es resplendissant. » La prescription de l'acuponcteur fait apparaître le spectre d'Ed, l'ex-petit ami d'Alice.

A droite : Les expériences magiques d'Alice dévoilent les fautes de son mari Doug (William Hurt).

sans doute un peu flottante quand Alice utilise les décoctions de son acupuncteur pour disparaître et espionner son amant saxophoniste (Joe Mantegna), convoquer le fantôme de l'ex qui l'a quittée (Alec Baldwin), et survoler les gratte-ciels de Manhattan avant de glaner des conseils auprès d'une muse particulièrement dégourdie (Bernadette Peters) et de mettre sa mère et sa sœur devant les mensonges qui minent leur famille. La magie, définie de manière trop diffuse, peut parfois paraître peu à même de transmettre les propres désirs de l'auteur.

Mais le film fonctionne, principalement articulé autour de Mia Farrow, dont le chuchotement de petite souris donne le la à l'ensemble. Il faut se pencher pour l'entendre. La plus grande qualité de l'actrice a toujours été sa crédulité – elle figure parmi les grands ingénus du cinéma – comme Roman Polanski l'a compris lorsqu'il lui a pour la première fois ouvert les yeux sur les agissements démoniaques de ses voisins dans *Rosemary's Baby*. Cette naïveté s'avère bien utile pour un fabuliste comique comme Woody Allen, dont les intrigues comprennent des acteurs de cinéma qui sortent de l'écran, ou des hommes caméléon qui changent de forme à volonté. Les réactions de Farrow – merveilleux mélange de méfiance et d'étonnement – rappellent celles de ses personnages dans *La Rose pourpre du Caire* et *Zelig*. Dans *Alice*, l'actrice écarquille encore davantage les yeux jusqu'à ce qu'ils semblent engloutir le monde tout entier, tandis que la scène où elle fait des avances à Mantegna, l'interrogeant sur les anches de saxophone d'une voix qu'elle rend grave et profonde, reste sans doute la chose la plus drôle qu'elle ait jamais tournée. Elle incarne l'assistante idéale du magicien Allen. Il faut donc voir Alice comme le cadeau d'adieu qu'il lui offre avant de disparaître.

Ombres et brouillard

1991

Adapté de *Death*, courte pièce d'Allen parodiant *Le Procès* de Kafka, *Ombres et brouillard* est un exercice de cinéma pur, l'occasion pour le directeur de la photographie Carlo Di Palma et le chef décorateur Santo Loquasto de recréer l'univers sombre de l'Expressionnisme allemand grâce à l'usage de la fumée et de la lumière tamisée d'où émergent la silhouette des personnages. « Un hommage à Carlo », dira Allen. « La métaphore du film dit en partie qu'une fois qu'on sort dans la nuit, on a l'impression que la civilisation a disparu. La ville est une convention créée par l'homme en surimpression, une fonction du for intérieur de chacun. Et la seule chose réelle est la planète sur laquelle nous vivons. Toute la civilisation qui nous protège et nous permet de nous mentir à nous-mêmes à propos de la vie est créée par l'homme en surimpression. »

Page ci-contre : Exercice de pure photographie, *Ombres et brouillard* est un hommage aux grands classiques du cinéma expressionniste allemand.

A droite : Paul (John Malkovitch), un clown, et Marie (Madonna), une équilibriste, s'enlacent avec fougue.

Comptant parmi ses films les plus coûteux jusque-là, *Ombres et brouillard* devait à l'origine être réalisé avec des maquettes, mais ces dernières se sont révélées impraticables. Allen demande donc à ses techniciens de construire un décor de 2 500 m² dans les Kaufman Astoria Studios du Queens. Inspirés par les photos du vieux Paris d'Eugène Atget et des grands classiques de la Weimar comme le *Nosferatu* de Murnau (1922), *La Rue sans joie* de Pabst (1925) et *M* de Fritz Lang (1931), ils recréent un quartier d'une vielle ville d'Europe de l'Est, avec ses impasses lugubres, son église aux airs de prison et ses rues noyées dans le brouillard, dont le ruissellement sur les pavés est dû à une concoction à base de soja qui s'échappe de bidons camouflés (Allen l'hypocondriaque craindra de contracter un cancer). C'est le plus vaste décor jamais crée à New York, et même alors, le cinéaste s'inquiète qu'il ne soit pas assez grand. « Lorsque le décor a été fini, nous ne savions pas si, après une semaine de tournage, nous n'aurions pas tout utilisé et pensé, 'Bon sang, il nous faut dix décors comme ça.'»

C'est son dernier film avec Orion, qui dépose le bilan en novembre 1991 avec une dette de 690 millions de dollars. L'espoir du président d'Orion, Eric Pleskow, que le succès

« Pour obtenir la bonne atmosphère, il aurait été vraiment difficile de tourner dans le New York actuel. Et puis, je n'avais pas envie de rester dehors de sept heures du soir à sept heures du matin en plein hiver et de risquer d'attraper un rhume. »

Page ci-contre : Kleinman, looser kafkaïen interprété par Allen, rencontre la petite amie de Paul, Irmy (Mia Farrow), artiste de cirque.

A droite : « J'expliquais à ces dames les métaphores de la perversion. » Jack (John Cusack) apprécie autant la conversation de ces prostituées érudites (Lily Tomlin et Jodie Foster) que les autres services qu'elles proposent.

Page suivante : Réunion de plateau avec Malkovitch, Farrow et Madonna.

potentiel du film d'Allen les sorte de ce pétrin se voit anéanti quand il voit le résultat final. « On aurait dit qu'il s'était pris un coup de massue sur la tête après l'avoir vu », commentera Allen, qui constate combien le dirigeant a du mal à trouver quelque chose de positif à dire. « Je dois avouer qu'à chaque fois que je vois l'un de vos films, je suis toujours surpris qu'ils soient tous si différents », parvient-il finalement à déclarer d'une voix mal assurée. « Il cherchait vraiment ses mots », se souviendra Allen. « Mais après tout, c'était quelque chose qui me tenait vraiment à cœur et j'avais l'espoir que [le film] fasse suffisamment d'entrées pour que les gens des studios me fichent la paix. »

A cause des déboires financiers d'Orion, la sortie américaine du film est reportée au mois de mars 1992, où il engendre moins de 2,75 millions. Il faut dire qu'il s'agit là d'une bien étrange créature : un mélange nauséeux de références ampoulées et d'atmosphère pâteuse. Allen y joue un pauvre bougre appelé Kleinman qui, pris pour un étrangleur en série, déambule d'un pas frénétique dans les rues tortueuses et obscures. Le fait qu'il semble perdu dans un autre film que le sien procure la seule note comique du film : notre protagoniste rencontre une avaleuse de sabre (Mia Farrow), un clown (John Malkovich), un savant fou (Donald Pleasence), un magicien métaphysique (Kenneth Mars), et un harem de prostituées philosophes (Jodie Foster, Lily Tomlin et Kathy Bates) avant d'être poursuivi par une milice de bras cassés tout droit échappés d'un film de Fritz Lang.

Même l'intrigue du tueur en série ne tient pas la route. Par la densité de ses clins d'œil, c'est à *Guerre et Amour* qu'*Ombres et brouillard* ressemble le plus, mais le Woody Allen de cette époque aurait sans doute glissé quelques gags dans cette ambiance lugubre. Tout ce brouillard exige un peu d'humour slapstick, mais le réalisateur joue la partition de l'Expressionnisme allemand sans la moindre fausse note, et la sophistication de la photographie agit activement contre toute tentation comique. *Ombres et Brouillard* se montre digne de son titre. Tout n'y est que décors, lumières et plans somptueux – une broutille de 14 millions de dollars. Le film n'est pas forcément ennuyeux, mais incarne l'œuvre d'un cinéaste qui s'ennuie, à l'apogée de cette période de perfectionnisme pointilleux sur le point de s'achever brutalement.

Maris et femmes

1992

« *Maris et femmes* a juste été une expérience amusante », dira Allen. « Je voulais faire un film sans aucun lien avec la beauté ou avec des règles quelconques. Je voulais juste faire ce que j'avais besoin de faire, comme de couper en plein milieu d'une scène. C'est l'un de ces films qui agissent comme un charme parce que j'ai décidé avant même de le réaliser qu'il aurait un côté brut, et advienne que pourra. Je me fichais du montage, des angles de vue, je me fichais de la cohérence. On s'est donc contenté de tourner, et si je jouais une scène avec quelqu'un ou quelqu'un jouait une scène et cette scène était très bonne, puis devenait barbante, puis redevenait très bonne, on enlevait simplement le milieu et on les collait ensemble. »

Allen cherche alors à donner l'âpreté du documentaire à cette histoire de couples en guerre joués par lui-même, Mia Farrow, Sydney Pollack et Judy Davis. Il compte tourner en 19 mm mais son nouveau bienfaiteur, TriStar, lui impose le plus traditionnel 35 mm. Malgré cela, le réalisateur laisse à ses acteurs une grande liberté d'action à l'intérieur du champ, demandant à Carlo Di Palma d'éclairer des pans entiers du plateau afin qu'ils puissent se déplacer où bon leur semble : « Allez où vous voulez, vraiment où vous voulez. Mettez-vous dans l'obscurité, mettez-vous dans la lumière, jouez simplement la scène telle que vous la sentez. » « Tout le monde – d'un point de vue physique et d'un point de vue technique – s'est avant toute chose bien amusé sur ce film. »

La récurrence de ce terme si peu allénien, « s'amuser », devrait mettre la puce à l'oreille, pour peu que le lexique restrictif ne suffise pas à vendre la mèche : *Maris et femmes* est le film que Woody Allen tourne lorsque la nouvelle de sa liaison avec Soo-Yi Previn, la fille adoptive de Mia Farrow, fait exploser son mariage et transforme sa vie privée en pâture pour tabloïds. Avant même que le scandale n'éclate, le tournage de dix à douze semaines, sur le campus du Barnard College de l'université de Columbia, est une épreuve. C'était « un film très nerveux à tourner », dira Di Palma. « Une expérience passionnelle. » Dans le script, la scène dans laquelle Sydney Pollack part d'une fête avec sa jeune maîtresse Sam (Lysette Anthony) et la pousse dans sa voiture est d'abord censée faire rire, mais une fois la scène tournée, Allen n'est pas content. « Il a dit, 'Il va falloir refilmer ça et qu'elle [Sam] paraisse vraiment odieuse' », racontera l'actrice.

« J'ai dit, 'Woody, j'ai pas la moindre idée de ce qu'il faut que je dise. Tu dois m'aider, là.' Et il m'a juste répondu, 'Les

Page ci-contre : Guerre de couples entre Judy et Gabe (Mia Farrow et Woody Allen) et Sally et Jack (Judy Davis et Sydney Pollack).

A droite : Jack présente sa nouvelle petite amie (Lysette Anthony) à Gabe.

« Si le contenu d'un film – comme dans *Maris et femmes* – est très névrosé, décousu, rapide, un film new-yorkais nerveux, cela exige alors ce genre de réalisation, de montage et d'interprétation. »

Début de réconciliation pour Jack et Sally (à gauche), tandis que Gabe et Judy comprennent que leur couple ne fonctionne plus (à droite).

cristaux, le tofu, tout ça tout ça.' Je sais pas ce que j'ai dit, mais j'y suis retournée et je l'ai fait. »

Le réalisme cru de la querelle saute aux yeux. « C'est devenu incroyablement violent. Après ça, je n'en ai pas dormi pendant trois jours. Je n'exagère pas » assurera l'actrice. « Les gens restaient bouche bée, à dire, 'Mon Dieu, je n'ai jamais vu autant de violence dans un film de Woody Allen.' »

L'orage éclate le 13 janvier 1992 quand, deux ou trois jours avant la fin du tournage, Allen reçoit un appel de Farrow, qui n'a pas tourné ce jour-là. « Je l'ai vu décrocher le téléphone », se souviendra le producteur Robert Greenhut. « On l'attendait pour tourner la scène. Je devinais que quelque chose n'allait pas à l'autre bout du fil. » Farrow vient alors de découvrir la preuve de la liaison d'Allen avec Soon-Yi. Il lui faudra dix jours avant de reparaître sur le plateau. Le comportement d'Allen est « doux, repentant et attentif », remarquera Farrow, mais les scènes elles-mêmes tiennent de la torture. « J'ignore comment j'ai pu revenir les tourner. » Lors de la séquence dans laquelle son personnage (Judy) annonce à celui d'Allen (Gabe) que leur mariage est fini (« C'est fini, et nous le savons tous les deux. »), Farrow a la mine défaite et blafarde.

Anticipant le *buzz* que le scandale risque de générer, TriStar avance la sortie du film au 18 septembre et étend sa distribution de 8 villes à 865 salles dans tout le pays, un record pour un film de Woody Allen. L'enveloppe publicitaire passe également à 6 millions de dollars, trois fois plus que les films précédents du cinéaste. Les journalistes se précipitent aux avant-premières. « Bon

Dieu, c'est plus facile d'obtenir une place à Yale que dans cette salle ! » s'exclame l'un d'entre eux dans une queue à Los Angeles, alors qu'il franchit le quatrième barrage d'attachés de presse. Le vol d'une copie destinée à l'une des autres stars du film, Liam Neeson, fait l'objet d'une enquête du FBI. Des cassettes pirates se revendent sous le manteau à 200 $. Finalement, le week-end de sa sortie, TriStar empoche 3,5 millions de dollars. Un nouveau record est atteint pour un film de Woody Allen, même si les entrées ne tardent pas à baisser.

Une caméra à l'épaule qui va et vient dans la pièce. Des acteurs sans maquillage sous une lumière crue. Des dialogues si grossiers qu'ils écorchent les oreilles. Des coupes franches qui suivent les sautes d'humeur des personnages. Woody Allen n'est plus la « gentille mascotte des femmes intellos » pour reprendre la formule de James Wolcott. A bien des égards, *Maris et femmes* est la réponse d'Allen aux *Scènes de la vie conjugale* de Bergman, avec sa candeur groggy, malmenée, qui s'élève au-dessus des explorations torpides de la crise de la cinquantaine (*September*, *Une autre femme*) qu'Allen semblait éternellement filmer, avec une Farrow de plus en plus effacée. Dans ces films, elle semblait se recroqueviller sur elle-même, tant son personnage la cantonnait dans un rôle maussade. Dans *Maris et femmes*, elle et tous les autres lâchent prise. Et l'expression de lassitude muette et passive-agressive cède la place à l'hostilité ouverte et aux vociférations. Les crocs d'Allen mordent enfin dans la chair.

A gauche : Juliette Lewis est Rain, une talentueuse étudiante en *creative writing* qui précipitera la désintégration du mariage de Gabe.

Page ci-contre : La relation d'Allen et de Mia Farrow prendra brusquement fin peu avant la fin du tournage de *Maris et femmes*.

Le film constitue son œuvre la plus libre et la plus novatrice stylistiquement depuis *Annie Hall*, utilisant la forme du faux documentaire – un narrateur, la caméra à l'épaule, les interviews face à l'objectif – pour suggérer l'immédiateté journalistique. Nous observons les relations sexuelles et les crises conjugales de ces New-yorkais aisés comme nous regarderions un reportage sur les primates. Sous une forme rugueuse, Allen propose un concept dramatique puissant. Lorsque Jack et Sally (Sydney Pollack et Judy Davis) annoncent gaiement à leurs amis Gabe et Judy (Allen et Farrow) qu'ils s'apprêtent à divorcer, leur réaction première est le choc, le chagrin, l'incrédulité, comme si l'un des couples rompait avec l'autre. Voilà donc la question au cœur du film : Et si les ruptures étaient contagieuses ? Et si la menace du chaos se propageait comme la maladie ou un feu de forêt vers nos proches ?

Et c'est bien ce qui se passe, alors que le célibat retrouvé de Sally et, surtout, son histoire avec un nouvel amant, un bel éditeur nommé Michael (Liam Neeson), s'avèrent étonnamment enviables pour l'austère Judy. Dans l'intervalle, Jack s'éprend de Sam (Lysette Anthony), sa prof d'aérobic écervelée. Gabe envisage alors une liaison avec l'une de ses étudiantes de vingt ans, Rain (Juliette Lewis), ce qui le pousse à railler son propre penchant indéfectible pour les femmes « kamikazes ». « Peut-être parce que je suis écrivain, j'y vois un élément dramatique ou esthétique », tente-t-il d'expliquer. « Il y a une sorte d'atmosphère dramatique, presque comme si je tombais amoureux de la personne *et* de la situation. » Cette image d'un dramaturge pris dans son propre drame compte parmi les analyses les plus justes qu'Allen ait pu donner de lui-même. Comme il le dit avec un haussement d'épaules, à propos de son baiser avec Rain lors d'une nuit d'orage : « La scène ne demandait qu'à être jouée. »

L'ambiance fébrile d'opportunisme émotionnel est, bien évidemment, un cadeau pour les acteurs. Farrow brille de tout son éclat passif-agressif, Juliette Lewis reprend son rôle de midinette avide d'attention des *Nerfs à vif*, mais c'est Judy Davis qui s'épanouit le plus. Qu'elle déverse (en présence de son amant) des torrents d'insultes sur son ex-mari au bout du fil ou qu'elle interrompe un baiser parce que « ce n'est pas mon rythme métabolique », elle incarne comme personne la femme au bord de la crise de nerfs. Vers la fin, elle se réconcilie avec Jack, et le feu de la destruction se déplace alors vers le couple de Gabe et de Judy. D'habitude, plus les choses tournent mal, plus les drames d'Allen se montrent léthargiques, comme si le réalisateur confondait manque de vitalité et subtilité émotionnelle, ou fascination morbide pour les travers de l'existence et authentique tragédie. Mais *Maris et femmes* grésille et vibre de sombres éclairs et d'une gravité livide qui n'ont rien à voir avec une pose esthétique. Du Allen dans toute sa noirceur, très convaincant.

« Quand j'ai terminé le script de Maris et femmes, c'était un pur exercice d'imagination. J'ai achevé le scénario bien avant que ne débute tout ce qu'on lit dans les journaux. Ça n'avait rien à voir. »

Meurtre mystérieux à Manhattan

1993

Allen a longtemps caressé l'idée de remettre en scène les personnages d'*Annie Hall* pour voir ce qu'il était advenu d'eux. « Puisque j'ai gardé des séquences, je peux les montrer jeunes puis plus âgés », se dit-il. *Meurtre mystérieux à Manhattan* sera l'œuvre qui s'approchera le plus de ce projet. Le film reprend une trame de l'histoire laissée de côté en 1977 : celle où Annie et Alvy s'improvisent détectives pour résoudre un meurtre survenu dans leur immeuble. A l'époque, Allen propose au coauteur Marshall Brickman de lui céder l'histoire pour en faire ce qu'il veut, mais rien n'en sera tiré. Quinze ans plus tard, alors qu'il cherche de nouvelles idées, le cinéaste appelle Brickman : « « Et si on mettait ça en forme ? »

Qu'Allen revisite son plus grand triomphe critique et public après sa rupture avec Mia Farrow n'a rien de surprenant, même s'il a d'abord écrit le scénario en ayant en tête son ex-compagne pour le rôle de Carol. Alors qu'en août 1992, commence le procès pour déterminer la garde de leurs enfants, il appelle Diane Keaton à l'automne pour lui proposer le rôle. Celle-ci accepte aussitôt et débarque à New York. « Elle a répondu au million de coups de fil que je lui ai passés et m'a laissé sangloter sur son épaule », dira Allen. « C'était drôle de travailler avec elle. Une super thérapie pour moi, un super palliatif. »

Avec cette nouvelle distribution des rôles, la teneur et la direction du film se voient modifiées. « C'est une comédienne si solide, si dynamique, que l'ensemble a pris une nouvelle orientation. Elle en est devenue le cœur comique. Mia pouvait jouer la comédie, et possédait un délicieux sens de l'humeur. Mais j'étais meilleur humoriste qu'elle. Keaton est meilleure humoriste que moi. Elle a la personnalité cinématographique la plus magnétique et la plus drôle qui soit. Je pourrais trimer une année entière et m'attribuer un millier de répliques hilarantes, mais quand l'objectif la saisit, c'est elle que l'on

Allen et Diane Keaton sont Carol et Larry Lipton, détectives amateurs, dans cette chute de pellicule recyclée de *Annie Hall*.

Ci-dessus : Anjelica Huston dans son second film de Woody Allen. Cette fois, elle ne joue pas la victime.

Page ci-contre : Carol et Larry nous donnent un aperçu de ce qu'Annie et Alvy auraient pu devenir s'ils étaient restés ensemble.

veut voir. Je crois qu'avec Judy Holliday, c'est la plus grande actrice que nous ayons. »

Keaton doit cependant surmonter un début de panique lors de sa première scène avec Alan Alda, qui incarne Ted, un ami tout juste divorcé. Une semaine après le début de tournage, Allen annonce simplement que « ce n'est pas bon », se souviendra Keaton, qui doit alors se faire violence pour retourner sur le plateau. « Evidemment, j'étais parfaitement terrifiée. Mais Woody se montre très clair. Il dit, 'Tu vas la tourner de nouveau'. Voilà ce qui est génial avec lui, il est complètement honnête, anti-sentimental. Il me répond comme il m'a toujours répondu, c'est-à-dire comme si j'étais tout à fait idiote. C'est comme dans un vieux couple, ou comme si j'étais sa petite sœur. »

Anjelica Huston, dans le rôle de la séduisante auteur sanglée de cuir noir qui aide Carol et Larry Lipton (Keaton et Allen) à résoudre le mystère, appréciera que le tournage soit « curieusement dénué d'anxiété, d'introspection et de douleur », contrairement à celui de *Crimes et Délits*, où Allen s'était montré réservé et distant. « Sur ce film, il débarquait dans la loge de maquillage pour se moquer de la coiffure de Diane et de ses gros livres de photos tous annotés par des Post-it. En présence de Diane, il était ouvert et accessible. »

La fin reste longtemps problématique. A l'origine, le meurtrier est un philatéliste, avant qu'Allen ne le transforme en gérant de cinéma, ce qui lui donne l'occasion d'utiliser un décor de cinéma décati et de revisiter la fameuse scène des miroirs de *La Dame de Shanghai*. Le gag qui clôt le film figurait d'abord au milieu : « Après avoir monté le film, je me suis rendu compte qu'il marchait mieux là, donc nous sommes retournés le filmer. » Une fois le meurtre résolu, Carol et Larry descendent l'avenue en revenant sur les événements. Larry se moque alors de Ted : « Enlève-lui ses talonnettes, son bronzage bidon et ses fausses dents, et qu'est-ce qu'il reste ? » Ce à quoi Carol répond, du tac au tac : « Toi. » Fondu au noir.

Si Annie Hall et Alvy s'étaient mariés, avaient vieilli ensemble et acheté un vélo d'appartement, ils auraient pu ressembler à Carol et Larry Lipton, le couple central de *Meurtre mystérieux à Manhattan*. « Tu crois qu'on est en train de devenir une vieille paire de souliers confortables ? » lui demande Carol après une soirée passée chez leurs voisins Paul et Lillian House (Jerry Adler et Lynn Cohen). Ce couple de retraités a l'air bien inoffensif, sinon légèrement rasoir, avec sa collection de timbres et ses projets de sépultures communes. Sauf que, le lendemain, Madame House sort de l'appartement les pieds devant : crise cardiaque. Chose étrange, M. House ne semble pas vraiment bouleversé. Cela ne signifie qu'une chose, en conclut Carol : ce gentil monsieur a assassiné sa femme pour mettre les voiles avec sa poule. La vieille paire de souliers s'apprête à jouer les détectives.

Voilà pour le décor de cette comédie sur la renaissance conjugale. Une sorte de *Fenêtre sur cour* pour retraités, à la

Carol est de plus en plus obnubilée par la mort énigmatique de leur vieille voisine.

« J'avais juste envie, après – je ne sais pas – vingt-deux ou vingt-trois films, de prendre une partie de l'année pour faire ce petit truc rigolo. Comme un petit dessert, ou quelque chose du genre. Pas un vrai repas. »

fois grisante et sereine, dont les interprètes pétillent de joie à l'idée que le courant passe toujours aussi bien. L'intrigue du film, à l'image du couple central, semble s'être bonifiée avec le temps. Ni Brickman ni Allen ne parvenaient à inclure l'enquête dans l'histoire d'amour d'Annie et d'Alvy, car cette dernière relevait déjà du mystère. Alors, donner à ses protagonistes la chance de jouer les Miss Marple, eux qu'un abonnement saisonnier aux matchs des Mets mettait jusque-là en transe, représente un cadeau des plus généreux. Carol et Larry ont également des rivaux romantiques : Ted (Alan Alda), un vieil ami qui ne cache pas son attirance pour Carol et échafaude des théories du complot à propos de ses voisins, et Marcia (Anjelica Huston), une écrivain que publie Larry et qui s'empresse d'élaborer ses propres stratagèmes. Les tribulations de ce quartet donnent du travail à la caméra de Carlo Di Palma, qui bondit, se faufile et survole même le pont de Manhattan. Rien ne peut marteler plus efficacement le message de Woody Allen : je suis de retour.

Manifestement vivifié par la présence de Keaton, il livre ici ce qui pourrait bien être sa dernière interprétation comique. Comme un résumé en accéléré de l'ensemble de sa carrière, mais en sens inverse. On commence donc avec le vieux schnock jamais content qui tente tant bien que mal de tenir les rênes de son couple (« Je suis ton mari ! Je t'ordonne de dormir. Dors ! Je l'ordonne. ») Mais au fil de l'intrigue, le scepticisme de Larry s'étiole et la comédie rajeunit. On a droit à un superbe numéro avec un paquet de cartes puis avec une bande magnétique déroulée, et l'on aperçoit même, lors d'une séquence au lit, ce phénomène rarissime : un sourire de Woody. Enfin, comme ils se font passer pour des enquêteurs (« Ils ont abaissé la taille minimum requise »), lui et Keaton retrouvent le rythme trépidant de leur collaboration sur *Woody et les robots* et *Guerre et Amour* : ils pourraient tout aussi bien s'immiscer de nouveau dans le palais de Napoléon. La toute dernière réplique est superbe, mais la grimace de tigre qu'Allen adresse à la caméra s'avère encore plus précieuse, comme s'il disait, alors qu'il pénètre dans l'immeuble avec Keaton : « Vous avez vu qui je ramène chez moi ? » C'est l'expression d'un gamin de douze ans.

Lors de la sortie du film, la critique penche plutôt vers la condescendance bienveillante. « Un bon poids plume d'Allen, ni plus ni moins », conclut Owen Gleiberman dans *Entertainment Weekly* ; « une comédie de la cinquantaine, légère et inhabituellement allègre […], agréablement douce et sans complications », écrit Janet Maslin dans le *New York Times*. Comme si la distraction offerte par le tohu-bohu de l'affaire Farrow avait mis tout le monde sur la même longueur d'onde qu'Allen lui-même, qui dénigrera gentiment son film : « Pas de sens caché, pas de sens tout court. » Qu'il ait brossé un portrait si bienveillant d'un couple si peu après *Maris et femmes* – une œuvre visiblement faite par quelqu'un qui apparente le mariage à la Sainte Inquisition – est bien la preuve qu'Allen connaît une véritable renaissance. Premier fruit de

Démonstration du génie chaplinesque d'Allen tandis que Marcia (Anjelica Huston) donne à Larry une leçon de poker.

ce renouveau créatif, le film étrenne une période de glasnost artistique. Dénué de partenaire à la ville comme à l'écran pour la première fois depuis dix ans, Allen se découvre une soif de collaboration, d'abord avec ses vieux amis de confiance comme Brickman, Keaton et Alda, puis avec la nouvelle génération d'acteurs – Sean Penn, Julia Roberts, Leonardo DiCaprio – qui ont atteint la célébrité durant l'incursion d'Allen dans la Veine Sérieuse.

« Libérateur », me répondra-t-il en 1999 lorsque je lui ai demandé de décrire l'effet qu'avait produit sa rupture sur son travail. « Quand je m'attelle à un projet, je n'ai pas automatiquement de personnage à l'esprit. C'est quelque chose de libérateur. J'ai [désormais] l'impression de pouvoir écrire, puis auditionner, plutôt que de penser à un rôle pour [quelqu'un]. Cela dit, ça ne m'a pas tellement dérangé de le faire avec Diane Keaton, mais avec Mia, qui est une merveilleuse actrice, ça a duré trop longtemps. Il y a eu trop de films où elle était la vedette. Elle ne m'a jamais déçue, mais au bout de douze ou treize films, on a envie d'une autre alchimie. »

« Il y a des gens qui suivent tout le temps un mode narratif linéaire, et qui font des films merveilleux de cette façon. Et puis il y a des gens qui suivent un mode moins linéaire, plus digressif. Moi, j'ai plutôt tendance à faire ça. [...] Je ne le fais pas exprès, mais d'instinct. »

Portrait par Michael O'Neill, 1994.

Coups de feu sur Broadway

1994

Sur le plateau. Allen adaptera cette production située dans les années 20 en comédie musicale, qui fera sa première au St. James Theatre de New York en avril 2014.

Ecrit au cours de l'année tumultueuse de la bataille judiciaire pour la garde des enfants, *Coups de feu sur Broadway* mettra à l'épreuve la capacité de Woody Allen à trouver son salut dans le travail. Lui et son coauteur Douglas McGrath se réunissent chaque jour chez Allen en janvier 1993. Assis face-à-face, ils échangent leurs idées sur le film. Un jour, alors qu'il résume l'intrigue en faisant les cent pas et en agitant les bras en tous sens comme Zorba le Grec, Allen s'immobilise et claque des doigts pour signaler le début du spectacle. « C'est les années folles, et il y a cet auteur de théâtre qui se prend pour un artiste de génie… »

A cet instant, racontera McGrath, la sonnerie du téléphone retentit. Allen lève un doigt en direction de McGrath – attends une seconde – puis décroche et parle à voix basse. « Des antécédents de troubles mentaux… », entend McGrath, « … a essayé tous les traitements possibles et inimaginables… détectives privés… »

Allen raccroche, prend une longue inspiration, se tourne vers son collaborateur, sourit, lève les bras et claque de nouveau les doigts. « Okay, les années folles… auteur de théâtre… artiste de génie, et il va voir un producteur dans l'espoir qu'il produise sa pièce, mais tient à la diriger lui-même pour préserver son intégrité arti… »

Le téléphone sonne à nouveau. Allen répond. « *Extrêmement claustrophobe…* », l'entend murmurer McGrath, « *deux yeux rouges derrière la fenêtre… elle a envoyé son enfant au Post… des cheveux dans une enveloppe scellée…* »

Enfin, après une troisième interruption, il raccroche et lui adresse un sourire contrit.

« Okay », dit-il en haussant les sourcils. « Revenons à notre petite bricole… »

La période suivant le scandale Farrow voit une soudaine réorganisation de l'entourage généralement discret d'Allen. Tandis qu'il trouve en McGrath un collaborateur de confiance, d'autres s'éloignent discrètement, comme TriStar qui, après la mauvaise performance de *Maris et femmes* et de *Meurtre mystérieux à Manhattan* au box-office, renonce à leur contrat pour trois films. Mortifiée devant le traitement réservé à son ami, la productrice Jean Doumanian lui propose un contrat avec sa nouvelle société de production, Sweetland, qui lui alloue 25 % de budget en plus, des honoraires approchant les sept chiffres et une part des profits après retour sur investissement. Doumanian reçoit quatre offres pour distribuer ce qui, de fait, constitue le premier film indépendant de Woody Allen. Le choix se porte sur Miramax, qui signe sans même avoir lu le script.

Malgré la réduction drastique de l'équipe qui entourait Allen depuis *Annie Hall*, *Coups de feu sur Broadway* sera son film le plus cher, avec un coût de 20 millions de dollars englouti en grande partie par les décors d'époque, dont la vieille salle de bal du New York Hotel, un luxueux duplex art déco au vingt-deuxième étage d'un immeuble de Manhattan, et le Cort Theater sur la 48e rue. « New York est inépuisable », commente Allen, pour qui l'univers sépia du film, avec ses bars clandestins et ses kiosques à journaux, rend un nouvel hommage à l'œuvre de Damon Runyon. « Je nourrissais depuis des années l'idée du gangster qui ressort comme le seul véritable dramaturge de talent, mais je ne l'aurais pas mise en œuvre si Doug McGrath ne s'était pas montré aussi enthousiaste », affirmera-t-il. La vraie révélation dans Coups de feu est lorsque le gangster décide de tuer la fille pour préserver sa pièce. Avant cela, c'était juste une idée amusante qui n'aboutissait pas vraiment, et cette décision de la tuer a tout changé. »

Allen envisage un temps de s'attribuer le premier rôle, mais finit par conclure qu'un acteur plus jeune incarnerait mieux le dramaturge novice. Il choisit donc John Cusack, qui l'avait déjà impressionné sur *Ombres et Brouillard*. Il enrôle

« C'était une époque superbe, pleine de couleurs. Tout était très élégant. Tout le monde fumait des cigarettes et s'habillait pour dîner et sortait dans les clubs. C'était vraiment très sophistiqué. C'est pourquoi j'aime situer certains de mes films dans ces années-là, parce que c'est amusant. »

Ci-dessus : « Taisez-vous ! »

Page ci-contre : « Après tout, je ne suis qu'une vaniteuse légende de Broadway ! » Wiest livre une performance récompensée d'un Oscar, sous les traits de l'un des plus narcissiques personnages d'Allen.

également Chazz Palminteri, dont la directrice de casting Juliet Taylor lui a montré la performance dans *Il était une fois le Bronx*, sous les traits d'un chauffeur de bus. Dans le rôle d'Olive, la copine du gangster, Jennifer Tilly est poussée à l'improvisation, et n'hésite pas à empiéter sur les répliques de tout le monde. « Après cinq minutes passées sur le plateau, il m'est apparu évident qu'il voulait qu'Olive parle sans arrêt », remarquera-t-elle. « Il avait une idée bien précise sur Olive. Il m'a dit, 'Elle vit dans son petit monde qui ne tourne qu'autour d'elle, et elle ne fait que parler, parler, parler.' »

Allen doit s'y reprendre à plusieurs reprises afin de convaincre Dianne Wiest d'accepter le rôle de la diva excentrique Helen Sinclair. Elle se montre d'abord très méfiante, tout comme McGrath : « Dianne Wiest dans le rôle de cette actrice qui en fait des tonnes ? » s'exclame-t-il. « Ça semble si éloigné de Dianne Wiest. Elle qui est si douce, si vulnérable. » Mais Allen insiste. « Non, il faut qu'elle le fasse. Elle peut tout faire. » McGrath cède tout en pensant : *Coule ton propre film, que veux-tu que je te dise !* A l'issue du premier jour de tournage, Allen téléphone à Wiest et l'invite à venir voir ce qu'ils ont tourné. Elle reste interdite devant ce qu'elle appelle « ma pénible, si pénible tentative de jouer ce rôle – pathétique, pathétique. »

« Tu sais que c'est horrible », lui dit Allen.

« Je te l'avais dit ! »

« Que vas-tu faire, alors ? »

« Eh bien, à toi de décrocher ton téléphone et de trouver quelqu'un qui saura faire ça », réplique Wiest. « Ce n'est pas pour moi. Tu dois me remplacer. »

« Non, je crois que ça a à voir avec ta voix. On va refaire un essai. »

Wiest, dont la voix normale est plutôt haut perchée, la baisse de presque une octave. Après le tournage de la nouvelle scène, Allen annonce : « C'est bon. » Plus Wiest rend sa voix grave, plus cela devient drôle. A l'approche des Oscars, *Coups de feu sur Broadway* récoltera sept nominations, le plus grand nombre depuis *Hannah et ses sœurs*, dont Meilleur film, Meilleur réalisateur, Meilleur scénario original (c'est la onzième nomination d'Allen pour ce titre, ce qui le met à égalité avec Billy Wilder), ainsi que Meilleurs acteurs et actrices dans un second rôle pour Wiest, Tilly et Palminteri. Comme pour *Hannah*, Wiest remporte la statuette.

Dianne Wiest est donc l'élément prodigue de *Coups de feu sur Broadway*, fredonnant ses répliques de la voix la plus suave tout en testant la capacité de Shayne à la couvrir d'éloges. C'est le plus narcissique des rôles qu'Allen offre ici à son actrice, qui ne s'interrompt que pour laisser les autres admirer l'exquise

Le garde du corps d'Olive, Cheech, commence par lui faire répéter son texte, et finira par réécrire la pièce.

mise en scène de son propre personnage. « Taisez-vous », ordonne-t-elle de sa voix chaude et rauque à Shayne, réplique qui deviendra aussitôt culte. Cette brève injonction contient toute la vanité d'Helen Sinclair, tel un haïku égocentrique, mais se tient également au cœur d'un drame où s'entremêlent esprits rivaux et intentions contradictoires : une farce vive et étourdissante moquant le tempérament artistique, et dont la lecture à plusieurs niveaux la hisse aux côtés de *La Rose pourpre du Caire*, autre exploit d'Allen le fabuliste-farceur. Sinon son meilleur film, *Coups de feu sur Broadway* figure néanmoins parmi ses réalisations les plus divertissantes.

Les personnages se tiennent tous alignés comme des quilles avant de s'entrechoquer. Il y a la diva finissante confite au Martini jouée par Wiest, qui prend des poses extravagantes à chacune de ses entrées. La copine du gangster (Jennifer Tilly), avec sa voix de crécelle et son incapacité à retenir la moindre réplique. Le comédien replet (Jim Broadbent), dont le ventre s'emplit de gâteaux et de poulet au fil du tournage. L'écervelée jouée par Tracey Ullman, qui n'est pas loin de ressembler à son petit chien. Enfin, le plus discret et le plus calme de la meute, Cheech (Chaz Palminteri), le garde du corps qui assiste du fond de la salle aux répétitions de la mauvaise pièce de Shayne, jusqu'au moment où il craque et lui expose le fond de sa pensée (« Licence poétique, mon cul ! »).

Cheech incarne l'ultime fantasme d'Allen, « l'esthète au pistolet », selon l'expression d'Anthony Lane du *New Yorker*, « aussi effrayant dans sa défense de l'autonomie artistique qu'il l'était en mission pour son patron. Allen respecte ce point de vue, je pense, plus qu'il ne veut bien l'admettre. » Allen a toujours utilisé l'éternel poltron qu'il met en scène dans ses films pour sortir de lui-même et exprimer des opinions à rebours des siennes. Est-il David Shayne, le dramaturge coincé joué par Cusack, qui exploite avec mépris ses personnages pour faire passer ses propres pensées ? Ou bien est-il ce truand incarné par Palminteri, qui réécrit la pièce de Shayne (« T'écris pas comme les gens parlent. ») à la sauce gangster ? En vérité, Allen incarne ces deux hommes à la fois – un voyou sophistiqué – ce qui explique peut-

Scène de répétition avec Cusack, Tilly, Tracey Ullman (Eden Brent) et Chihuahua (Mr. Woofles).

être cette longue conversation dans la salle de billard, où chaque homme se montre curieusement fasciné par l'autre, comme s'ils devinaient leurs affinités communes. Ses films comportent de nombreux exemples de ce drôle de couple : entre le vrai Tom Baxter et son personnage à l'écran dans *La Rose pourpre du Caire* ; entre Lester et son Cliff dans *Crimes et Délits* ; entre Cheech et Shayne dans *Coups de feu sur Broadway*. L'œuvre d'Allen compte peu de méchants mais d'innombrables alter ego, doubles et sosies, surtout dans les situations à renversement, où un personnage figure la variante d'un autre. Allen satisfait ainsi son penchant humoristique – sa passion héritée de Kaufman, Perelman et Thurber, pour un univers sens dessus dessous où chaque homme se révèle son contraire – et son goût pour la bagarre, et pourquoi pas avec lui-même si personne d'autre n'est disponible.

« Une comédie qui dit des choses sérieuses », dira Allen de *Coups de feu sur Broadway*. Les choses sérieuses étant l'injustice (voire le mauvais sort) avec laquelle le génie créatif est réparti. Rien de bien nouveau de la part d'Allen : comme Isaac l'avait déjà déclaré des années plus tôt dans Manhattan, « le talent, c'est la chance. » Il abordera ce thème avec une nouvelle vigueur dans les années 90, avec *Accords et désaccords* et *Harry dans tous ses états*, comme si la diffamation des médias avait aiguisé son envie d'en découdre avec tous ceux qui pointent du doigt ses faiblesses. La pièce de David Shayne ressemble à bien des égards à du mauvais Woody Allen qui, avec ce film, se met à l'envers, littéralement. « Je ne suis pas un artiste ! » hurle le dramaturge à la fin. Ne serait-ce pas, en filigrane, un cri du cœur du cinéaste ?

A sa sortie, le 18 janvier 1995, *Coups de feu sur Broadway* empoche 13 millions aux Etats-Unis, puis dépasse ce chiffre dans sept pays, dont la France, où Allen fait la promotion du film à la télé, accompagné de Charlotte Rampling, et où il engrange 2,5 millions rien qu'à Paris. « On pensait qu'Allen avait perdu le contact avec le monde, pour ne rien dire de son public », écrit Lane. « Au lieu de cela, il semble se mettre à notre niveau, se satisfaire de notre plaisir, encore plus profondément qu'avant. Nous faire rire. »

« Ce que j'aime faire par-dessus tout, c'est tout ce que je ne suis pas en train de faire. »

Portrait par Brian Hamill sur le plateau de *Coups de feu sur Broadway*, 1994.

Maudite Aphrodite

1995

Allen s'est souvent interrogé sur les origines de sa fille adoptive, Dylan Farrow. Pour être si intelligente et charmante, décide-t-il alors, Dylan a dû hériter de « bons gènes ». Il réfléchit donc aux parents biologiques de sa fille et entraperçoit la lueur d'une histoire sur un enfant dont les parents adoptifs l'aiment tant qu'ils recherchent la mère et tombent amoureux d'elle. Ou bien, ils trouvent la mère, mais c'est une prostituée. Plus ils découvrent de choses sur les origines du gamin, plus la situation empire. Tout cela lui fait penser à Œdipe. Il a toujours rêvé de faire un film avec un chœur antique, déclamant des blagues de la même façon qu'il l'a mis en scène dans *Prends l'oseille et tire-toi*. « Beaucoup de choses que l'on prend au sérieux, comme un film documentaire, ou un chœur antique, constituent d'excellents supports comiques grâce à leur solennité apparente », expliquera Allen. « J'ai pensé, 'Mon Dieu, il y a une sorte d'ironie à la grecque là-dedans.' Puis j'ai pensé, 'Ce film sera réalisé comme une fable antique.' »

C'est une idée qu'il caresse depuis des années. Les scènes grecques sont tournées dans des arènes à ciel ouvert, le Teatro Greco de Taormine, en Sicile, où a lieu chaque année le Festival du Film auquel il a participé en 1971 pour promouvoir *Bananas*. C'est la première fois depuis vingt ans qu'il tourne hors des Etats-Unis. Il rassemble le casting pendant la promotion de *Meurtre mystérieux à Manhattan*, offrant à Helena Bonham Carter le rôle de sa femme et admettant à contrecoeur qu'un Américain, F. Murray Abraham, puisse faire preuve de suffisamment de raffinement shakespearien pour prendre la tête d'un chœur antique. Pour le rôle de la prostituée, Allen reste persuadé qu'il la trouvera en Angleterre et ne retient donc pas l'audition de Mira Sorvino à New York. Mais celle-ci débarque dans l'hôtel londonien du réalisateur, vêtue de cuissardes et d'une minijupe et parlant d'une voix de crécelle. « Dès qu'elle est entrée, j'ai pensé qu'elle était parfaite », confiera Allen. « Franchement, j'ignore comment elle a pu franchir la sécurité. »

Il dit à l'actrice diplômée de Harvard : « Je ne veux pas que l'on décèle une seule lueur d'intelligence en elle. » Elle répète son rôle en se promenant à Philadelphie pendant trois jours dans son personnage, parlant à des stripteaseuses et à une actrice porno. Pour la voix, elle s'inspire de celle d'une amie de sa mère. Allen émet d'abord des réserves. Alors que le tournage a démarré depuis quatre semaines, inquiet, il lui demande si elle n'aurait pas une autre voix qu'elle pourrait utiliser. « J'ai pensé, 'Mon Dieu, si [le public] n'est pas convaincu par la voix, je suis cuit.' Mais j'ai fini par y croire et à suivre mon instinct, et il s'est avéré que j'avais – ou devrais-je dire, elle avait – raison.

Mira Sorvino traverse *Maudite Aphrodite* avec la nonchalance de Judy Holliday et l'imperturbabilité de Boadicée. Miracle d'équilibre, ses jambes de girafe ne sont reliées au sol que par

Page ci-contre : L'exceptionnelle interprétation de Mira Sorvino dans la peau de Linda Ash, prostituée écervelée, lui vaudra l'Oscar du meilleur second rôle féminin.

A droite : Un moment en famille pour Lenny (Woody Allen), son épouse, Amanda (Helena Bonham Carter) et leur fils adoptif, Max (Jimmy McQuaid).

le biais de talons vertigineux. Son interprétation, à l'image de son accent, plane dans les hautes sphères, énonçant des pensées parfaitement creuses d'une voix nasillarde, située quelque part entre Minnie et Miss Piggy. « J'ai fait un film qui s'appelait *La Patrouille des castors*, avec des scouts qui trouvaient des filles scouts ivres. Ils les prennent dans une cabane et leur piquent leur gode… ». Le très sophistiqué chroniqueur sportif Lenny Weinrib (Allen) en reste bouche bée, une expression à la fois lubrique et horrifiée sur le visage à l'idée que cette ravissante idiote puisse être la mère de son enfant. Lenny ne sait plus où poser son regard : sur l'attirail phallique de son appartement ou sur son corps de bimbo platine.

« La curiosité, c'est ce qui nous tue », déclame le chef de chœur (F. Murray Abraham). Ce n'est pourtant pas la curiosité qui pousse Lenny à chercher Linda. C'est une dispute avec sa femme (Helena Bonham Carter). Et ce n'est pas la curiosité qui pousse le pygmalion Lenny à convaincre cette poule tapageuse de se remettre dans le droit chemin en devenant coiffeuse. « Orgueil ! » raille le chœur. « Il se prend pour Dieu ! » Mais il ne s'agit pas non plus d'orgueil. C'est une obsession romantique contrariée – ou simplement la luxure – et l'échec d'Allen à reconnaître cela confère à *Maudite Aphrodite* une atmosphère étrangement évasive, poussant l'intrigue dans des recoins très improbables. « Tu sais, à mon âge, si je devais faire l'amour avec toi, il faudrait me mettre en réanimation », prévient Lenny, qui joue les entremetteurs en la présentant à un jeune boxeur (Michael Rapaport, d'un comique irrésistible) qui ne rêve que de reprendre la plantation d'oignons de son frère. « En deux mots : c'est la crème des filles », lui assure Lenny.

Les scènes avec Rapaport figurent parmi les meilleures du film, même si cette intrigue secondaire doit finir, elle aussi, par un désastre, comme l'ont dicté les dieux de la comédie. Allen se retrouve à devoir se dépêtrer d'un sacré sac de nœuds quand l'amour revient visiter Lenny sous la forme d'une nuit de passion qui débouchera elle-même sur un dénouement encore plus improbable. Est-ce l'impression de ne pas réussir à obtenir ce qu'il veut des personnages qui pousse Allen à utiliser un chœur antique ? La capacité à faire rire du film dépend en grande partie du poids que l'on accordera à ce chroniqueur sportif quinquagénaire visiblement épris de l'objet de sa condescendance. Certes, l'asymétrie intellectuelle figure dans toutes les comédies romantiques d'Allen – l'insécurité

Page ci-contre : Allen auditionne Bonham Carter alors qu'il passe à Londres pour la promotion de *Meurtre mystérieux à Manhattan*.

A droite : Lorsqu'il retrouve la mère biologique de Max, Lenny est submergé par un mélange de lubricité et d'effroi.

Ci-dessous : F. Murray Abraham est le chef du chœur antique qui commente les événements du film.

« L'obsession est dangereuse, mais c'est un ressort comique incontournable. »

intellectuelle d'une femme lui donne son avantage, sa caution d'amant-tuteur – mais dans *Woody et les robots*, *Annie Hall* et *Hannah et ses sœurs*, les femmes ne tardent pas à dépasser les hommes, qui ont fait leur temps. Une initiation à Kierkegaard ne débouche pas sur une union durable.

Ce genre de renversement de situation n'a pas lieu dans *Maudite Aphrodite*, qui s'acharne à traiter le personnage de Sorvino avec paternalisme – on s'y amuse à plusieurs reprises du titre des films porno qu'elle a tournés : *La Patrouille des castors, La Salade enchantée* – mais l'interprétation de Sorvino brille néanmoins par son refus de voir que son personnage est maltraité de la sorte. Elle joue la naïve avec naïveté. « Ce qu'il y a de remarquable chez Sorvino, c'est son refus de laisser son personnage s'étendre passivement et ronronner comme une créature de rêve », écrit Anthony Lane dans le *New Yorker*. « L'emprise de Sorvino sur le film en est presque embarrassante ; à côté d'elle, tout le monde paraît terne et indifférent à la vie. » Lors de la cérémonie des Oscars, Mira Sorvino remporte le prix pour la Meilleure actrice dans un rôle secondaire, pour lequel avaient aussi été nominées Kate Winslet dans *Raison et sentiments*, et Joan Allen dans *Nixon*. C'est donc la quatrième fois qu'une actrice remporte la statuette pour un film de Woody Allen.

Tout le monde dit I Love You

1996

Allen a toujours rêvé de monter une comédie musicale. Déjà, alors qu'il préparait *Annie Hall*, il avait suggéré à son coauteur Marshall Brickman de tourner une scène entièrement chantée. Misant sur son regain de popularité offert par *Coups de feu sur Broadway* et sur l'assentiment du sérail hollywoodien symbolisé par l'Oscar de Mira Sorvino pour *Maudite Aphrodite*, *Tout le monde dit I love you* est sa version des « champagne comedies » dont il se repaissait dans sa jeunesse. Des films « où personne n'est en manque de bonnes répliques et où tout s'arrange à la fin. Après une double séance, on sortait de là à quatre heures de l'après-midi, et soudain, on entendait les klaxons, le soleil brillait et il faisait 32°, et Fredric March et Douglas Fairbanks Jr n'étaient plus là. Moi, je voulais grandir, m'installer à Manhattan et vivre comme ça. Je voulais sabrer des bouteilles de champagne et posséder un téléphone blanc et lancer des répliques du tac au tac. »

Son innovation majeure consiste à inclure un élément de réalité quotidienne : il veut que tous ses acteurs utilisent leur voix comme ils chanteraient sous la douche. Il attend qu'ils aient signé leur contrat avant de les avertir qu'ils s'apprêtent à jouer dans une comédie musicale. « Si cette personne savait chanter, parfait, et si cette personne ne savait pas chanter, c'était parfait aussi », dira-t-il. « Ce qui comptait, ce n'était pas la technique, parce que je voulais que leurs voix aient un côté non travaillé. » Seule Drew Barrymore sera doublée, qui persuade Allen que ses parties chantées sont simplement trop affreuses, même pour le côté réaliste qu'il recherche tant. Quant à Goldie Hawn et Edward Norton, ils chantent trop bien. Le réalisateur doit donc leur demander de rendre leur voix plus rugueuse pour qu'ils aient l'air de gens normaux qui se mettent à chanter.

Les numéros de danse, chorégraphiés par Graciela Daniele (qui a également chorégraphié les danses du chœur antique sur *Maudite Aphrodite*), sont tournés en une seule prise, avec

Visite de Venise avec Soon-Yi pendant le tournage de *Tout le monde dit I Love You*. C'est le premier film qu'Allen tourne en dehors des Etats-Unis depuis *Guerre et Amour*, en 1975.

IL GAZZETT

Alan Alda et Goldie Hawn sont Bob et Steffi Dandridge, un riche couple de l'Upper East Side.

très peu de gros plans, comme Fred Astaire souhaitait que l'on filme ses scènes, pour que l'on voit tous les danseurs. « C'est tout ce que je voulais : direct, simple, le proscenium et pas de coupes », expliquera Allen qui, contrairement à son habitude, « prendra beaucoup de plaisir à faire ce film, mais quand je l'ai montré à Harvey Weinstein, qui y avait investi beaucoup d'argent sans l'avoir vu, il a détesté. D'habitude, il se montre bienveillant à l'égard de mes films. A chaque fois que je lui montre un film, il l'adore. Mais avec celui-là, il fait partie de ces gens qui pensent que dans une comédie musicale, les gens doivent savoir chanter. Mais en fin de compte, il s'est montré très gentil. Et moi, je n'ai pas arrêté de râler. Il voulait que je retire l'unique gros mot, quand ils disent « motherfucker », comme ça le film pouvait passer au Radio City Hall. Et moi, je refusais. Ce n'est pas comme ça que je fais mes films. Donc, à la fin, il a été chic type et a sorti le film sans faire d'histoires. »

Comme s'il tenait à montrer combien il était réconcilié avec le succès populaire, Allen emprunte quelques idées à *Hannah et ses sœurs*, son plus grand triomphe jusque-là. C'est un album de famille qui s'articule autour du foyer de Bob Dandridge (Alan Alda), riche avocat de l'Upper East Side, et de sa femme gauche caviar, Steffi (Goldie Hawn). A l'instar d'*Hannah*, on y retrouve une fratrie de sœurs, quatre cette fois, Lane et Laura (Gaby Hoffmann et Natalie Portman), Skylar (Drew Barrymore), fiancée à Holden (Edward Norton), et D. J. (Natasha Lyonne), la narratrice de treize ans à qui on ne la fait pas (« A présent, je vais être franche », prévient-elle. « On n'est pas le genre de famille qu'on voit d'habitude dans les comédies musicales. Pour commencer, on a du fric, et on habite un grand appartement sur Central Park West »). Sauf qu'ils sont exactement le genre de famille qu'on trouve dans les comédies musicales, en tout cas celle qu'Allen a en tête. Et le luxe de l'existence des Dandridge explique en partie le léger manque de rugosité qui enveloppe le film, moins comédie musicale que le fantasme qu'il en a, la version doudou du sentiment que ces films éveillaient en lui dans son enfance. Le film n'est que fioritures, une fantaisie ineffablement douce qui semble dirigée à l'aide d'un plumeau.

En définitive, que le film n'ait pas tout à fait remporté le succès escompté en dit long sur le manque de réalisme de ses comédies. Les vieux *musicals* des années 30 évoluaient certes dans les hautes sphères, mais il n'y avait rien de précieux dans leur description des cercles privilégiés. Elles chantaient

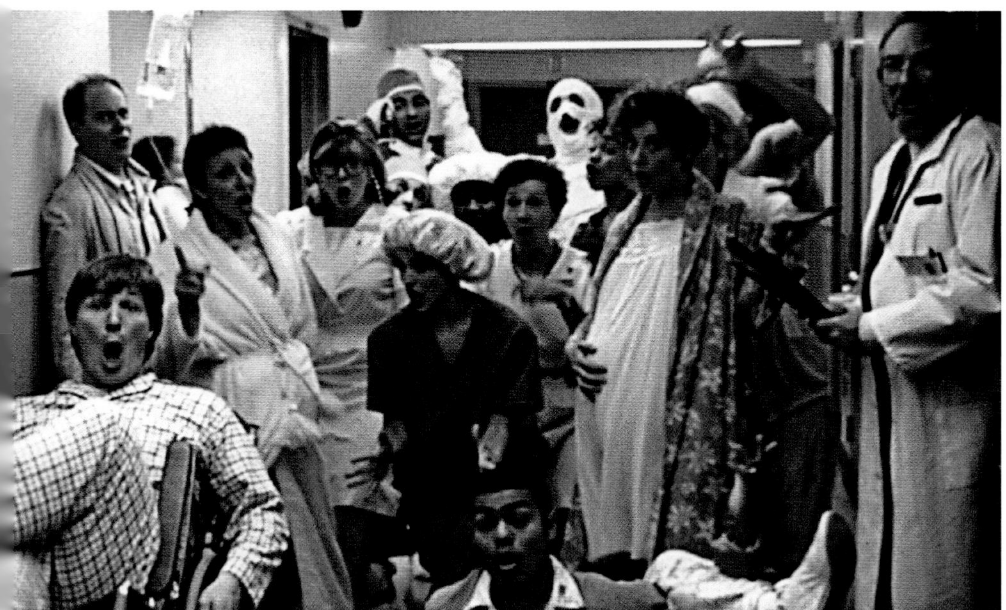

Ci-dessus : « That's what you get, folks, for makin' whoopee ! »

En haut : Derrière le moniteur avec Natasha Lyonne, qui joue la jeune et sagace narratrice.

à tue-tête leur vision du bonheur à l'intention d'un public en manque de réconfort autant que de nourriture. Allen saisit cette dichotomie à merveille dans *Radio Days*, sa comédie presque musicale de 1987, dont les envolées lyriques s'enracinent dans la réalité de la morne banlieue de Rockaway. Mais ici, que fuient les princes et les princesses de Park Avenue, précisément ? Qu'est-ce qui les pousse à chanter ? Chaque fois que le monde doré des Dandridge se heurte à un fragment de réalité extérieure, le film se met à pétiller. On y entend une superbe reprise de « Makin' Whoopee » chantée par des infirmières et leurs patients, où brancards et fauteuils roulants remplacent le chapeau et la canne de Fred Astaire. S'y décèle un soupçon de vulgarité joyeuse que n'aurait pas reniée Mel Brooks. Et puis, il y a l'interprétation hilarante de Tim Roth sous les traits d'un ancien détenu que Steffi accueille chez eux dans le cadre de sa campagne pour une réforme carcérale, et qui ne tarde pas à utiliser la voiture de sport de Skylar pour commettre des braquages. « Peux-tu me déposer à l'angle de Park et de la 93e ? » lui demande celle-ci alors qu'ils amorcent un virage, poursuivis par les flics.

Comme dans *Hannah*, Allen endosse un rôle orbital en incarnant l'ex-mari de Steffi, Joe, qui tente de se frayer une

« Quand je regarde un film, je veux voir les danseurs devant moi, en plan large. Je déteste quand on leur coupe les pieds, je déteste quand on ne voit que leur visage. Je n'aime pas les angles de prise de vue. Je veux que ce soit comme si je payais dix dollars pour aller au City Center pour voir les danseurs devant moi. »

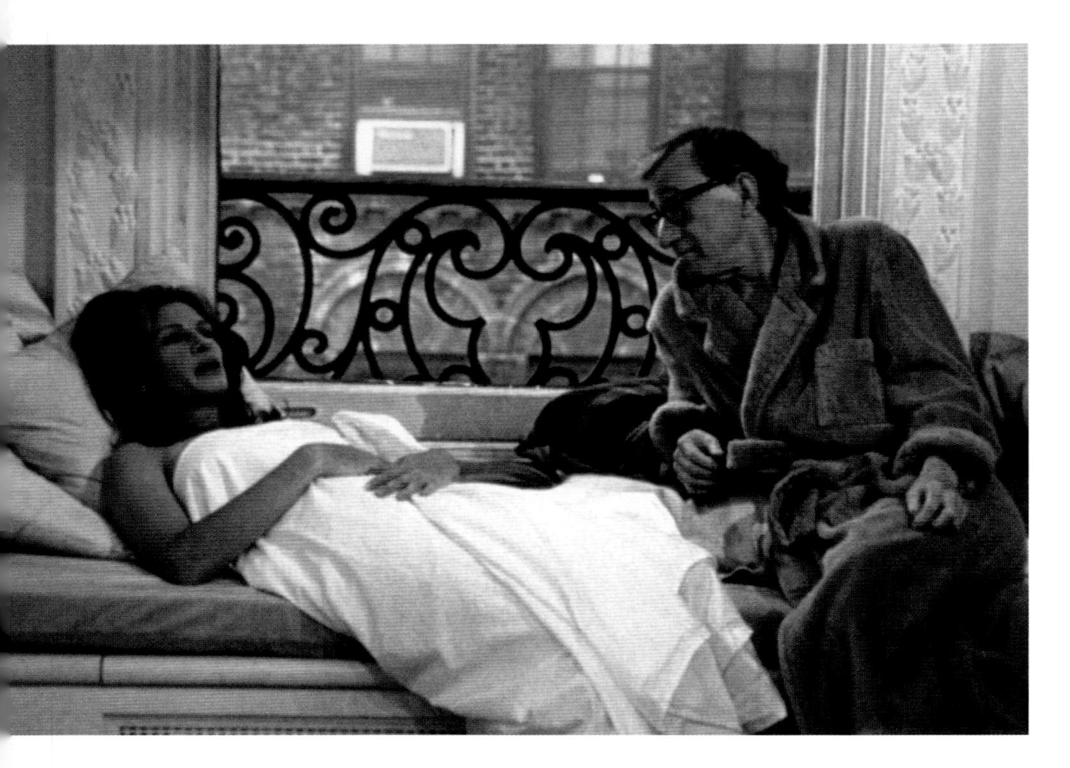

Ci-dessus : Joe (Allen) entreprend de séduire Von (Julia Roberts) à Venise.

place dans le cœur de Von (Julia Roberts), rencontrée à Venise, en suivant les conseils que lui prodigue D. J., qui a espionné les conversations de la jeune femme avec sa psy – une trame déjà imaginée dans *Une autre femme* en 1988. A l'aide de ses connaissances bassement acquises, Joe lui parle du peintre (Le Titien), des fleurs (les marguerites) et de la destination (Bora Bora) qu'elle préfère, sans oublier de jeter un coup d'œil vers l'objectif, l'air de dire, comme dans *Tombe les filles et tais-toi* : « Elle est tombée dans le panneau ! » Or, à l'époque, lui et Diane Keaton ont eu le temps d'affiner leur alchimie au fil d'une décennie. Mais alors qu'il peut désormais se targuer d'accéder à la crème d'Hollywood pour constituer sa troupe personnelle, Allen agit un peu à l'aveuglette. Malgré les meilleurs efforts de Julia Roberts pour jouer les timides à la Farrow, rien à faire : son sourire Colgate exhale l'assurance, et sa présence à l'écran évoque celle d'une lionne acceptant de bon cœur de ne pas dévorer le chevreau qui halète et suffoque en jogging devant elle.

Le film fonctionne mieux dans les moments où l'emporte l'amertume. « I'm Thru With Love » [J'en ai fini avec l'amour »] fredonne Joe sur la terrasse du Ritz de Paris, d'un filet de voix si tenu que la moindre brise pourrait l'emporter dans l'air nocturne. Le film atteint son paroxysme à l'issue d'une fête déguisée sur le thème de Groucho Marx – le paradis pour Allen ! – lorsque Goldie Hawn exécute un numéro de danse sur les berges de la Seine, dont l'exquise chorégraphie, pleine de pirouettes et d'arabesques guidées par des fils invisibles, fait venir la larme à l'œil. Tous les défauts du film s'effacent dans cet envol quelque peu littéral. Allen tourne la scène sur les mêmes quais où, plus de trente ans plus tôt, il tentait de raisonner un Peter Sellers suicidaire dans *Quoi de neuf, Pussycat ?* A bien des égards, sa carrière semble ici boucler la boucle. « Contente-toi d'écrire quelque chose qui nous emmène tous à Paris pour draguer les filles », avait été à l'époque la consigne du producteur Charles Feldman, qu'Allen avait peiné à suivre. Pourtant, devant la baisse des entrées aux Etats-Unis, le cinéaste finira par se tourner plus fréquemment vers l'Europe pour y chercher subventions, soutien et inspiration. Si les scènes antiques de *Maudite Aphrodite* constituent son premier tournage à l'étranger depuis *Guerre et Amour*, *Tout le monde dit I love you* ouvre la voie aux récits globe-trotters que sont *Match Point*, *Vicky Cristina Barcelona* et *Minuit à Paris*. Woody Allen a beau en avoir fini avec l'amour, du moins tel que le laisse entendre son statut révolu de héros romantique, son œuvre s'illumine de plus en plus d'histoires d'amour d'une nature différente : les lieux remplacent désormais les personnes.

Ci-dessus : Cette mémorable chorégraphie voit des clones de Groucho Marx chanter et danser sur une version française de « Hooray for Captain Spaulding », refrain tiré de *L'Explorateur en folie* (1930).

A gauche : Joe et son ex-femme Steffi dans l'entraînante scène finale sur les berges de la Seine.

Harry dans tous ses états

1997

D'abord intitulé *The Worst Man in the World* [Le Pire Homme du Monde] jusqu'à ce qu'Allen s'aperçoive que le titre était déjà pris, *Harry dans tous ses états* reprend le thème de l'immortalité de l'artiste déjà abordé dans *Coups de feu sur Broadway*. « Du moment que le protagoniste évolue au sein de sa propre réalité, celle qu'il manipule, tout va bien », dit-il. « Mais dès qu'il la quitte – lorsqu'il doit affronter le monde réel où personne ne chante ni ne danse dans la rue – on comprend que sa vie est un vrai désastre : il est autodestructeur, il fait souffrir son entourage, il vit dans un état d'excès permanent, il devient accro aux barbituriques, au sexe. Voilà ce qui arrive au personnage quand il ne peut plus transformer la réalité selon ses désirs. »

Allen auditionne de nombreux acteurs – Elliott Gould, Dennis Hopper, Robert De Niro, Dustin Hoffman, Albert Brooks – avant de s'attribuer le rôle de Harry Block, misanthrope, coureur de jupons, crapule et célèbre romancier qui partage sa névrose entre trois épouses, six psychiatres et d'innombrables maîtresses, moissonnant leurs vies pour alimenter son œuvre. « Toute ta vie n'est que nihilisme, cynisme, sarcasme et orgasme », lui dit sa sœur Doris (Caroline Aaron). « Tu sais qu'en France, je serais élu avec un slogan pareil », lui réplique Harry. L'intrigue – Harry doit se rendre à une cérémonie en son honneur dans son ancienne fac mais ne trouve personne pour l'accompagner hormis une prostituée (Hazelle Goodman) – est surtout un prétexte pour dérouler une série de sketches ressortis des fonds de tiroir du réalisateur. Parmi ces histoires, celle d'un acteur (Robin Williams) découvrant qu'il est devenu flou ; de la mort qui rend visite à la mauvaise personne ; et celle d'une descente aux enfers en ascenseur (« Septième étage : les médias. Désolée, étage complet. »), reliquat d'*Annie Hall*.

Une impression de liberté se dégage de la construction saccadée et des dialogues obscènes, comme si Allen, sonné par le dénigrement médiatique dont il a fait l'objet après sa

Page ci-contre : Allen renoncera à expliquer aux gens que sa ressemblance avec ce « méchant, frivole, superficiel, obsédé sexuel » qu'est Harry Block s'arrête à sa machine à écrire.

Ci-dessus : Sur le plateau avec Robin Williams, dans le rôle d'un acteur qui découvre qu'il devient flou.

rupture avec Farrow, réagissait de la même manière que l'on réagit à une morsure de serpent : en suçant le venin pour le recracher. On perçoit également le retour d'un schéma inauguré bien des années plus tôt, dans lequel Allen, incapable de tolérer l'affection que lui porte le public après une période de succès populaire, récuse son rôle de chouchou des foules pour lâcher une bombe puante de film destiné à séparer le bon grain de l'ivraie parmi ses fans. A l'époque, en 1980, le succès populaire est *Manhattan*, et la bombe puante, *Stardust Memories*. A présent, ce sont *Tout le monde dit I love you* et *Harry dans tous ses états* (qui aurait tout aussi bien pu s'intituler *Tout le monde dit I hate you*). Elisabeth Shue, Judy Davis, Demi Moore et Kirstie Alley se relaient à tour de rôle pour rôtir Harry à la broche. On a même droit à une apparition de Mariel Hemingway sous les traits d'une parent d'élève revêche. Au vu de la carrière d'Allen, c'est un peu comme si Boticelli retouchait sa Vénus en lui ajoutant une paire de cornes diaboliques.

D'abord content de souligner les éléments autobiographiques du film (« C'est un personnage que je ressens en moi »), Allen change de tactique après la sortie du film, alors que les critiques se déchaînent. « Je pensais que quand le film serait fini, je dirais, 'Ça oui, c'est bien moi', et que je ne ferais pas mon manège habituel en disant, 'Ce n'est pas moi, ce n'est pas comme ça que je fonctionne, je n'ai jamais eu de panne d'inspiration, je n'ai jamais kidnappé mon gamin, je n'aurais jamais le culot d'agir comme ça, je ne reste pas à la maison à boire et à recevoir des prostituées toute la nuit.' Si une ancienne fac devait me rendre hommage – ce qui ne risque pas d'arriver – je n'irais sans doute pas. Hormis la capacité à écrire n'importe quand, rien dans le film ne me ressemble, mais la solution la plus simple était de dire oui. J'ai abandonné l'idée de dire non. »

Celebrity

1998

Malgré un casting plein de stars, dont Kenneth Branagh et Winona Ryder (ci-dessus), ainsi que Charlize Theron en reine des podiums (à droite), *Celebrity* fera un four.

« J'ai toujours trouvé que la culture dans laquelle nous vivons célèbre les individus les plus improbables », dira Allen en parlant de *Celebrity*. « Qu'il s'agisse d'un membre du clergé, d'un chirurgien esthétique ou d'une prostituée comme celle jouée par Bebe Neuwirth, quelqu'un décroche le statut de célébrité dans son domaine et devient *le* spécialiste médical, ou *le* prêtre qui passe à la télé ou *la* star de cinéma comme l'interprète Leonardo [DiCaprio]. Tout cela m'intéresse et m'amuse – cet intérêt que nous portons aux gens comme Joey Buttafuoco, qui a sa propre émission télé. »

Allen commence par douter que Kenneth Branagh puisse prendre l'accent américain pour incarner Lee Simon, un journaliste brièvement introduit au sein du gratin du show-business. Mais lorsque Robert Altman lui montre des extraits de *The Gingerbread Man*, Branagh décroche le rôle. Il suggère à Allen de faire porter des lunettes à son personnage, comme John Cusack dans *Coups de feu sur Broadway*, mais le cinéaste décide finalement que non. « Il m'a malgré tout influencé parce que j'adore ses films depuis toujours », dira Branagh, qui songe alors, « Si je commence à faire une mauvaise imitation de Woody Allen, il saura m'arrêter. » Avec Judy Davis, Branagh est le seul acteur qui a droit de voir le scénario complet. Comme d'habitude, les autres ne reçoivent à lire que leurs scènes, dont Leonardo DiCaprio dans le rôle d'un jeune premier carburant aux drogues et choyé par son entourage, et Charlize Theron dans celui d'un top model, rôle qu'elle s'est toujours promis de ne pas incarner à l'écran jusqu'à ce qu'Allen lui écrive une lettre pour la raisonner.

Tourné en noir et blanc par Sven Nykvist, dont se sera la dernière collaboration avec Allen, le film marque également la fin de sa longue association avec la monteuse Susan Morse, présente sur tous les films d'Allen depuis *Manhattan*. Moins récit que succession de scènes vaguement reliées par un thème et exhalant un léger parfum de lubricité, *Celebrity* représente la culmination de la veine plus crue qui caractérise ses drames depuis *Maudite Aphrodite* – ce que certains surnommeront sa trilogie putes-et-fellation. « Avec l'âge, Woody Allen s'est mué en un étrange mélange de libertin et de donneur de leçons intello », écrit James Wolcott dans *Vanity Fair*. « Ses hommes et ses femmes avaient beau s'agacer mutuellement, leurs angoisses s'avéraient identiques ; ils s'agrippaient au même divan de psychiatre – le canot de sauvetage à la juive. Depuis *Maudite*

Aphrodite, le pouvoir sexuel a changé de mains. A présent, lorsqu'une femme ouvre la bouche dans un film de Woody Allen, ce n'est pas parce qu'elle doit parler. Les films d'Allen penchant vers le porno, la fellation est devenue la meilleure façon de faire taire les femmes. »

La traversée tardive d'une période bleue se retrouve chez de nombreux artistes masculins – on pense aux satyres de Picasso, et même à Scorsese dans *Les Infiltrés* ou *Le Loup de Wall Street* – mais dans le cas de *Celebrity*, le désabusement est d'autant plus perceptible et, au bout du compte, nuisible, que le sujet du film est la célébrité. Allen demande à ses personnages de mimer la vaine objectivisation de la renommée tout en s'abandonnant à ses fantasmes lubriques sur la vie sexuelle des stars dans une pseudo satire fellinienne. A bien des égards, le film est le pendant de *Stardust Memories*, mais on ne peut satiriser avec des lunettes embuées. Ça cache la vue. Et c'est bien là le problème : une bonne partie de *Celebrity* semble moins tirée de la vie réelle de stars que des propres fantasmes sordides d'Allen. Dans les trente premières minutes, l'échotier flirte avec une actrice jouée par Winona Ryder, se voit offrir une fellation par une vedette jouée par Melanie Griffith, se fait lécher l'oreille par la top-model incarnée par Charlize Theron, et accompagne une star montante complètement shootée (Leonardo DiCaprio) à Atlantic City, où il participe malgré lui à une partouze.

« Je n'avais pas d'opinion arrêtée là-dessus, mais [je voulais] simplement montrer que c'était un phénomène qui avait pénétré ma culture à ce stade, que tout le monde voue un tel culte à la célébrité. Voilà ce que j'ai essayé de faire. Je ne sais pas si j'ai réussi, mais j'ai essayé. »

Ci-dessus : Flanqué de son acolyte (Sam Rockwell) et du journaliste Lee Simon (Branagh), la star dissolue Brandon Darrow (Leonardo DiCaprio) débarque à Atlantic City.

Page ci-contre : L'interprétation de Branagh sera largement dénigrée pour son imitation des tics d'Allen.

Presque toute la critique s'accorde sur le jeu mimétique de Branagh : « Branagh bredouille, hoche la tête et passe par toute la gamme des autres tics et manies biens connus de Woody – il nous offre un numéro tout en nervosité là où une interprétation aurait suffi », déplore Edward Guthmann dans le *San Francisco Chronicle.* « Son numéro d'esbroufe est à jeter dans la même poubelle que ses cabotinages dans *Frankenstein.* » Malgré l'insistance de Branagh à prétendre le contraire, Allen paraît étrangement incapable de corriger ses acteurs quand ils commencent à l'imiter. Pire encore, les gesticulations de Judy Davis dans le rôle de l'ex-femme de Simon qui, dans une scène devenue célèbre, se fait enseigner l'art de la fellation sur une banane par Bebe Neuwirth. « En effervescence dans *Maris et femmes*, en ébullition dans *Harry dans tous ses états*, elle devient une véritable triathlète de l'angoisse existentielle dans *Celebrity* – sa détresse pourrait à elle seule dévier un champ de gravitation. »

Celebrity est vendu par Miramax comme une production bourrée de stars, le nom d'Allen n'apparaissant qu'en petits caractères dans les publications promotionnelles. « Ils ont sans doute honte de moi », suppose alors ce dernier. Malgré tout, le film fait un four. « Je réalise le premier film avec DiCaprio après *Titanic*, et ça ne rapporte pas un rond », commentera-t-il comme s'il en était fier. Son amertume effectue ici un retour en force, mais cette fois, le rapport passif-agressif avec son public suit un cycle beaucoup plus rapide. Si *Celebrity* est à *Tout le monde dit I love you* ce que *Stardust Memories* est à *Annie Hall*, alors son prochain film est un nouveau *Zelig* : le règlement de compte avec lui-même le plus honnête de sa carrière filmique.

Accords et désaccords

1999

Accords et désaccords est en fait une version largement modifiée de *The Jazz Baby*, le scénario écrit près de trente ans plus tôt, mais qu'Allen avait décidé de ne pas tourner en voyant la réaction des producteurs d'United Artists. « J'ai toujours su que c'était une bonne idée », expliquera-t-il. « J'ai toujours voulu faire quelque chose sur un guitariste virtuose égocentrique et complètement névrosé. » La structure ne change pas – les aventures supposées d'un guitariste de jazz nommé Emmet Ray narrées sur le mode du documentaire – et les personnages restent également les mêmes, dont Hattie, la petite amie muette et malmenée d'Emmet. *The Jazz Baby*, cependant, s'avérait « bien moins divertissant », affirme Allen. « L'impression que l'on retient de l'original est celle d'un musicien tellement porté sur l'autodestruction que cela en devient triste. Du masochisme à la louche, du masochisme à l'allemande, façon Emil Jannings. Il fallait injecter un peu d'énergie, et trouver un type qui ressemble à Django Reinhart. Pas si facile. »

Il envisage d'octroyer le rôle à Johnny Depp, puis à Nicolas Cage, voire à lui-même. Lorsque la directrice de casting Juliet Taylor lui suggère Sean Penn, Allen se montre dubitatif. Il a entendu parler de sa réputation soupe au lait, mais après une enquête auprès de gens ayant récemment travaillé avec lui, accepte de rencontrer l'acteur alors âgé de 38 ans. Il tombe instantanément sous le charme. Quant à Samantha Morton, il la voit dans *Under the Skin* et la choisit aussitôt pour le rôle de la jeune femme muette.

« Je voudrais que vous jouiez à la façon de Harpo Marx », lui dit-il.

« Qui est Harpo Marx ? »

« Harpo Marx ! Celui des Marx Brothers qui ne parle pas. »

« Qui sont les Marx Brothers ? »

« Ça m'a filé un sacré coup de vieux », racontera le réalisateur alors âgé de 62 ans. « Je n'en revenais pas. Je lui ai dit, 'Eh bien, vous devriez les regarder, vous aimeriez !' Et elle l'a fait. Ensuite, les deux premiers jours, elle ressemblait tellement à Harpo Marx, avec toute sa gestuelle, que j'ai dû lui dire d'en faire moins ! Mais quand j'ai vu son visage, j'ai su qu'elle serait parfaite. Je n'avais jamais entendu parler d'elle et je ne savais rien d'elle. C'est sur une cassette de démo que j'ai découvert Samantha. Et j'ai dit, prenez-la. Elle a le bon visage. »

Page ci-contre : L'autoproclamé « deuxième plus grand guitariste de tous les temps » Emmet Ray (Sean Penn) tente une entrée en scène extravagante.

A droite : Samantha Morton est la petite amie muette d'Emmet, Hattie.

La partie la plus agréable du film s'avère le choix de la musique. D'habitude, Allen monte ses films puis s'installe avec

« Dieu merci, je ne l'ai pas joué, parce que la façon dont Sean l'a fait est bien, bien meilleure. »

Penn excelle dans le rôle de l'odieux Emmet, dont les seules démonstrations de tendresse sont réservées à sa guitare.

sa vieille collection de vinyles et sélectionne les morceaux. Si un titre ne marche pas, il en essaye un autre. « Comme ce film parlait de musique, ça a été un plaisir encore plus grand que d'utiliser mes disques préférés tout du long », expliquera le cinéaste, qui empruntera à George Gershwin le titre de l'une de ses compositions pour nommer son film [*Sweet and Lowdown*]. « Le premier titre auquel j'ai pensé était *Sweet and Hot*, un terme de jazz qui s'accordait assez bien aux personnages. Mais j'ai trouvé que *Sweet and Lowdown* collait encore mieux. Sweet [douce] pour elle, et lowdown [méprisable] pour lui. »

Desservi à certains égards par la futilité qui caractérise l'œuvre d'Allen dès la fin des années 90, où la forme documentaire remplace la structure dramatique proprement dite, *Accords et désaccords* livre néanmoins le Portrait de l'Artiste en Connard Pathologique le plus pénétrant qu'Allen ait jamais produit – thème qu'il affectionne depuis *Coups de feu sur Broadway.* Il s'agit donc d'un chapelet d'anecdotes en forme de biopic sur un guitariste de jazz des années 30 appelé Emmet Ray (Sean Penn), considéré par la critique et les musiciens – dont Emmet lui-même – comme le deuxième plus grand guitariste de tous les temps après Django Reinhardt (qu'il surnomme « le gitan français »), mais qui s'avère, sous tous ses autres aspects, un beau salaud. La sensibilité qu'il met dans son jeu tranche radicalement sur la brutalité de ses rapports avec son entourage, et notamment avec sa petite amie, la douce Hattie (Samantha Morton), qui encaisse sa cruauté avec la même avidité qu'elle déguste ses glaces au chocolat. « J'ai touché le gros lot ! » ironise-t-il face à son mutisme. « Tu es née comme ça ou on t'a fait tomber sur la tête ? »

Penn frôle souvent la caricature – un paon en complet blanc qui se pavane, entre folie des grandeurs et insécurité flagrante – mais dès qu'il attrape sa guitare, il ferme les yeux de plaisir et, sourcils arqués, égrène ses notes à la perfection : la béatitude personnifiée. Le renversement de situation qui permettrait d'ouvrir le personnage aux autres ou de le retourner n'arrive jamais vraiment. Une carrière dans le cinéma muet s'offre à Hattie et, l'espace d'un instant, on s'attend à ce qu'Allen nous serve une autre de ses comédies où le rapport de force se voit brusquement inversé (Emmet forcé de jouer les seconds rôles face au succès naissant de Hattie), mais le réalisateur a senti la facilité et se garde bien d'y céder. Entre alors en scène la mondaine déclassée jouée par Uma Thurman, qui s'approprie Emmet et l'implore de « l'étonner » de sa voix pleine de roucoulades. Le plan suivant les montre en train de tirer sur les rats dans un entrepôt ferroviaire, son passe-temps favori.

Cet enchaînement s'avère le gag le plus drôle du film, mais la présence de Thurman ne fait que réitérer ce que nous savons déjà

Ci-contre, en haut : Emmet hésite à laisser Hattie le suivre en tournée.

Ci-contre, en bas : La mondaine Blanche (Uma Thurman) se fascine pour le passé sulfureux d'Emmet.

Ci-dessus : Emmet dans son habitat naturel, près des voies ferrées, à trinquer avec les clochards.

du personnage d'Emmet, dont l'égoïsme consume la pellicule. Néanmoins, au sein de cette monotonie structurelle, couve la performance de Sean Penn qui, comme le fera Cate Blanchett dans *Blue Jasmine* quelque quatorze ans plus tard, explore les tréfonds de l'une des plus tragiques âmes en peine qu'Allen ait mises en scène. Sombre pépite, le dénouement voit Emmet comprendre qu'il a fait une erreur avec Hattie. Lorsqu'il la retrouve, elle s'est mariée. « Heureuse ? » lui demande-t-il. La dernière image de lui – où il s'efforce de séduire Gretchen Mol le long des voies ferrées avec sa reprise de « Sweet Sue », avant de briser sa guitare en mille morceaux – laisse entendre qu'Emmet a ensuite disparu de la vie publique, non sans avoir auparavant enregistré sa plus belle œuvre. « Il s'est épanoui», affirme Allen lui-même, qui joue l'un des commentateurs. « Heureusement, on a les derniers disques qu'il a faits, et ils sont superbes. Absolument magnifiques. »

On jurerait qu'Allen formule-là sa propre épitaphe. Car le cinéaste révèle une présence bien insaisissable pour quelqu'un qui a passé presque toute sa carrière à l'écran. Et il brouille les pistes davantage en ne cessant de contredire les journalistes trop présomptueux. Pourtant, de temps à autre, il jette la lumière sur lui-même, un aperçu aussi saisissant et implacable que la vision du Yéti. Soudain, le voilà. *Accords et désaccords* en est un exemple. La désolation douce-amère qu'engendre l'ultime coupe au noir reste sans pareil dans l'œuvre d'Allen, et le soin méticuleux avec lequel il alterne admiration pour l'art et désabusement envers l'artiste dévoile une sincérité que seuls rendent possible les ressorts dramatiques. A l'image de Dieu, il est présent à travers son absence, l'agnosticisme d'Allen découlant moins d'une croyance théologique que de la rivalité professionnelle.

Escrocs mais pas trop

2000

Escrocs mais pas trop est la première des quatre idées qu'Allen ressort de son tiroir pour DreamWorks. « Je me suis dit qu'il fallait que je commence à faire quelque chose de ces idées parce que je me faisais vieux, et qui sait ce qu'il va m'arriver ? J'ai pas envie qu'elle restent cantonnées au fond de mon tiroir comme des idées comiques géniales que je n'ai jamais réussi à réaliser. » En fait, on devine plutôt qu'Allen a cherché à plaire à ses nouveaux patrons qui, alléchés par les chiffres de Fourmiz, auquel il a prêté sa voix, le signe pour une série de quatre films – que des comédies : libre à lui de proposer ses films sérieux ailleurs. On sent donc une bonne dose de cynisme des deux côtés. A plus d'un titre, la série de films qu'il réalisera pour DreamWorks – *Escrocs mais pas trop*, *Le Sortilège du scorpion de jade*, *Hollywood ending* et *Anything else : La Vie et tout le reste* – marque sinon le creux de la vague de la carrière d'Allen en tant qu'auteur de comédies, du moins une période d'allégresse forcée chez un dramaturge dont la muse comique commence à dépérir.

Escrocs mais pas trop reste le meilleur du quartet – une farce déjantée sur une bande de malfrats stupides qui ne sont pas sans évoquer ceux de *Prends l'oseille et tire-toi*. L'idée vient à Allen après avoir lu un article sur une bande de malfaiteurs ayant creusé un tunnel sous une bijouterie depuis la boutique adjacente. Et si le casse ne marchait pas, mais que le commerce bidon qu'ils avaient lancé faisait un tabac ? J'avais l'impression qu'il me manquait encore la moitié de l'histoire », racontera-t-il. « Alors, j'ai commencé à réfléchir. Qu'advient-il d'eux ? Ils deviennent millionnaires. Mais les courses de chiens et leurs émissions télé leur manquent. Ils regrettent leur vie d'avant, et cette soudaine richesse les rend très malheureux. »

Allen enfile de nouveau son costume de Danny Rose pour jouer Ray Winkler, un ex-taulard converti à la plonge, qui monte une combine pour dévaliser la banque depuis une boutique de cookies qu'ils établissent sur le même trottoir. Prenez Tracey Ullman dans le rôle de l'épouse, Frenchy, ancienne stripteaseuse du New Jersey, qui fait la pâtisserie avec l'aide de son empotée de cousine, May (Elaine May). Ajoutez à cela Jon Lovitz et Michael Rapaport, et vous obtenez une belle bande de bras cassés – la voix d'Ullman suffirait à décaper les murs. Chaque scène déborde d'insultes et d'invectives

« On n'entend jamais personne dire d'un écrivain, d'un peintre ou d'un sculpteur : 'Dites, c'est incroyable : il a un pouvoir absolu sur son œuvre !' »

Page ci-contre : Si Allen connaît la grande comédienne Elaine May depuis les années 60, *Escrocs mais pas trop* reste à ce jour leur seule collaboration à l'écran.

Ci-dessus : David (Hugh Grant), marchand d'art sans scrupule, offre à Frenchy et Ray (Tracey Ullman et Woody Allen) un cours accéléré en art.

tandis qu'Allen lâche ces imbéciles les uns contre les autres et que l'intrigue s'emmêle les pinceaux dans une succession de virages à 90° à l'efficacité décroissante. Alors que les cookies de Frenchy se vendent comme des petits pains, la bande se retrouve bientôt à la tête d'une franchise de plusieurs millions de dollars. Arrive un marchand d'art (Hugh Grant) chargé de transformer Frenchy en une femme cultivée, tandis que Ray étrenne une nouvelle carrière de voleur de bijoux. Tout cela forme moins une intrigue qu'une grappe de bonnes idées en quête d'une comédie, même si May pourrait bien rattraper le film grâce à sa tirade sur la pluie et le beau temps destinée à détourner l'attention pendant que Ray commet son larcin – une petite merveille d'ineptie. « J'ai simplement dit ce qui me passait par la tête », expliquera l'actrice.

May s'avère si drôle, et sa complicité avec Allen si évidente, qu'on se surprend à pester que les deux n'aient jamais eu d'autres collaborations à l'écran. « Elle arrive à l'heure, connaît son texte, improvise avec créativité et plaisir », se félicite Allen. « Si vous ne voulez pas [qu'elle improvise], elle ne le fait pas. C'est un rêve. Elle se remet entre vos mains. C'est un génie, et je n'utilise pas ce mot tous les jours. Tout est dans sa voix. » Si *Escrocs mais pas trop* s'anime dès que le duo apparaît à l'écran, les autres films qu'Allen tournera pour DreamWorks prouvent combien il est difficile d'obtenir une telle alchimie entre les êtres.

Le sortilège du scorpion de jade

2001

« C'est très regrettable et embarrassant », dira Allen du *Sortilège du scorpion de jade*, son hommage le plus patent aux comédies loufoques (*screwball comedies*) et aux enquêtes policières de l'Ere du Jazz. Le film constitue sa tentative de pastiche la plus poussée depuis *Ombres et Brouillard* – pour un résultat similaire. « J'ai fait faux bond à des acteurs incroyablement talentueux. J'avais Helen Hunt, une actrice et comédienne splendide. J'avais Dan Ackroyd, que j'ai toujours trouvé hilarant. J'avais David Ogden Stiers, que j'ai beaucoup utilisé et qui m'a toujours donné satisfaction. Elizabeth Berkley est merveilleuse. On a eu du succès à l'étranger, mais moins ici. De mon point de vue, je pense que peut-être... et les prétendants au titre sont nombreux... qu'il pourrait peut-être s'agir de mon pire film. »

Il exagère. L'idée lui est venue quelque quarante ans plus tôt, alors qu'il écrivait pour la télévision. Allen joue un enquêteur pour une compagnie d'assurances qui, envoûté par un magicien retors, va commettre une série de cambriolages dont il ne garde aucun souvenir. L'idée de l'hypnose est exploitée à merveille, avec une délicieuse apparition de Charlize Theron dans le rôle d'une vamp platine tout droit sortie du *Grand Sommeil*. Cependant, le film pâtit d'un seul mauvais choix de casting : celui d'Allen lui-même dans le rôle du protagoniste, C.W. Briggs. D'abord imaginé comme un détective privé, ce dernier devient un enquêteur pour une compagnie d'assurances lorsque Allen décide qu'il sera la tête d'affiche. Peine perdue. L'interprétation d'Allen, censée porter le film, oscille entre nigauderie habituelle et velléité de jouer les durs – comme si Allen prenait le rôle de Bogart dans *Tombe les filles et tais-toi*.

Helen Hunt interprète Betty Ann Fitzgerald, une consultante engagée pour assainir et moderniser la compagnie d'assurances. Elle et Briggs sont censés se vouer une haine sans bornes, comme le voudrait la tradition dans ce genre de comédies où l'amour finit toujours par triompher. Or, l'écoeurement qu'elle éprouve face à ce sale type s'avère contagieux. A l'issue de la projection d'un premier montage, Allen veut tout recommencer, comme il l'avait fait pour *September*. Mais les coûteux décors ont déjà été détruits. DreamWorks, au contraire, encouragé par le succès d'*Escrocs mais pas trop*, sort le film dans 900 salles, un record pour un film de Woody Allen. Il ne fait que 2,5 millions le premier week-end de sa sortie. « Voir Woody Allen jouer un individu dont l'inconscient est séparé de lui-même est contre nature », note Peter Rainer dans le *New York Magazine*. Allen ne peut qu'acquiescer. « J'ai cherché mais je n'ai trouvé personne de disponible avec un tant soit peu de sens comique », dit-il. « Mais j'ai eu tort. »

Page ci-contre, en haut : « Je me sens étrangement excitée d'être là, dans cet hôtel miteux, avec un assureur myope. » Le public trouvera également étrange que C.W. Briggs (Allen) parvienne à exciter la vamp incarnée par Charlize Theron.

Page ci-contre, en bas : Contraint sous l'hypnose à commettre des cambriolages dont il n'a aucun souvenir, Briggs ne comprend pas pourquoi on l'arrête.

A droite : Allen reste le critique le plus sévère à l'égard de ses propres films, et estime que *Le Sortilège du scorpion de jade* s'avère sans doute le pire de toute sa filmographie.

Hollywood Ending

2002

Hollywood Ending a été imaginé quelques années plus tôt par Allen et Brickman, qui avaient alors en tête Gérard Depardieu dans le rôle de Houdini. Et si le virtuose de l'évasion souffrait de claustrophobie ? Et s'il perdait la vue à cause de troubles psychosomatiques ? Et s'il allait à Vienne pour être soigné par le Docteur Freud ? Le scénario ne sera jamais écrit, mais l'idée d'un génie frappé de cécité refait surface dans ce film de 2002, où Val Waxman (Allen), un réalisateur jadis renommé, saisit l'occasion de redorer sa carrière quand son ex-femme Ellie (Téa Leoni) persuade un producteur – qui est aussi son fiancé – de le laisser réaliser un mélodrame new-yorkais. Juste avant le début du tournage, le stress fait perdre la vue à Val, qui devra faire semblant de rien sur le plateau.

La blague n'est pas mauvaise : « Si tu voyais les films qu'ils sortent ! » s'exclame l'agent de Val, joué par l'excellent Mark Rydell. Que cela mérite un long-métrage, qui plus est de près de deux heures, c'est une autre histoire. L'une des premières victimes du passage d'Allen chez DreamWorks est Susan Morse, sa monteuse de longue date. C'est l'un des rares films de Woody Allen à partir de cette date dont le rythme reste enlevé. La vivacité du jeune humoriste cède ainsi la place à la sédentarité d'un homme plus âgé. La dernière fois qu'un studio a interféré dans son œuvre – en fait, la seule et unique fois – remonte plus de trente ans en arrière, avec *Quoi de neuf, Pussycat ?* Et comme beaucoup des films repêchés au fond de son tiroir pour plaire à ses nouveaux bienfaiteurs, *Hollywood Ending* a tout d'un vieux numéro : ses cibles satiriques – les producteurs cupides, les aspirantes starlettes, le punk rock, la vidéo – ne sont plus vraiment d'actualité.

Dans l'un de ses derniers rôles d'importance, Allen passe en mode frénétique, agitant les bras comme s'il hélait un taxi new-yorkais et ruminant ses bons mots jusqu'à plus soif. « Je tuerais pour ce job. Mais ceux que je veux tuer sont ceux qui me l'offrent. » Pourtant, son jeu semble laborieux, curieusement distant, et sa cécité l'isole davantage de ce dont il aurait plus que jamais besoin : ses partenaires à l'écran. Lui et Téa Leoni pourraient tout à fait apparaître dans deux films distincts, Leoni trop statique face aux gesticulations d'Allen, et Allen trop puéril devant la cérébrale Leoni. « Lorsque le dernier film d'Allen, *Hollywood Ending*, débite ses bons mots, le film vibre de ce rythme délirant propre aux compositions de Thelonious Monk, un rythme jazzy tout en tension, caractéristique de l'humoriste », écrit Elvis Mitchell dans le *New York Times*. « Mais une fois que l'énergie de ses blagues retombe, on se retrouve avec un projet si rance qu'on a envie d'ouvrir la fenêtre pour faire entrer de l'air frais. »

Premier de ses films à ne pas sortir sur les écrans en Grande-Bretagne, où il atterrit directement dans l'humiliante case DVD, *Hollywood Ending* se retrouve au bout d'un mois dans les salles discount de Times Square, à New York. Alors qu'il présente son film à Cannes, le réalisateur s'étonne de cet accueil mitigé. « De tous les films que j'ai faits, ça a été la plus grosse surprise », avoue-t-il à Eric Lax. « Car d'habitude, je n'aime pas mes travaux finis, mais celui-là, si. » Cette surestimation de son propre travail n'est pas seulement rare chez Allen, elle est pratiquement sans précédent, du moins s'agissant de ses comédies, dont il accepte généralement le verdict du public sans objecter. Qu'il s'en montre cette fois-ci incapable témoigne à la fois de l'évolution de son attitude envers le public, qui compte davantage pour lui qu'à n'importe quel autre moment de sa carrière, et de sa panique à voir son troisième film pour DreamWorks emprunter la même voie sans issue dans laquelle il semble engagé. Il lui faudra toucher le fond avant de remonter.

Ci-dessus : Réalisateur tombé en disgrâce, Val Waxman (Allen) renoue avec son ex-femme Ellie (Téa Leoni).

A gauche : Dans une scène précédente, Val présente sa petite amie (Debra Messing) à Ellie et son nouveau compagnon (Treat Williams).

« De temps à autre, quelque chose de drôle se produit. Et ça fait du bien. Puis, on retourne à la réalité, qui n'est pas drôle. Il suffit de lire les journaux du matin et de voir que le monde réel est pourri et mauvais. »

Retour à la réalité. Portrait par Arnault Joubin, vers 2000.

Anything else : La Vie et tout le reste

2003

« Il y avait beaucoup de choses amusantes dans ce livre, mais il n'était pas assez bon », dira Allen de sa seule tentative de roman, rédigé alors qu'il a arrêté d'écrire ses nouvelles pour le *New Yorker*. L'histoire parle d'un jeune homme qui s'éprend d'une fille superbe mais un peu fêlée sur les bords, et qui prend conseil auprès d'un confrère plus âgé intarissable sur des sujets aussi divers que la vie, la comédie, la philosophie, mais qui finit interné… Vaguement inspiré de l'expérience du cinéaste, qui a débuté en tant qu'aspirant écrivain et s'est marié très tôt, le livre est confié en 2001 à Roger Angell, l'éditeur d'Allen au *New Yorker*, ainsi qu'à quelques amis, pour recueillir leur opinion. « Ils se sont montrés très gentils et très obligeants, mais j'ai bien vu qu'ils n'étaient pas emballés. »

Allen recycle donc l'idée dans *Anything Else : La Vie et tout le reste*, dernière des comédies au destin calamiteux qu'il réalise pour DreamWorks. Jerry (Jason Biggs), jeune auteur de sketches submergé par les névroses de sa petite amie Amanda (Christina Ricci), trouve réconfort auprès de son ami, David Dobel (Allen), jadis interné pour avoir attaqué son psy, et qui n'hésite pas à frapper des voyous à la barre de fer pour défendre sa place de parking. Allen trouve-là un bon moyen de ressusciter son double cinématographique, le râleur parano qui ressasse ses thèmes fétiches, depuis Freud et la thérapie jusqu'à l'art et les femmes, ponctuant toutes ses diatribes d'un précepte bidon (« Si tu prends soin de ton crayon hémostatique et le sèches entre les rasages, il durera plus longtemps que la plupart de tes

« Quelqu'un a dit que tout ce que je disais toujours dans mes films y était résumé – et c'était dit de manière positive – mais pour moi, c'était quelque chose de négatif. Je ne sais pas. Durant les projections, les gens avaient l'air d'adorer. Encore une fois, c'est un de ces films que personne n'a vraiment saisi. »

Page ci-contre : L'auteur comique, Jerry (Jason Biggs), et sa petite amie capricieuse Amanda (Christina Ricci).

A droite : Prêche sur le trottoir.

relations. ») Si Alvy Singer, autre mémorable parano, n'avait pas eu quelqu'un pour lui remettre les idées en place, il aurait bien pu finir comme Dobel – un Unabomber version minable.

Les jeunes acteurs s'en sortent moins bien. Photographié par Darius Khondji, chef opérateur d'origine iranienne, le film se délecte du genre de longs plans-séquences, dans lesquels Amanda et Jerry ne cessent de disparaître puis de revenir dans le cadre, de discuter « pessimisme nihiliste », de citer Eugene O'Neill, Jean-Paul Sartre ou Tennessee Williams. A les voir, on pense aux comédiens qui rejouent un dialogue entre Annie et Alvy dans la pièce écrite par ce dernier, à la fin d'*Annie Hall* : deux jeunes pantins qui exécutent le numéro bien rôdé de leur marionnettiste. Ecrivain, Allen s'avère bien trop attentif à la langue pour qu'on ne remarque pas, dans ses comédies récentes, l'écart récurrent entre texte et comédiens. Dans *Hannah et ses sœurs*, il pouvait compter sur Dianne Wiest, Mia Farrow ou Barbara Hershey pour corriger ses petites erreurs. Or, la jeune génération, toute impressionnée de se retrouver dans un film de Woody Allen, ne peut faire de même. Jason Biggs, tête d'affiche d'*American Pie* 1 et 2, ne va pas dire au réalisateur oscarisé que les jeunes ne fréquentent pas le club de jazz du Village Vanguard, et qu'on ne dit plus « faire l'amour » ou « avoir le béguin ».

« Je répète avec le caméraman toute la matinée et je règle la lumière, je fais une pause pour le déjeuner puis je reviens pour tourner la scène, et on a bouclé sept pages en cinq minutes », se félicite Allen, qui est assez fier du résultat pour présenter le film à Venise, où il ouvre la 60e édition de la Mostra. Pourtant, malgré la présence à l'écran de deux stars montantes et d'une projection dans 1 035 salles, *Anything Else* sera, en termes d'entrées, son échec le plus cuisant depuis *Ombres et Brouillard*. « Rien là-dedans ne constitue véritablement un film ; il s'agit davantage d'un fatras de bribes d'idées et de boutades avec quelques petits fragments de controverse malsaine », regrette Peter Rainer dans le *New York Magazine*. « Le vrai problème avec les films récents, ce n'est pas qu'ils soient mauvais », précise quant à lui Peter Biskind dans Vanity Fair, « car ils ne le sont pas – ils ne servent simplement à rien. » Cinquième film successif adapté de vieilles idées recyclées, *Anything Else* souligne la volonté d'Allen de trouver sa place dans un nouveau marché cinématographique, mais révèle également l'inconsistance croissante de sa muse comique. Chose intéressante, son film suivant traitera précisément de ce sujet.

Melinda et Melinda

2004

Allen nourrit depuis longtemps le projet de filmer la même histoire de deux manières différentes – l'une comique, l'autre tragique. Il mentionne l'idée à Peter Rice, dirigeant chez Fox Searchlight. « Ils n'aimaient pas l'idée de travailler à ma façon, c'est-à-dire sans voir le scénario, sans connaître l'intrigue, sans rien savoir du tout », racontera Allen. « Mais lui, il avait envie de le faire, et c'est tout à son honneur, selon moi. »

A l'image de *Broadway Danny Rose*, *Melinda et Melinda* s'articule autour d'une conversation de fin de repas. S'attardant à table après un dîner chez Pastis, dans le West Village, deux auteurs de théâtre (Wallace Shawn et Larry Pine) débattent des éléments constituants de la comédie et de la tragédie. Une histoire est ainsi racontée deux fois pour répondre à cette question. Dans la partie « comédie », un petit ragtime accompagne l'arrivée de Melinda (Rhada Mitchell), la voisine de Susan et Hobie (Amanda Peet et Will Ferrell), au beau milieu d'un de leurs dîners. Hobie s'éprend alors de la jeune femme. S'ensuit un jeu de chaises musicales qui débouchera sur leur union. Dans la partie « tragédie », c'est un quartet à cordes qui attaque Bartok lorsque Melinda, une femme récemment divorcée, débarque dans le loft d'une amie et de son mari (Chloë Sevigny et Johnny Lee Miller). Dans cette dernière version de l'histoire, le mari ne cache pas son mépris pour cette femme clairement toxique, qui préfère rivaliser avec Sevigny pour obtenir l'affection d'un charmant pianiste (Chiwetel Ejiofor). Un nouveau tour de ronde débute, qui finira cette fois par une tentative de suicide.

Savoir si l'histoire tient de la comédie ou de la tragédie demeure l'une des premières questions qu'Allen se pose lorsqu'il écrit un scénario. Ainsi, *Comédie érotique d'une nuit d'été* a d'abord été imaginée comme une pièce de chambre tchékovienne, ce que finira par devenir *Une Autre femme*, avant qu'il ne revisite le tout sur un mode comique dans Alice. Ici, son imagination semble autant se hisser vers la comédie que tomber vers le tragique. De toute évidence, la partie comédie du film est celle qui marche le moins bien, avec un Will Ferrell rivalisant avec Kenneth Branagh pour le titre du Plus mauvais Imitateur de Woody Allen, faille d'autant plus visible que Ferrell s'avère par ailleurs excellent acteur comique. L'espace d'un instant,

Page ci-contre : Tournage en extérieur à New York, où le légendaire chef opérateur Vilmos Zisigmond dirige les opérations.

Ci-dessus : Melinda (Radha Mitchell) perd pied dans la partie « tragique » du film. Allen a écrit le rôle pour Winona Ryder, mais se voit contraint de la remplacer car le budget ne peut couvrir le coût de son assurance.

quand il coince son peignoir dans la porte de Melinda alors qu'il l'écoute faire l'amour, Ferrell prend vie. Mais le reste du temps, ce gros nounours de comédien se voit réduit à jouer un personnage bien trop modeste pour sa personne si physique.

C'est Mitchell qui offre l'interprétation la plus fascinante. Tour à tour fragile et évaporée, fumant comme un pompier et descendant des litres de vin rouge dans la partie « tragédie », elle ne cesse de suivre le même schéma romantique autodestructeur. On pourrait objecter qu'Allen ne respecte pas vraiment la consigne qu'il s'est imposée : on assiste moins au récit d'une même histoire sur deux modes différents qu'à celui de deux histoires plus ou moins différentes, reliées entre elles par une actrice et quelques leitmotivs dramatiques dispersés çà et là : le dentiste, le saut par la fenêtre, la lampe frottée pour exaucer un souhait dans une histoire, et pour le conjurer dans l'autre. Au bout du compte, le film évoque moins l'entrelacement inextricable des éléments comiques et tragiques de l'existence que du désintérêt graduel du cinéaste pour la première forme au profit de la seconde. Une fois le tournage de *Melinda et Melinda* bouclé, il réagira de la même façon que pour *Crimes et Délits*. « J'aurais aimé faire un film seulement avec la partie sérieuse. La moitié comique ne m'a jamais autant intéressé en tant qu'auteur que la seconde moitié. La seconde moitié est là où se trouve mon cœur. »

L'évocation de *Crimes et Délits* s'avère révélatrice. De tous ses drames sérieux, une petite poignée d'entre eux seulement connaîtra le succès, et ils possèdent tous le même sujet : Crimes et délits est le premier à l'aborder de front. *September* l'évoque, comme *Melinda et Melinda*, mais c'est avec son film suivant que Woody Allen offre au thème sa plus large expression en quinze ans. Il s'apprête enfin à laisser libre cours à sa pulsion meurtrière.

« Même pour entretenir ce médiocre niveau, je dois pratiquer tous les jours. Je suis un strict musicien amateur. Je n'ai pas une si bonne oreille que ça. Je suis très mauvais musicien, comme un joueur de tennis du dimanche. »

Un petit air sur le rivage.
Portrait par Brian Hamill,
au début des années 2000.

Match Point

2005

Ci-dessus : Grâce à un financement de BBC Films, Allen démarre sa grande tournée européenne à Londres.

Page ci-contre : « Vous avez un jeu très agressif. » Nola Rice (Scarlett Johansson) se mesure à Chris Wilton (Jonathan Rhys Meyers).

Quelqu'un commet un meurtre puis assassine la voisine de palier pour leurrer la police. A partir de cette accroche, l'intrigue de *Match Point* évolue. Allen réfléchit : Qui est ce type ? Puis, il se dit : Il se lie avec une femme qu'il veut tuer. Et puisqu'elle est riche, il exercera le métier d'entraîneur de tennis pour fréquenter des gens aisés. « *Match Point* est venu tout naturellement. Il se trouvait que j'avais les bons personnages, au bon endroit et au bon moment », commentera Allen. « Comme dans *Macbeth, Crimes et Délits* ou *Les Frères Karamazov*, le meurtre sert moins l'énigme que la philosophie. J'ai essayé de donner un peu de matière à l'histoire pour qu'elle ne soit pas simplement une œuvre de genre. »

A l'origine, l'histoire doit se dérouler aux Etats-Unis, dans les Hamptons. Mais depuis *Harry dans tous ses états*, qui a rapporté 10,6 millions de dollars, les recettes américaines d'Allen sont descendues à 5 millions par film, tandis que ses budgets moyens approchent des 20 millions. Alors que *Melinda et Melinda* n'a engrangé que 3,8 millions sur le territoire national, Fox Searchlight ne cherche même pas à distribuer *Match Point*. Heureusement, BBC Films accepte de lui apporter une partie du financement, à condition qu'il tourne au Royaume-Uni avec une équipe et un casting majoritairement local. « *Match Point* a été génial à faire. Absolument génial », assurera Allen après le tournage de sept semaines durant l'été 2004. Le temps s'avère idéal, avec un ciel couvert comme il les affectionne, et les bons acteurs sont légion. Il pense d'abord à Kate Winslet dans le rôle principal, mais l'actrice refuse, préférant se consacrer davantage à sa famille, trop longtemps négligée à cause de son travail.

Juliet Taylor suggère alors Scarlett Johansson, qui, elle, est disponible. Allen lui fait parvenir un scénario un vendredi après-midi. Le dimanche soir, elle accepte. L'actrice atterrit à Londres le matin du tournage de sa première scène. Elle se rend directement au pub où doit se dérouler la séquence et, sans même avoir répété, feint l'ébriété à la perfection face à

« Chaque décision prise sur ce film, pas seulement par moi mais par tout le monde, a fonctionné. J'ignore si je pourrais retrouver ça un jour et faire un aussi bon film. »

Ci-dessus : Coach au Queen's Club, Chris rencontre de riches membres comme Tom Hewett (Matthew Goode).

Page ci-contre, en haut : Introduit dans le monde privilégié de la famille Hewett, Chris consolide sa position en sortant avec la sœur de Tom, Chloe (Emily Mortimer).

Page ci-contre, en bas : Mais risque de tout faire échouer en entamant une liaison avec la fiancée de Tom.

Jonathan Rhys Meyer. « Les premières prises ont été parfaites », dira Allen de sa nouvelle vedette, qui l'enchante comme peu d'actrices y sont parvenues récemment. « Tout est à sa place : sa personnalité, sa voix, son style, son regard, son poids, ses lèvres. Tout est à sa place de telle sorte que le tout est encore plus que la somme des parties. »

D'habitude réservé, le cinéaste passe cette fois une bonne partie du tournage à plaisanter avec ses acteurs entre deux prises, tant et si bien qu'ils peinent parfois à recréer devant l'objectif l'humeur lugubre de leurs personnages. « Je crois que *Match Point* est ma plus belle réussite avec un thème aussi sombre », avouera Allen. « Evidemment, j'essaie qu'ils soient tous bons, mais certains y parviennent et d'autres, non. Avec celui-là, tout s'est tout de suite mis en place. Les acteurs étaient justes, la photographie aussi, l'histoire fonctionnait. J'ai eu toutes les veines. Ça s'est révélé l'une de mes meilleures expériences. »

Match Point ronronne comme une vieille Jaguar, l'équivalent cinématographique de ces voitures de sport vintage : une classe assumée – un objet d'art, en un sens, mais rapide, fuselé et qui tient la route dans les virages. La mise en scène d'Allen est une merveille de suavité elliptique. Chris Wilton (Jonathan Rhys Meyer) est un coach de tennis irlandais plein d'humilité, employé au très select Queen's Club de Londres pour aider les riches membres, comme Tom Hewett (Matthew Goode), l'aimable et joyeux héritier d'un empire financier, à améliorer leurs revers. S'ensuit une invitation à l'opéra, puis dans la maison de campagne de Tom, dont la sœur Chloe (Emily Mortimer), gentille aristo coincée, ne tarde pas à s'éprendre du nouvel arrivant. Allen rend la progression de Chris fluide et facile : une succession d'heureuses opportunités orchestrée comme une sorte de ballet et mise en musique sur des arias d'époque. Comme pour un tour de magie ou une bonne blague, l'ascension sociale est réussie si elle paraît naturelle.

Il se peut que Rhys Meyer ne soit pas le plus convaincant des Irlandais dans l'histoire du cinéma, mais cette impression de fausseté ne contribue qu'à renforcer le malaise qu'insuffle son jeu opaque et maussade. Alors qu'il rôde aux abords des cercles de discussions, ses interventions contiennent juste la bonne dose de politesse, formulées une fraction de seconde trop tôt, parfois même coupant la parole à ses interlocuteurs d'une façon qui souligne sa hâte de poursuivre ses desseins secrets. Il s'éprend alors de la fiancée de Tom, une sirène à la voix de velours nommée Nola Rice (Scarlett Johansson), que l'on entend avant même qu'elle apparaisse à l'écran, alors que s'achève une partie de ping-pong (« Alors, qui sera ma prochaine victime ? ») C'est un virage brûlant vers la gloire pour Johansson, dont les scènes avec Meyers vibrent d'une tension érotique inégalée dans toute l'œuvre d'Allen. Celui-ci n'a eu de cesse de plaisanter sur le sexe. Il en a parlé continuellement. Il nous a dit tout ce que nous voulions savoir sur le sexe sans jamais oser le demander. Mais il n'a jamais vraiment tourné

de scènes de sexe comme celles entre Nola et Chris dans un champ sous la pluie, où ils s'enlacent comme deux serpents, oublieux un instant de leurs secrets desseins de grandeur.

Le film partage avec eux cette duplicité. En un rien de temps, ce divertissement clinquant s'aventure du côté de Hitchcock, tel un sombre écho à *Crimes et Délits*, dans lequel une maîtresse se révèle si encombrante qu'elle pousse son homme au meurtre. Que le meurtre ait remplacé la masturbation comme activité favorite du protagoniste masculin constituerait un bon sujet de réflexion pour le psy d'Allen, même si Freud n'est pas le premier à avoir souligné l'hostilité sous-jacente à l'humour dans *Le Mot d'esprit et ses rapports à l'inconscient*. Dans *Leviathan* (1651), Thomas Hobbes définit l'humour comme « un mouvement subit de vanité produit par une conception soudaine de quelque avantage personnel, comparé à une faiblesse que nous remarquons actuellement dans les autres. » Ou le bref sentiment de supériorité à voir l'autre type glisser sur une peau de banane et pas nous. Lorsque nous rions, nous montrons les dents.

La veine meurtrière des œuvres tardives de Woody Allen comble le vide laissé par les mots d'esprit envolés. « C'est un cocktail au champagne additionné de strychnine », écrit A. O. Scott dans le *New York Times*. « Il faut remonter à l'époque grisante et amorale d'Ernst Lubitsch ou de Billy Wilder pour trouver un tel cynisme dans un divertissement de qualité. » Dans *Entertainment Weekly*, Owen Gleiberman

Ci-dessus : La mise en scène d'Allen explore de nouveaux territoires avec cette scène de sexe sous la pluie.

A droite : *Match Point* est le premier film qu'Allen tourne avec Scarlett Johansson, et ne sera pas le dernier.

fait l'éloge du « retour en force le plus important chez un réalisateur depuis que Robert Altman a fait *Le Joueur.* » Le film connaîtra un accueil plus mitigé parmi les critiques britanniques, qui s'empressent de s'engager dans une guerre de territoire concernant la langue et les lieux. Peter Bradshaw, du *Guardian*, regrette que « les dialogues [soient] composés d'une sorte d'anglais de la haute qu'Allen semble avoir appris dans un manuel Berlitz », tandis que Jason Solomon, de *l'Observer,* déplore que le film « se déroule dans un Londres que l'on reconnaît mais qui n'existe pas vraiment. » Ce à quoi on répondra : Bienvenue au club. On dit ça du New York de Woody Allen depuis des décennies. Et cela ne semble pas l'affecter le moins du monde.

« Il y a de la sexualité sans qu'il n'y ait vraiment de sexe. On nous le fait juste comprendre. C'est plus amusant. Le vrai sexe, on en a autant qu'on veut. Ça ressemble à des pistons, ou à un marteau piqueur, mais c'est rarement sexy. »

Scoop

2006

A gauche : Sid Waterman (Woody Allen) et Sondra Pransky (Scarlett Johansson) face à leur suspect, Peter Lyman (Hugh Jackman), dans ce qu'Allen surnommera « un futile petit Kleenex de film. »

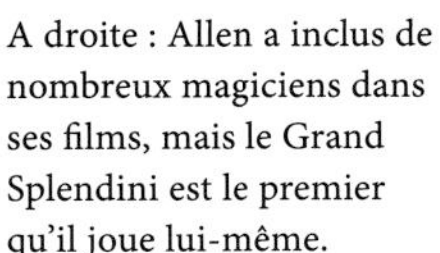

A droite : Allen a inclus de nombreux magiciens dans ses films, mais le Grand Splendini est le premier qu'il joue lui-même.

« Oh, Scarlett me met à genoux », dit Allen à propos de sa collaboration avec Scarlett Johansson. « En fait, elle fait partie de ces gens qui ont toujours le dessus sur moi – aussi bien à l'écran qu'à la ville. J'ai beau trouver d'excellentes réparties – quand on se lance des piques, qu'on se critique ou autres – elle a toujours le dernier mot, et le meilleur. A mes yeux, cela mérite bien sûr beaucoup de respect. Parce que je me crois vif et plein d'esprit, et quand quelqu'un ne cesse de m'évincer, ça me fascine. Mais c'est pourtant vrai – tout le monde sur le plateau vous le confirmera. »

Ecrit avant tout pour retrouver l'alchimie qu'Allen s'est découverte avec l'actrice pendant le tournage de *Match Point*, *Scoop* le voit revenir à l'écran pour la première fois depuis *Anything Else*. Il interprète Sid Waterman, alias Le Grand Splendini, un vieux magicien dont le numéro permet au fantôme de Joe Strombel (Ian McShane), un journaliste récemment décédé, d'annoncer son ultime scoop (l'identité d'un tueur en série) à Sondra Pransky (Johansson), une jeune journaliste américaine. Modeste divertissement inspiré, comme *Meurtre mystérieux à Manhattan*, du film *l'Introuvable* et de ses suites (avec Myrna Loy et William Powell), *Scoop* séduit sans être particulièrement drôle, atteignant son paroxysme assez tôt lors d'une scène où Sid et Sondra se font passer pour des ploutocrates dans une garden party anglaise. La maîtrise

avec laquelle Allen alterne nonchalance et angoisse demeure intacte, conférant à son personnage une crédibilité renforcée à chacun de ses tressaillements et de ses déglutitions, même si sa partition ne lui donne pas grand-chose d'autre à faire. *Scoop* se distingue surtout parce qu'il offre à Johansson une brève pause entre deux rôles de sirène. Et cela lui va bien. Vêtue d'un pull informe, dotée de lunettes, les cheveux retenus par une queue de cheval, elle scrute le moindre geste du présumé coupable (Hugh Jackman) et l'assomme de questions, visiblement inconsciente de l'effet qu'elle exerce sur lui, comme le sont toutes les héroïnes des comédies *screwball* : cérébrales et sans la moindre idée de leur propre magnétisme sexuel.

Le film remportera un succès considérable, empochant 39 millions de dollars à travers le monde, avec un budget initial de 4 millions, même si Allen accepte de bon cœur le verdict mitigé de la critique. « Allen ne semble pas avoir trimé d'arrache pied sur *Scoop*, mais malgré quelques maladresses manifestes, l'ensemble dégage une agréable impression d'insouciance », écrit Manohla Dargis dans le *New York Times*. Allen acquiescera : « *Scoop* progresse de gag en gag, mais le concept – qui est ingénieux – ne compte pas beaucoup. » Johansson ne partage pas son opinion : « Je pense que rien n'est joué », insiste-t-elle. « J'attends encore qu'il m'écrive mon *Citizen Kane*. »

Le rêve de Cassandre

2007

Ci-dessus : Sur le plateau avec Hayley Atwell (Angela), pour le dernier d'une série de trois films tournés au Royaume-Uni.

Page ci-contre : « Une fois qu'on a franchi les limites, on ne peut plus faire marche arrière. » Les frères Ian et Terry (Ewan McGregor et Colin Farrell) attendent leur proie.

« Je voulais que l'intrigue se déroule entre des hommes », expliquera Allen à propos du *Rêve de Cassandre*, qui puise ses origines dans sa pièce *A Second Hand Memory*, écrite en 2004 pour l'Atlantic Theater de New York. Une fois encore, le sujet est le meurtre. A Londres, deux frères – un mécanicien et joueur compulsif appelé Terry, et Ian, un restaurateur rêvant d'ouvrir son hôtel en Californie – contractent un prêt auprès de leur riche oncle. Ce dernier accepte à condition qu'ils assassinent quelqu'un pour lui. « Dans ma pièce, [l'oncle] ne leur demande rien en retour », précise Allen. « Il arrive avec sa petite amie, et l'un des frères la séduit – c'est une toute autre histoire. Mais là, je me suis dit, 'Et si l'oncle leur demandait un service, un service qui implique un conflit moral, une crise de conscience ?' Cela m'a donné l'idée d'un film plein de suspens et de tension, où l'intrigue du meurtre s'avère divertissante. »

La directrice de casting Juliet Taylor suggère Ewan McGregor et Colin Farrell pour interpréter les deux frères. Allen hésite, ayant imaginé des acteurs plus jeunes pour ces rôles, mais accepte de rencontrer Colin Farrell. L'entrevue dure une minute au plus :

« Bonjour, dit Farrell. Me voilà. Bon, j'imagine que vous voulez que je parte, maintenant ? »

« Oui », répond Allen en riant. Une fois l'acteur parti, Allen dit à Taylor : « Il est parfait. »

McGregor découvre avec bonheur la méthode de travail de Woody Allen. « La plupart des scènes se déroulent dans un seul et même cadre », explique-t-il. « Il y a beaucoup de dialogues, mais pas beaucoup de prises – c'est merveilleux. On est chez soi à quatre heures et demie de l'après-midi. On peut avoir une vie. » Farrell calculera plus tard qu'il aura tourné autant de prises pour l'ensemble du film que pour une seule scène de *Miami Vice*. Pour la musique, Allen fait appel à Philip Glass. C'est l'un des rares films pour lesquels le cinéaste commande une musique originale. « Pour celui-là, je n'arrivais pas à me décider, puis l'idée de Philip Glass m'est venue. Je l'ai appelé, et ça l'a intéressé aussitôt. Je voulais quelque chose qui complémente le tragique de l'histoire. Il est arrivé et – bien sûr, sa musique est tellement puissante, tellement menaçante. C'est un génie. Il est donc arrivé avec ce morceau si menaçant, si puissant, et je me suis dit, 'Mon Dieu, c'est si menaçant, si bizarre, on y perçoit tout le contenu de l'histoire.' Mais il m'a répondu, 'Oh non, ça,

« Quand on a des desseins criminels, on doit prendre des décisions morales. Et celles-ci donnent au film plus de substance qu'une simple énigme criminelle ou un polar. »

c'est le thème de l'amour, lorsqu'il rencontre la fille. Je n'ai pas encore inclus la partie menaçante.' »

A l'image de certains des films tardifs d'Allen, *Le Rêve de Cassandre* souffre d'un dévoilement trop prononcé du thème. Au cas où l'on n'aurait pas saisi le message avec les arpèges sinistres de la partition de Glass, Allen accompagne la proposition de l'oncle Howard d'un coup de tonnerre : Attention ! Pacte faustien droit devant ! « Les enjeux sont énormes, mais ce n'est pas à toi que je devrais parler de prendre des risques ! » dit Ian (Ewan McGregor) sur un ton sec et précieux. « Moi aussi, j'suis qu'un petit joueur qui passe son temps à frimer avec des voitures qu'on lui prête ! » Si dans *Match Point*, Allen rend avec justesse l'ambiance des clubs de gentlemen chics de Londres – à l'évidence, les parvenus sont les mêmes partout – il se casse ici les dents sur la classe ouvrière anglaise. Seule Sally Hawkins, qui reprend son rôle de joyeuse femme du peuple de *Be Happy* de Mike Leigh, parvient à insuffler à ses dialogues une authentique oralité. Les deux frères, eux, ont bien l'accent cockney mais pensent comme des Américains, à rêver de yachts, de voitures de collection et de déjeuners au Claridge's, quand une grosse Bentley, une Xbox et un abonnement au stade d'Arsenal constitueraient des désirs bien plus crédibles. Des escrocs à la Runyon derrière une façade à la Mike Leigh.

« On ne sent pas assez le turbin et la sueur dans Le *Rêve de Cassandre*, même si Farrell et McGregor jouent le jeu », écrit Michael Phillips dans le *Chicago Tribune*. « Comme beaucoup de ses films tardifs, Le *Rêve de Cassandre* ne semble pas assez fouillé et souvent bâclé, comme s'il l'avait tourné chronomètre en main », déplore Manohla Dargis dans le *New York Times*. La longue tournée anglaise d'Allen est bel et bien achevée.

Sur le tournage avec Javier Bardem (Juan Antonio), Penélope Cruz (Maria Elena), et Scarlett Johansson (Cristina).

Vicky Cristina Barcelona

2008

« J'ai commencé avec Barcelone, avec Penélope, et dans mon esprit, je comptais solliciter Scarlett », explique Allen à propos de *Vicky Cristina Barcelona*, un projet mis en chantier quand des financiers espagnols proposent à Allen de réaliser un film à Barcelone avec un petit budget alloué par le gouvernement catalan. « Je n'avais aucune idée sur rien, puis une semaine ou deux plus tard, je reçois un coup de fil de Penélope Cruz. Je ne la connaissais pas ; elle voulait qu'on se rencontre et elle se trouvait à New York. Je ne l'avais vue que dans *Volver*, c'est tout. Elle y était super, et elle m'a dit qu'elle savait que je tournais à Barcelone et qu'elle voulait y participer... Ensuite, j'ai entendu que Javier était intéressé, et tout s'est mis peu à peu en place. J'ai monté ce truc pour les gens, en quelque sorte. »

Allen hésite à engager Johansson si peu de temps après *Match Point* et *Scoop*. « Même s'il était fou d'elle et qu'à mon avis, il voulait l'utiliser, nous avons préféré y renoncer », racontera Juliet Taylor. « Nous sentions qu'il fallait faire quelque chose de différent, ne pas refaire ça si vite après les précédents films. On a donc beaucoup, beaucoup cherché à engager quelqu'un d'autre. Mais au bout d'un moment, on avait l'impression de tourner en rond, car les autres personnes s'avéraient beaucoup moins intéressantes et n'apportaient pas autant [au film]. »

Le tournage en Espagne attire une foule impressionnante. Vivifié par ce casting rajeuni et par le plaisir de tourner à Barcelone, Allen tient alors un journal de bord satirique pour le *Guardian*. C'est la première fois qu'il écrit ce genre de choses depuis le récit de tournage de *Guerre et Amour* pour *Esquire* :

5 juin

Démarrage compliqué du tournage. Rebecca Hall, bien que jeune et dans son premier grand rôle, s'avère un peu plus capricieuse que ce que je pensais et m'a fait exclure du plateau. Je lui ai expliqué que le réalisateur doit être présent pour diriger le film. J'ai eu beau essayer, je n'ai pas réussi à

Après leur soirée romantique à Oviedo, Juan Antonio offre à Vicky (Rebecca Hall) une nouvelle occasion de se laisser séduire.

« On pourrait monter ce film de manière à renforcer la comédie ou le drame, mais cela reste avant tout une histoire d'amour. C'est difficile à expliquer. C'est un film dramatique, mais on y rit et on y trouve beaucoup d'amour. »

la convaincre et j'ai dû me déguiser en livreur de repas pour revenir en douce sur le plateau.

Son enthousiasme est palpable dans le film fini, dont les vues mielleuses et les ébats passionnés lui instillent une sensualité que personne n'aurait pu prédire, surtout au vu de la froide austérité d'un film comme, au hasard, *Intérieurs*. Vicky (Rebecca Hall) est une sage étudiante préparant une thèse sur la culture catalane et fiancée à un gentil jeune homme. Un avenir radieux et rassurant l'attend donc. Cristina (Scarlett Johansson), en revanche, est une épicurienne fougueuse qui ne vit que pour la passion et l'aventure. Quand elle a vent du divorce difficile de Juan Antonio (Javier Bardem), un peintre catalan du coin, elle dresse l'oreille. Lorsque celui-ci soumet sa proposition aux deux jeunes femmes lors d'un dîner au restaurant – « La vie est courte, pleine de souffrance », leur rappelle-t-il, « pourquoi ne pas se faire du bien tant que nous le pouvons ? » – Vicky se hérisse devant tant d'audace, quand Cristina avance ses lèvres pulpeuses et dévore le beau ténébreux des yeux.

S'ensuit une comédie contrite et libidineuse sur les plaisirs et les écueils de l'épicurisme chez les expatriés – du Henry James version Eric Rohmer – dans laquelle les deux femmes échangent petit à petit leurs points de vue respectifs. Alors que Cristina se retrouve clouée au lit par un ulcère, Juan Antonio se tourne vers la sage Vicky et l'attire dans son lit grâce à un dîner aux chandelles, une sérénade à la guitare et plusieurs verres de vin rouge. Quand le fiancé de celle-ci arrive, Juan Antonio reporte son attention sur Cristina, qui voit tous ses rêves de vie de bohème se retourner contre elle lorsque Maria Elena (Penélope Cruz), l'ex-femme volcanique et instable, débarque pour former un ménage à trois bien bancal. Paupières mi-closes, Cruz débite ses tirades assassines et secoue ses boucles L'Oréal. Elle joue un cliché – celui de la bombe latine dans toute sa frénésie, Anna Magnani à l'ère du Prozac. Mais elle l'interprète avec une telle fougue, une telle ardeur, qu'elle injecte de la vie à ce personnage, comme Mira Sorvino l'avait fait dans *Maudite Aphrodite*. Et elle sera récompensée de la même façon, par un Oscar du meilleur second rôle féminin.

La morale du film se révèle un peu faible – gare au leurre romantique de la vie de bohème ! – mais le Woody Allen moraliste se voit rattrapé par un Allen devenu voluptueux sur le tard. « Ne rentrons pas dans ce genre de querelles catégoriques » plaide Vicky vers la fin du film, alors que sa propre liberté d'esprit l'emporte sur sa méfiance. Comme toujours chez Allen, dans ces revirements de personnages, deux facettes distinctes de lui-même participent à la conversation. Il est les deux femmes à la fois, la sage Vicky et l'impétueuse Cristina, et ne peut pas plus résister à la tentation d'en séduire une que de débarrasser l'autre de ses illusions. Juan Antonio envoûte et magnétise les deux femmes sans aucune peine, tandis que le directeur de la photographie, Javier Aguirresarobe, baigne décors et acteurs de la même lumière dorée. Essayez un peu de résister à ça, semble dire le film. La maturité de *Vicky Cristina Barcelona* pourrait ressembler à l'aboutissement d'un cinéaste qui a écrit jadis un film intitulé *Anhedonia*, soit l'incapacité à éprouver du plaisir. Allen sait depuis toujours comment donner du plaisir à son public, ce faisant finissant aussi seul qu'un gigolo. Mais voilà que, sur le tard, il semble découvrir quelque chose de tout aussi remarquable : comment se faire du bien.

Maria Elena et Juan Antonio trouvent une forme originale d'harmonie domestique avec Cristina (ci-dessus), mais quand celle-ci part, le couple fougueux a tôt fait de se sauter à la gorge (à gauche).

A gauche : La vie avec Maria Elena et Cristina exalte la créativité de Juan Antonio.

Ci-dessous : Cruz n'apparaît qu'à la seconde moitié du film, mais l'effet de son arrivée est électrique.

Page ci-contre : Conférence de presse avec Hall et Cruz.

« A dire vrai, j'y mets plus de cœur quand j'écris pour des femmes. J'ignore pourquoi, mais je me souviens que ce phénomène est né de mon incapacité à créer une femme crédible. Je ne parvenais à écrire qu'une femme unidimensionnelle. Ensuite, j'ai tout le temps écrit pour les femmes. »

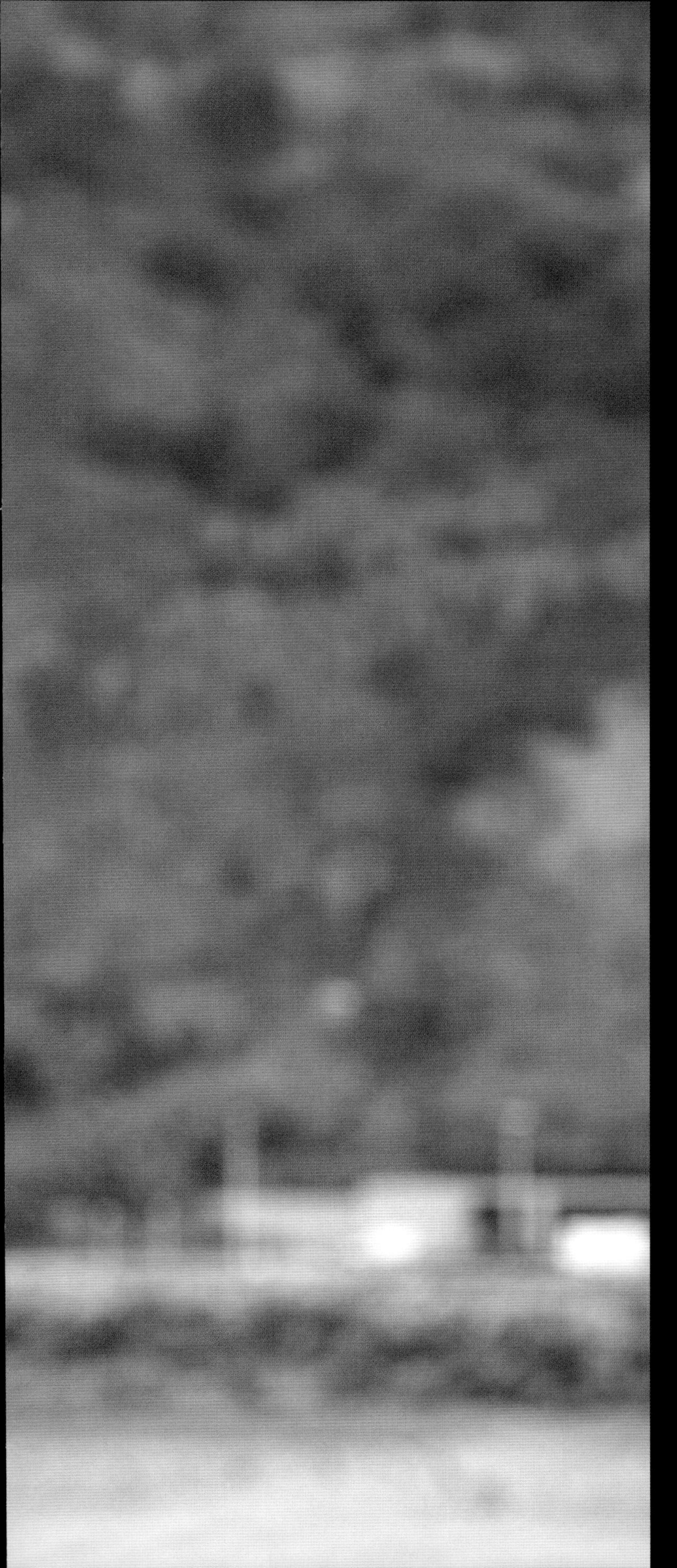

« On cherche toujours à avoir le contrôle, et en fin de compte, on reste à la merci du piano suspendu qui menace de vous tomber sur la tête. »

Pendant le festival du film de San Sebastián, où *Vicky Cristina Barcelona* fera sa première espagnole. Portrait par Alice Erardy, 2008.

Whatever works

2009

Ci-dessus : Boris (Larry David) assomme Melody (Evan Rachel Wood) avec ses opinions sur le sport.

Page ci-contre : Tournage à Chinatown, Manhattan.

D'abord écrit dans les années 70, à la même époque qu'*Annie Hall*, pour le comédien Zero Mostel, Allen ressort *Whatever Works* du tiroir et le dépoussière pour le proposer à Larry David, dont ce sera la troisième apparition dans l'un de ses films, après un bref passage dans Radio Days (« On ne voyait que ma tête chauve », protestera David) et dans « Oedipus Wrecks », court-métrage issu des *New York Stories* de 1989. Il n'entendra plus jamais parler de lui jusqu'à ce que le scénario de *Whatever Works* lui parvienne, accompagné d'une lettre. « J'ai trouvé le scénario brillant », dira-t-il. « Mais je doutais de pouvoir le faire. Parce que ce n'est pas le genre de choses que je fais normalement. D'habitude, je joue mon propre rôle. »

Allen insiste. « Il y a quelque chose en lui qui plaît au public », explique-t-il. « Vous savez, Groucho Marx avait ça aussi. [Le public] ne s'offusquait jamais de Groucho, il s'offusquait si celui-ci ne les insultait pas, m'a-t-il dit un jour. » Il apaise David, lui assure qu'il n'y a rien qu'il ne puisse jouer, l'encourage comme à son habitude à s'éloigner du script pour improviser. David reste déterminé à s'en tenir à son texte, et s'enferme dans sa loge pour mémoriser ses dialogues entre deux scènes. « Je n'ai rien réécrit pour Larry », précisera Allen. « Quand j'ai sorti le scénario du tiroir, j'ai dû le réécrire parce qu'il était resté là longtemps, vous voyez ? A l'état latent, en quelque sorte. J'ai dû le rafraîchir et l'égayer un peu pour le rendre plus actuel. Mais je ne l'ai pas changé pour Larry. [Le scénario] lui allait comme un gant. »

Whatever Works débute par un monologue face caméra, où le misanthrope Boris Yellnikoff (Larry David) déblatère contre l'injustice, le Prix Nobel qu'il n'a pas eu (« c'était une question de politique, comme tous les honneurs bidon »), le réchauffement climatique, le terrorisme, « les valeurs familiales à la con et les fous de la gâchette », tandis que ses compagnons attablés au café l'observent avec des yeux ronds. Prétend-il vraiment parler à quelqu'un ? C'est un tour habile, emprunté à *Annie Hall*. Mais là où Allen entrecoupait le monologue d'Alvy de scènes issues de son présent et de son passé – dans son école, au cinéma, lors d'un repas dans la famille d'Annie – pour bousculer le narcissisme d'Alvy, il laisse son héros jacasser, et pas même David ne parvient à faire rire avec son texte. Il est doué pour la harangue, comme l'a prouvé sa série *Curb Your Enthusiasm* [*Larry et son nombril*], mais uniquement lorsqu'il aboie aux pieds d'un univers indifférent. *Whatever Works* en tient compte : il est le seul personnage à qui l'on a donné un peu de profondeur.

Un soir, notre héros trouve devant sa porte une jeune et jolie fugueuse du Mississippi nommée Melody (Evan Rachel Wood). Il aime tant se moquer de sa bêtise (« chenille sans cervelle ») qu'il la laisse emménager chez lui et finit même par l'épouser. C'est l'histoire d'amour la plus condescendante qu'Allen ait imaginée entre deux personnes que tout éloigne (à commencer

par leur écart d'âge) : il ne parvient pas à tirer quoi que ce soit de cette Lolita écervelée. Elle caracole de scène en scène, queue-de-cheval frétillante, subissant de bonne grâce l'arrogance de Boris, mais le tant attendu retour de bâton que mérite ce dernier ne vient jamais. Et c'est exactement le contraire qui se produit. La mère de Melody, Marietta (Patricia Clarkson), débarque chez Boris. D'abord horrifiée par le mariage de sa fille, elle se convertira aux mœurs libres, sous l'influence judéo-athée de Boris, et finira par poser nue et se mettre en ménage à trois. Clarkson est si vive et si charmante qu'elle vole presque la vedette, mais l'âge poussiéreux du scénario se fait sentir : à l'époque de son écriture, Allen n'avait pas encore appris à se contredire de manière créative, et à offrir à ses personnages le moyen de détourner l'histoire. Le film est un clin d'œil d'approbation adressé à son propre reflet – l'histoire d'Alvy Singer avant l'arrivée d'*Annie Hall*.

« Vous savez, à un moment, je voulais appeler ce film 'Le Pire homme du monde'. Je le voyais comme un personnage amusant – un type qui incarne la quintessence de la misanthropie et qui ne veut ni ne parvient à s'intégrer, rejette tout, ne souhaite ni ne réussit à affronter la vie. »

Vous allez rencontrer un bel et sombre inconnu

2010

En 1969, Allen réalise une émission de variétés pour CBS pour laquelle il interview le prédicateur chrétien Billy Graham. Leur rencontre s'avère étonnamment courtoise, couvrant des domaines comme la religion, l'éthique, le sens de la vie, et lui inspire, bien malgré lui, un sentiment de respect pour le théologien évangélique. « Je lui ai exposé mon point de vue sinistre, et Billy Graham m'a répondu que même si j'avais raison, et qu'il avait tort, et qu'il n'y avait pas de sens à l'existence et pas de Dieu et pas de vie après la mort et pas d'espoir ni rien d'autre, qu'il aurait toujours une meilleure vie que la mienne parce qu'il pensait différemment. Même s'il avait cent pour cent tort, nos vies s'achèveraient, et j'aurais eu une vie misérable à ressasser mon pessimisme, tandis qu'il aurait eu une vie formidable, confiant qu'il y avait autre chose. »

Ce souvenir restera gravé en lui, et deviendra plus tard la source d'inspiration pour *Vous allez rencontrer un bel et sombre inconnu*, un film sur la valeur de la foi irrationnelle. La production le renvoie à Londres, avec une aide financière de l'Espagne et un casting international, dont Anthony Hopkins. Celui-ci joue le rôle d'Alfie, homme d'affaires au hâle et à la chevelure soignés, qui repousse sa mortalité imminente en quittant la femme qu'il a épousée quarante ans plus tôt, Helena (Gemma Jones), pour convoler avec une escort-girl aux longues jambes appelée Charmaine (Lucy Punch), qu'il séduit à coups de fourrures, de bijoux et d'un splendide appartement avec vue sur la Tamise. Helena noie son chagrin dans le whisky et tombe sous l'emprise d'une diseuse de bonne aventure (Pauline Collins), au grand dam de sa fille (Naomi Watts), coincée dans une union malheureuse avec Roy (Josh Brolin), un écrivain raté qui oublie le rejet de son nouveau roman dans les bras d'une belle jeune femme (Freida Pinto) aperçue dans l'immeuble d'en face.

Dans cette semi-comédie sur le danger d'obtenir ce que l'on souhaite, tous les personnages, hormis Helena, courent après quelque chose qu'ils n'ont pas et finissent avec encore moins que ce qu'ils avaient au départ. Doté d'une coiffure tout droit sortie des Seventies et d'un vocabulaire idoine, Brolin n'est que bruit et fureur. Naomi Watts brille dans une magnifique scène muette en voiture avec son patron, un nonchalant galeriste interprété par Antonio Banderas, mais selon le schéma moral du film, ses désirs se voient, eux aussi, réduits en cendres. C'est Hopkins qui livre la performance la plus saisissante. Tirant parti de la fusion, étrennée par Michael Caine dans *Hannah et ses sœurs*, de l'ambivalence émotionnelle d'Allen et du tempérament britannique dans tout ce qu'il a de plus gauche, Hopkins incarne toute l'angoisse et l'agitation de son réalisateur sous les traits de ce robuste ploutocrate, suffisamment intelligent pour comprendre que sa dignité en a pris un coup mais trop paniqué face à sa propre mortalité pour réfréner ses insatiables pulsions. Voyez la petite moue contrite d'Alfie alors qu'il attend que le Viagra fasse effet. « Trois minutes ! », assure-t-il en désignant sa montre : un condamné qui court après l'éternité.

« Dans le passé, Allen faisait des films qui invoquaient Tchekhov et Bergman, mais celui-ci lorgne du côté de Balzac : le monde est dirigé par l'égocentrisme et la méchanceté, et la plupart de nos actes s'apparentent à une comédie sordide », écrit A. O. Scott dans le *New York Times*. Quel étrange et fascinante contrée que celle que Woody Allen explore sur le tard : une touche de farce, quelques incursions dans le mélodrame, des habitations somptueuses, des conversations de boudoir, une poignée de renversements de situations, tout cela narré sur le mode sentencieux et ironique propre au spectacle désolant de la convoitise humaine.

Ci-dessus : Discussion sur le plateau avec Anthony Hopkins (Alfie). Allen affirmera qu'il lui aura fallu « des années de désillusion » pour inventer cette fable sur l'incongruité de voir ses rêves exaucés.

A gauche : La fille d'Alfie, Sally (Naomi Watts), flirte avec son bel et sombre patron, Greg (Antonio Banderas).

Minuit à Paris

2011

« Rien ne me venait à l'esprit pour Paris, rien du tout », dira Allen, alors qu'il est sollicité par des producteurs français pour réaliser un film dans la capitale française. Il réfléchit à ce que Paris lui évoque en premier lieu : le romantisme, bien sûr. Il trouve le titre avant même d'avoir la moindre idée du scénario pour l'accompagner. « Et je me demande, pendant des mois, 'Bon, et que se passe-t-il à minuit à Paris ? Des gens se rencontrent et tombent amoureux ? Deux personnes entament une liaison ? Et puis un jour, j'ai l'idée de quelqu'un qui se promène à Paris la nuit, et minuit sonne, et une voiture s'arrête brusquement devant lui, et il monte à bord et entame une véritable aventure. »

Il tente de tourner le film en 2006 mais se voit contraint d'abandonner, le projet s'avérant trop onéreux. C'est grâce à un crédit d'impôt international accordé en 2009 que Letty Aronson, la sœur de Woody Allen désormais productrice, parvient à rassembler un budget de 18 millions de dollars. Le protagoniste, Gil, est d'abord envisagé comme un intellectuel américain de la côte Est, jusqu'à ce que Juliet Taylor suggère Owen Wilson, qu'Allen imagine davantage « à l'aise sur une plage ou une planche de surf ». Il réécrit donc le scénario pour transformer le héros en habitant de Los Angeles. Pour Inez, l'exigeante fiancée de Gil, il pense tout de suite à Rachel McAdams. Marion Cotillard obtient son rôle comme Javier Bardem et Penélope l'ont obtenu pour *Vicky Cristina Barcelona* – une affaire de fierté nationale, tandis que le nouveau venu Corey Stoll est engagé pour jouer Ernest Hemingway quand Allen le voit donner la réplique à Scarlett Johansson dans *A View from the Bridge*, la pièce d'Arthur Miller. « Il m'a confié quelques pages de dialogues », raconte Stoll. « Ça me brûlait les doigts, j'étais si excité de lire Hemingway sur la page ! »

Le tournage file à toute allure – trente-cinq jours répartis sur sept semaines au cours de l'été 2010. Allen se réjouit du

L'écrivain Gil Pender (Owen Wilson) est transporté dans le Paris des années 20, où il rencontre Adriana (Marion Cotillard), l'une des muses de Picasso.

« Matisse disait qu'il voulait que sa peinture soit comme un bon fauteuil confortable qui délasse. Je ressens la même chose : je veux que vous vous détendiez et que vous profitiez des couleurs chaudes, comme si vous preniez un bain de couleurs chaudes. »

Ci-dessus : Sur les coups de minuit, Gil est emporté dans une vieille voiture pleine de garçonnes des années 20.

A droite : « As-tu déjà fait l'amour à une femme fantastique ? » Corey Stoll, révélé dans son imitation d'Ernest Hemingway à la sauce Allen.

ciel couvert et des trottoirs mouillés. « Je voulais mettre les gens dans *l'ambiance* de Paris », expliquera-t-il. Avec son directeur de la photo Darius Khondji, il envisage de tourner les séquences des années 20 en noir et blanc, avant de se raviser. « On a toujours l'impression que si on avait pu vivre à une autre époque, les choses auraient été plus agréables. On pense à *Gigi*, par exemple, et on se dit, voilà : c'est le Paris de la Belle Epoque, ils ont des voitures à chevaux, des lampadaires à gaz, et tout est beau. Puis, on se rend compte que si on allait chez le dentiste, il n'y avait pas de Novocaïne, et ça, c'est juste la partie visible de l'iceberg. Les femmes mourraient en couche – il y avait toutes sortes d'horribles problèmes. Si vous étiez un autochtone aristocrate habitant Paris à l'époque, c'était déjà un progrès. Si vous ne faisiez pas partie de la haute société, ou si vous étiez juif, alors cela ressemblait déjà moins à une vie de rêve. Mais ça, on a tendance à l'oublier. »

La vraie surprise n'est pas qu'Allen triomphe en 2011 avec un film sur les joies et les peines de la nostalgie, mais qu'il ne l'ait pas fait avant. De tous les scénarios qu'il écrit pour les commissions étrangères, *Minuit à Paris* reste celui qui donne le sentiment d'avoir pu être réalisé à presque n'importe quel stade de sa carrière. Son principe évoque ses comédies conceptuelles des années 80, lorsqu'il s'imagine fréquenter les Fitzgerald sous les traits de *Zelig*, et remonte même à ses débuts en tant qu'humoriste, où il évoquait des scènes imaginaires avec Hemingway. « Hemingway venait de terminer deux nouvelles sur la boxe, et si Gertrude Stein et moi-même les estimions convenables, nous convenions qu'elles nécessitaient encore pas mal de boulot », écrit-il alors dans sa nouvelle « A Twenties Memory », publiée dans le recueil *Getting Even* [*Pour en finir une bonne fois pour toutes avec la culture*] (1971). « Nous avons bien ri, nous sommes

« Quand je serai grand-mère, je pourrai raconter à mes petits-enfants que j'ai tourné un film avec Woody Allen. » Carla Bruni-Sarkozy, alors première dame de France, exauce son rêve avec ce petit rôle de guide de musée.

Ci-dessus : sur le plateau, avec Wilson et Bruni-Sarkozy.

A droite : Gil et son exigeante fiancée, Inez (Rachel McAdams), flânent dans les jardins du château de Versailles.

bien amusés, puis nous avons enfilé des gants de boxe et il m'a cassé le nez. »

L'élément moteur de l'intrigue reste magnifiquement inexpliqué, comme dans *Zelig* et *La Rose pourpre du Caire*. Sans doute se justifie-t-il dans l'expression d'Owen Wilson face à Joséphine Baker dansant, ou dans sa pensée de confier la lecture de son roman à Hemingway. Wilson réussit quelque chose que peu d'acteurs parviennent à rendre lorsqu'il fait honneur au rythme cahotique de l'écriture d'Allen en s'appropriant la confusion et l'émerveillement de Gil. « Wilson joue la stupefaction sans paraître niais, et des répliques qui pourraient rappeler d'indolentes lamentations à la sauce yiddish deviennent, dans sa bouche, philosophiques et pressantes », écrit David Edelstein dans *New York Magazine*. « Son bafouillage n'est pas un effet de style. »

Scott Fitzgerald (Tom Hiddleston) et Zelda (Alison Pill) ont maille à partir avec la dramaturgie quelque peu désordonnée, et se voient débarqués du cadre presque aussitôt qu'ils y entrent – mais sans doute Allen est-il impatient de faire venir l'Hemingway de Corey Stoll, qui offre une excellente parodie, murmurant presque comme à lui-même (« Toute lâcheté naît du fait de ne pas aimer ou de mal aimer, ce qui est la même chose »). Marion Cotillard semble, elle, moins à l'aise sous les traits de la Beauté Personnifiée du film. Elle ne fait que reprendre le rôle de sirène qu'elle endossait dans *Inception*, entraînant Gil encore plus loin dans ce rêve-dans-un-rêve. Et le découpage d'Allen ne lui simplifie pas non plus la tâche : ses scènes avec Wilson sont si lentes qu'elles donnent parfois l'impression d'avoir été compilées à partir de prises séparées. Alors âgé de plus de soixante-dix ans, Allen filme l'amour comme s'il craignait d'effrayer une biche qui passerait par là.

Qu'importe. C'est le premier film de Woody Allen à engranger plus de 100 millions de dollars à travers le monde. Il restera dans les dix premières entrées du box-office sept semaines après sa sortie, et sera le film le plus nominé aux Oscars depuis *Coups de feu sur Broadway*. Des quatre nominations, il en remportera une (Meilleur scénario original). C'est sa troisième statuette sur un total de seize nominations, faisant de lui le lauréat le plus âgé et la première personne à la remporter trois fois. Mais plus historique encore que ce triomphe est le pur plaisir qu'Allen affirme avoir éprouvé devant le succès de son film. Jadis, une telle ovation aurait poussé Allen à désavouer son film, et à arguer avec force lamentations que le happy end lui a été imposé par sa psyché dans un moment de faiblesse, puis à s'attaquer à son film suivant : une satire pleine de rancœur sur la démagogie mesquine du goût populaire. Or, au lieu de cela, on a droit à un sourire approbateur et magnanime. « Rien ne me fait plus plaisir que de savoir que les gens en ont tiré du plaisir », affirme-t-il dans *Hollywood Reporter*. « C'est toujours un plus. »

To Rome with Love

2012

Ci-dessus : Anna (Penélope Cruz) tente de séduire Antonio (Alessandro Tiberi), tout juste marié.

Page ci-contre, en haut : *Pagliacci* au Teatro Argentina.

Page ci-contre, en bas : Avec sa sœur, Letty Aronson, qui participe à la production des films d'Allen depuis 1994.

Page suivante : « Les décors et la sensibilité toute romaine de *To Rome with Love* ont contribué [à ce film] au-delà de tout ce que j'ai pu apporter. »

Allen envisage deux superbes titres – *The Bop Decameron* et *Nero Fiddled* [Néron jouait du violon] – avant d'en trouver un plus consensuel pour Sony, signe évident de l'attitude plus détendue du cinéaste à l'orée de ses 80 ans. « J'essayais de réfléchir à ce qui me fascine dans Rome », explique-t-il alors qu'il sollicite des commissions pour obtenir un financement étranger. « Son énergie et sa confusion, avec toutes ces voitures et cette circulation et ces gens qui se mélangent, et ces rues sans trottoirs – le fait que tout le monde vive dehors, assis sur les perrons ou aux terrasses de café, le mouvement permanent, le goût formidable pour la bonne chère, la mode et le cinéma, et je ne pouvais pas formuler tout ça en une seule histoire. Je voulais écrire sur les touristes, et sur les gens qui vivent-là, et sur les gens des petites villes, avec tout le romantisme et le chaos et l'émotion. Cela nécessitait donc pas mal d'histoires. »

Un sympathique policier, debout sur un piédestal au milieu de la Piazza Venezia, présente les personnages. Dans la trame la plus faible du film, les jeunes mariés Antonio (Alessandro Tiberi) et Milly (Alessandra Mastronardi) se perdent dans la ville et se voient soumis à la tentation, elle sous l'apparence d'une vedette de cinéma à la calvitie naissante ; lui en la personne d'une prostituée appelée Anna (Penélope Cruz). Avec ou sans sa robe rouge de sirène, Cruz évoque Sophia Loren, mais la mécanique indigeste de l'histoire n'est ici qu'un prétexte à glisser les quelques blagues qu'il reste à Allen sur l'amour tarifé. Une trame plus aboutie est celle dans laquelle Woody Allen joue un metteur en scène d'opéra à la retraite, en vacances à Rome avec sa femme psychiatre, qui découvre que le futur beau-père de sa fille est un croque-mort qui chante Puccini à la perfection – mais seulement sous la douche. L'ombre de Danny Rose plane lorsque le metteur en scène, revigoré, décide de propulser l'homme sur les chemins de la gloire.

Dans la troisième histoire, un étudiant en architecture sage et nerveux, Jack (Jesse Eisenberg), s'éprend d'une actrice hautement narcissique (Ellen Page), tandis qu'Alec Baldwin, sous les traits d'un architecte qui voit dans le jeune homme son double d'antan, lui dispense des conseils à l'oreille. « Oh, bon sang ! Quelles foutaises ! », soupire-t-il. « Souviens-toi que je sais comment tout ça va se terminer. » Le procédé ressemble aux apparitions de Bogart dans *Tombe les filles et tais-toi,* à l'exception près que le personnage de Baldwin reste presque systématiquement ignoré, et ses interventions cyniques exsudent plutôt l'amertume. Dans la quatrième histoire, Roberto Benigni interprète un modeste employé de bureau nommé Leopoldo Pisanello qui ne s'explique pas sa soudaine célébrité. Des meutes de photographes scrutent désormais le moindre de ses gestes, depuis son rasage matinal jusqu'à ses préférences pour le petit-déjeuner (tartines beurrées), pour le plus grand plaisir des millions de téléspectateurs. Les

propos qu'Allen tenait à titre de constat amer dans *Stardust Memories* et *Celebrity* deviennent ici source d'inspiration pour une fable délicieuse sur la célébrité contemporaine, sur les lieux mêmes de la genèse du paparazzi, et allègent beaucoup les longueurs de *To Rome with Love* grâce à une exubérance cavalière.

Sorti en Italie plusieurs mois avant tous les autres pays, *To Rome with Love* sera l'un des films les plus populaires sur le territoire en 2012, engrangeant 9,5 millions de dollars. « Nous sommes dans le domaine de la transformation miraculeuse – la transformation par le sexe, l'ambition, le hasard, et la célébrité qui tombe de manière brusque et inexpliquée sur les épaules de quelqu'un, comme une tonne de lasagnes », écrit David Denby dans le *New Yorker*, soulignant les thèmes communs aux quatre histoires. « Ce qui relie les récits entre eux, c'est l'idée qu'il faut profiter du moment présent, de la magie que l'on crée à oser les choses. » Après avoir tourné trois films à l'étranger et rétabli sa réputation au box-office, Allen est de nouveau prêt à retourner sur le sol américain.

Blue Jasmine

2013

Ci-dessus : « Elle est pas juste fauchée, elle est toute déglinguée. » Jasmine (Cate Blanchett) trouve refuge chez sa sœur compatissante, Ginger.

Page ci-contre : Une époque plus heureuse, avec son mari Hal (Alec Baldwin).

L'idée est venue de Soon-Yi, l'épouse d'Allen depuis maintenant plus de seize ans, qui lui raconte les déboires de l'amie d'une amie : la femme d'un homme d'affaires tombée en chute libre après avoir appris l'infidélité de son mari et son implication dans une vaste arnaque financière. « De détentrice de comptes partout et de fonds pratiquement illimités, elle est passée aux magasins discount et a même dû se trouver un boulot », décrit Allen, qui trouve-là « une situation psychologique intéressante où se retrouver en tant que femme. [...] Pour peu qu'elle l'ait effectivement cherché, il y a-là de quoi remplir les critères de la tragédie grecque. »

La scène-charnière – Allen la surnomme « le caprice » – la voit partir en guerre contre son mari et l'entraîner, ainsi qu'elle-même, vers la ruine. « Elle aurait pu obtenir le divorce, lui pardonner, discuter avec lui, déménager. Mais elle préfère se laisser aveugler par la rage et saccager son propre foyer. Jamais elle ne s'arrête pour réfléchir aux conséquences de cet élan de fureur. On assiste souvent à ce genre de crises chez les adultes : vous roulez sur l'autoroute, une voiture tamponne la vôtre, et le conducteur en sort, prêt à vous arracher la tête. »

Il écrit le rôle avec Cate Blanchett en tête. L'actrice l'accepte avant même de lire le scénario. « J'avais abandonné tout espoir », explique-t-elle. « Tant de gens de ma connaissance avaient travaillé avec lui, et j'ai pensé, 'Bon, un cinéaste n'est pas obligé de s'intéresser à toutes les actrices', donc j'avais plus ou moins accepté ça. J'ai été très surprise quand il m'a appelée. L'appel a duré environ deux minutes et demi. Il m'a dit qu'il souhaitait m'envoyer le script – avais-je envie de le lire ? Et j'ai répondu, 'Evidemment, M. Allen.' Il me l'a envoyé avec la consigne de l'appeler une fois que j'aurais fini ma lecture. Je l'ai lu d'une traite, et c'était une opportunité incroyable, bien sûr. Je l'ai donc rappelé, et nous avons discuté pendant environ quarante-cinq secondes. Je lui ai dit, 'J'aimerais le faire', et il a dit, 'Super. On se voit à San Francisco.' »

Une fois sur place, Blanchett s'attend à ne tourner qu'une ou deux prises par scène, et s'étonne quand Allen lui demande de faire jusqu'à huit prises. « J'ai jeté un œil vers le moniteur, et je l'ai vu se frapper la tête. Il est venu vers moi et m'a dit, 'C'est affreux. C'est affreux. On dirait un acteur en train de dire mon texte, je ne crois pas un seul mot de ce que vous dites, c'est affreux.' Il secouait la tête avec incrédulité, comme un rabbin. Alors, Peter [Sarsgaard] et moi avons éclaté de rire. Finalement, on a coupé cette scène. Il l'a réécrite, l'a beaucoup raccourcie et l'a changée de lieu. C'était donc à moitié parce qu'il n'aimait pas notre jeu, et à moitié parce qu'il n'aimait pas

A gauche : Tournage de la tentative de réconciliation de Jasmine avec son beau-fils, Danny (Alden Ehrenreich).

A droite : Le jeu oscarisé de Cate Blanchett excelle à montrer l'incapacité de son personnage à reconnaître son naufrage.

le lieu et qu'il trouvait la scène trop poussive. Inutile donc de se vexer. En un sens, cela m'a beaucoup rassurée. Quand quelque chose ne marche pas, il viendra toujours le dire d'une manière directe, franche et brutale. Donc lorsqu'il ne disait rien, on savait que soit il était pressé d'aller dîner, soit on s'en sortait bien. »

« Woody a vraiment mis Cate à l'épreuve, parce qu'elle est si talentueuse », témoignera Alec Baldwin, qui joue le mari de Jasmine dans son troisième film avec le cinéaste. « Prise après prise après prise de scènes très éprouvantes et émotives, je restais là, à la fin de la journée, à me dire, 'Elle est incroyable.' »

Une jeune quadragénaire parle à sa voisine de rangée dans l'avion. Tailleur Chanel, sac Hermès sur les genoux, baignée par la lumière dorée du soleil qui filtre par le hublot, elle raconte d'une voix enjouée la charmante histoire de sa rencontre avec son mari. Elle poursuit son monologue dans les couloirs de l'aéroport, dans l'escalator puis devant la desserte des bagages où, de la première rencontre, son récit est passé à leur mariage, puis au sexe – « non que je veuille entrer dans les détails ». Sa voix atteint alors des sommets de désespoir, et son interlocutrice commence à la regarder d'un air paniqué. Cette femme est un moulin à paroles. La séquence ne se contente pas d'offrir une admirable esquisse de la performance à venir de Blanchett, mais retrace également le parcours de Jasmine jusqu'à ce point : la tombée en disgrâce d'une riche épouse de Park Avenue après l'arrestation et l'incarcération de son mari Hal, un escroc à la Madoff. Elle n'a alors d'autre choix que de s'installer à San Francisco, dans le petit appartement de sa sœur Ginger (Sally Hawkins). Si le film montre sa chute, l'interprétation virtuose de Blanchett excelle à en feindre l'ignorance.

Allen emprunte la situation à *Un Tramway nommé désir*, mais son regard sur les divisions de classes, sans nul doute aiguisé par ses séjours européens, n'a jamais été plus perçant

ni sévère. Les deux sœurs semblent presque étrangères l'une à l'autre. Ginger, toujours gaie et bavarde, subit la condescendance de sa sœur avec la même indulgence qui l'a poussée dans les bras d'une ribambelle de petits amis, dont l'un d'eux, Augie (Andrew Dice Clay), a perdu 200 000 dollars dans les placements véreux de Hal. Tout cela nous est conté par le biais d'une structure en flashback, véritable merveille de construction dramatique qui possède la vivacité et l'assurance des meilleures œuvres d'Allen. Voici enfin un film pour tous ceux qui se sentaient floués par les différentes rumeurs annonçant le retour en force de Woody Allen. Plus qu'un retour en force, on assiste donc ici à une nouvelle forme, où les ressorts comiques de son œuvre s'intègrent avec bonheur dans un schéma tragique plus vaste. C'est un véritable virage chez ce metteur en scène à qui la réalisation d'*Intérieurs* et de *September* avait donné tant de peine. *Blue Jasmine* dégage la chaude et tranquille assurance d'un génie confirmé qui fait ce qui lui vient le plus naturellement. Sa muse tragique est désormais à niveau égal – voire supérieur – de sa muse comique.

« Une bonne partie de ce que nous voyons ressemble à une farce, mais un esprit de méfiance et de haine sociale envahit scène après scène », écrit David Denby dans le *New Yorker*. « Allen, à présent âgé de soixante-dix-sept ans, a développé avec l'âge une certaine insensibilité. Ses hommes et ses femmes se réprimandent les uns les autres, et les affrontements entre personnes aux modes de vie différents s'avèrent parfois violents et impitoyables. » La voix portée à son plus grave, le dos

Ci-dessus : Une idylle avec Dwight (Peter Sarsgaard), un riche veuf, offre à Jasmine une échappatoire possible.

Page ci-contre : « Avec qui faut-il coucher pour se faire servir un Stoli-Martini citron ? »

raide, Jasmine noie dans l'alcool le monde qui l'entoure et tout le reste, y compris la forfaiture de son époux. Savait-elle ce qui se passait ? Sans l'ombre d'un doute, oui. Elle savait et a fermé les yeux. Le grand talent de Blanchett repose justement sur sa capacité à faire que sa Jasmine ne regarde jamais vraiment personne dans les yeux. Soit elle toise les gens de haut, soit elle les contemple d'un regard absent, embrumé, plongé dans les abysses de ses pensées. Face à son prétendant Dwight (Peter Sarsgaard), ses yeux deviennent vitreux, luisant du mensonge qu'elle s'apprête à lui faire. Une telle performance mérite un Oscar, que Blanchett obtiendra.

Une lecture biographique de la dernière bobine s'avère tentante. Quand elle découvre la liaison de son mari avec leur jeune fille au pair, Jasmine provoque l'enquête judiciaire qui mènera son époux – et elle-même – à sa perte. Son refus de pardonner sera son erreur fatale. Mais si l'on peut percevoir l'écho de Mia Farrow dans la fureur de Jasmine, on y découvre aussi une part d'Allen lui-même, qui ne sait que trop bien ce qu'on éprouve quand tout s'écroule autour de nous, quand on perd sa famille, que nos enfants nous rejettent. Son identification à Blanche DuBois remonte jusqu'à *Woody et les robots*, quand il endossait le rôle de Blanche et, Diane Keaton, celui de Stanley Kowalski dans leur parodie du *Tramway*. Lors du tournage de *Blue Jasmine*, Blanchett se souvient : « 'Comment feriez-vous ça, M. Allen ?' lui ai-je demandé. Ce à quoi il m'a répondu, 'Eh bien, si je devais jouer ce rôle', et je me suis tournée vers lui avec un sourire en coin et lui ai dit, 'Vous savez, vous auriez pu jouer ce rôle.' Allen a réfléchi « pendant une bonne minute et demi, puis il a dit, 'Non, ç'aurait été trop comique.' »

La vérité, c'est que Jasmine tient des deux, et qu'Allen livre ici sa tragédie la plus réussie, soulignant la proximité entre escroc et victime, entre persécuteur et persécuté. Tous les contraires s'y rassemblent. « On le sait, les drames les plus émouvants et les plus étranges ne se jouent pas au théâtre, mais dans le cœur d'hommes et de femmes ordinaires. Ceux-ci vivent sans attirer l'attention et ne trahissent en rien les conflits qui font rage en eux, à moins qu'ils ne deviennent victimes d'une dépression dont ils ignorent eux-mêmes la cause », écrit Jung en 1912, expliquant sa théorie de l'archétype de l'Ombre. Or, ce dernier pourrait tout à fait décrire-là la scène finale de *Blue Jasmine*, où Blanchett se parle à elle-même sur un banc public, courant après le rêve insaisissable d'un monde où elle serait irréprochable, femme-origami perdue dans ses propres plis et replis.

« Un récit édifiant ? Non. J'ai juste pensé que c'était une situation psychologique intéressante pour une femme. Je n'aurais pas écrit ce personnage il y a quarante ans. Je n'en aurais pas eu le talent, et je n'ai rencontré ce genre de femme qu'en vieillissant, parce que je vis maintenant dans un quartier huppé de New York. »

Magic in the Moonlight

2014

Ci-dessus : Colin Firth (Stanley Crawford) lâche prise.

Page ci-contre : Le riche héritier Brice Catledge (Hamish Linklater) fait la cour à Sophie Baker (Emma Stone) muni de son ukulélé (ci-dessus). La jeune divinatrice américaine fascine également Stanley (en bas), malgré le scepticisme de ce dernier.

« Je suis comme Blanche DuBois », clame Woody Allen alors qu'il tourne *Magic in the Moonlight* sur la Côte d'Azur. « J'aimerais qu'il existe une certaine part de magie dans la vie. Malheureusement, il n'y en a pas assez. Quelques petites choses sporadiques peuvent passer pour magiques. Mais la plupart du temps, ce n'est que la réalité sordide. Si vous êtes du genre à ne pas vous laisser berner – même s'il est tentant de croire à autre chose – alors vous êtes coincé. La quantité accablante de logique et de preuves montrent que nous sommes tous les victimes d'un mauvais deal. » Si *Blue Jasmine* raconte l'histoire de quelqu'un incapable d'abandonner ses illusions, *Magic in the Moonlight* inverse l'équation et parle de quelqu'un qui n'a d'autre choix que de croire en ses illusions s'il souhaite connaître le bonheur. Après une tragédie de la désillusion radicale, une comédie sur la nécessité de l'illusion.

Colin Firth incarne Stanley Crawford, un célèbre magicien des années 20 qui ne sait que trop bien comment berner son public. Expert dans l'art de démasquer les imposteurs, il est invité en France pour enquêter sur l'authenticité des dons de Sophie Baker (Emma Stone), jolie divinatrice installée avec sa mère (Marcia Gay Harden) chez les riches Catledge, une famille que les deux femmes ont envoûtée en les faisant communiquer avec leurs morts. Avec ses yeux verts luisant d'émotion et ses gestes grandiloquents, Sophie a tout de la voyante de fête foraine. « Plus je l'observe, plus je suis soufflé », confesse Stanley, qui tombe amoureux d'elle comme il se doit. Lors d'une escapade sous une averse qui les pousse à se réfugier dans un observatoire – un stratagème romantique tiré de *Manhattan* – Stanley finit par se demander s'il n'existerait pas autre chose que ce que lui impose sa philosophie rigoureuse et rationnelle.

Il s'agit-là d'un thème qui travaille Allen depuis sa *Comédie érotique d'une nuit d'été*, dans laquelle José Ferrer campe un universitaire pontifiant qui se laisse ensorceler par la magie du moment. Plus récemment, dans *Scoop*, *Le Sortilège du scorpion de jade* et *Vous allez rencontrer un bel et sombre inconnu*, le dramaturge en lui s'amuse à taquiner le rationaliste. Dans *Magic in the Moonlight*, il nous jette de la poudre cinématographique aux yeux – on a de grandes pelouses et des courts de tennis, des promenades sous la treille et des virées en voiture le long de la côte, le tout filmé en 35 mm par Darius Khondji qui parvient à saisir chaque étincelle de cette lumière mordorée. « Vous être plus belle encore à cette heure de la journée », dit Stanley. « Quelle heure est-ce donc ? » s'enquiert Sophie, « Au cas où je devrais me rendre à un entretien d'embauche. » Le film déroule un peu trop

« Je venais de tourner *Blue Jasmine* et j'avais envie de quelque chose de plus romantique, de moins cru. »

lentement cette idylle quelque peu rebattue, et si l'écart d'âge entre les deux protagonistes ne choque pas, cela n'est dû qu'à l'élégance naturelle de Firth. Son interprétation reste le véritable miracle de ce film. Tenant à la fois du professeur de *My Fair Lady* et du Darcy d'*Orgueil et Préjugés*, son personnage acariâtre ne demande qu'à se libérer de ses propres réticences. Il y a ce moment merveilleux où Stanley, effrayé, adresse pour la première fois une prière à Dieu, avant de s'interrompre, dégoûté de lui-même. Un geste on ne peut plus allénien : trop sceptique pour s'autoriser à croire, trop attiré par les possibilités de ses propres dons pour se le refuser.

L'Homme irrationnel

2015

« Dans la vie, il y a des moments où l'on se rend compte d'un coup que quelque chose de capital peut se produire si l'on en fait le choix », explique Woody Allen, venu à Cannes présenter son 45ᵉ film, un drame existentiel dans la veine d'Hitchcock et de Dostoïevski dans lequel le réalisateur reprend le thème « crimes et châtiments » qui le fascine tant depuis *Crimes et délits*. Joaquin Phoenix est Abe Lucas, un professeur de philosophie dont l'arrivée sur un campus de Rhode Island n'est pas sans provoquer quelques remous. Dragueur, dépressif, porté sur la bouteille, Abe incarne à la perfection le genre d'âme en peine prompt à attirer les romantiques éperdues qui confondent sentiments et charité, et dont Allen a toujours parsemé ses films, et ce dès *Tombe les filles et tais-toi* où Diane Keaton et lui-même s'échangeaient leurs ordonnances..

Ici, la Florence Nightingale de service est Rita (Parker Posey), une collègue enseignante mal mariée qui s'invite dans le lit d'Abe avec une bouteille de cognac. « Vous êtes bloqué », lui assure-t-elle au creux de l'oreille. « Je vais vous débloquer. » Posey est une actrice allenienne née : l'avidité prédatrice de son personnage ne s'avère pas dénuée d'humour pince-sans-rire. Moins évidente est l'interprétation d'Emma Stone, dont le dernier rôle la voyait charmer Colin Firth dans *Magic in the Moonlight*. Sous les traits de Jill, une étudiante impressionnable tout aussi séduite par Abe et sa vision du monde tragi-romantique, elle semble cette fois bien moins à l'aise. « Il est tellement fascinant et tellement vulnérable », commente-t-elle en voix off. « Tellement brillant et tellement compliqué », puis : « tellement destructeur mais tellement brillant. » Il n'est jamais très judicieux de demander à l'une de vos têtes d'affiche de passer la moitié de son temps à chanter les louanges d'autrui. A entendre Abe réduire l'ensemble de la philosophie occidentale à de la « masturbation verbale » lors de son cours, on pense moins au discours d'un génie qu'à Alvy Singer analysant les cours de littérature russe que suit

Etudiante impressionnable, Jill (Emma Stone) s'entiche de son professeur de philosophie, le désabusé Abe Lucas (Joaquin Phoenix).

Annie Hall (de la « masturbation mentale ») : l'éternelle diatribe de Woody contre les pseudo-intellos.

La morosité d'Abe tient moins à son penchant pour Kierkegaard que pour la flasque qu'il dissimule dans sa poche. Comme il le dit lui-même, « Je suis un intellectuel passif qui n'arrive pas à baiser. » Autrefois, une femme aurait tiré Abe de son blues. Ici, comme dans beaucoup d'œuvres récentes du cinéaste, c'est un meurtre. Un jour, Abe et Jill surprennent le récit éploré d'une femme racontant à ses amis combien le juge chargé de son divorce lui empoisonne l'existence. Le visage d'Abe s'illumine alors : et s'il tuait l'ennemi de cette femme pour elle ? L'idée du meurtre parfait, perpétré par un tiers inconnu de la victime, remonte à *L'Inconnu du Nord-Express* d'Hitchcock. Ici, l'acte accompli s'avère exactement ce dont Abe avait besoin pour sortir de son accablement. Bientôt, il se remet à écrire, et entame des liaisons avec Rita et Jill, non sans s'extasier en long et en large sur les bienfaits existentiels du meurtre. *L'Homme irrationnel* comprend non pas une mais deux voix-off, pleines de références à Kant, Heidegger et Sartre, ce qui donne fort à penser qu'Allen privilégie la signification de son récit sur la narration elle-même : trop de pistes réflexives, pas assez d'aiguillage.

Si le film ne part pas complètement à la dérive, c'est en grande partie grâce à Phoenix, qui semble avoir relevé le défi posé par l'interprétation de ce personnage bedonnant et imbibé de rhum. Le rôle sied à merveille à son rythme nonchalant et à son talent naturel pour incarner des hommes pris au piège de leur propre vice. Il faut voir le feu brûlant qui illumine son regard lorsqu'il s'éloigne de la scène du crime. Tardivement dans sa carrière, l'affinité d'Allen avec les grands moralistes du cinéma européen – Bergman, Rohmer – apparaît plus forte que jamais. S'il a débuté par des portraits d'hommes qui se tirent sans heurts des pires situations – de Virgil Starkwell dans *Prends l'oseille et tire-toi* à Fielding Mellish dans *Bananas*, pour qui prison, révolution et mort semblent de joyeuses formalités – Allen prend désormais ses voyous en faute et leur passe la corde au cou.

Woody Allen acteur

Aux côtés de Zero Mostel dans *Le Prête-nom* (1976).

Le succès des premières apparitions de Woody Allen reposait beaucoup sur la surprise du public à voir cette petite crevette s'agiter et transpirer sur scène. Et c'est, encore aujourd'hui, en grande partie le cas. Nous connaissons si bien ses mimiques d'acteur – sa déglutition,, ses gesticulations, ses gestes frénétiques et son hyperventilation, tout ce qui le trahit quand il ment ou qu'il feint l'enthousiasme – qu'il est devenu sa propre caricature. Son visage, comme celui de Chaplin, possède une simplicité quasi pictographique : le sourcil arqué, les plis du front, le contour ovoïde, les lunettes qui, lorsqu'il les retire, lui donne l'air d'une tortue sans sa carapace. L'autodénigrement fait tant partie de son personnage à la scène comme à la ville qu'il est difficile de le voir pour ce qu'il est : un grand acteur, à la nonchalance aussi étudiée que celle de Brando ou de Bogart. Un homme qui, à l'image de nombreux comiques, a transformé son propre penchant pour la morosité en une joyeuse comédie, et a réussi mieux que quiconque avant ou depuis lui à faire de son introversion une forme d'exhibitionnisme. Gengis Khan n'a qu'à bien se tenir.

Le jeu d'acteur d'Allen, en dehors de ses propres films, tend plutôt à le montrer en type dégourdi, baratineur à la Runyon, mais les films eux-mêmes s'avèrent plus ou moins réussis. Il apparaît dans *Le Prête-nom* (1976) dans la peau d'un médiocre bookmaker qui accepte que Zero Mostel, un écrivain inscrit sur la liste noire, utilise son nom sur des scénarios pour la télé, avant que tout le show business ne se l'arrache – échos à Mostel dans *Les Producteurs* de Mel Brooks et d'Allen lui-même dans *Coups de feu sur Broadway*. Il semble le premier surpris de son apparition éclair dans le foutraque *King Lear* de Godard (1987), et dans lequel il incarne un monteur qui récite des sonnets de Shakespeare. Il adopte un rythme fébrile, rapide, en époux de

« J'ai toujours aimé jouer et, quand j'écris un scénario et que je vois qu'il y a un rôle que je peux jouer, je me l'attribue. [ ] J'ai toujours été ouvert à l'idée de jouer dans les films des autres, mais personne ne m'a jamais demandé d'être dans un film, à part deux ou trois fois en trente ans. Quand John Turturro m'a proposé *Apprenti Gigolo*, j'ai dit, 'Bien sûr'. »

Ci-dessus : Face à Bette Midler, avec qui il forme un couple volage dans *Scènes de ménage dans un centre commercial* (1991).

A gauche : Allen parle affaires avec John Turturro dans *Apprenti Gigolo* (2013).

Bette Midler face à la désintégration de leur couple dans *Scènes de ménage dans un centre commercial* de Paul Mazursky (1991), tandis qu'un accès d'ironie semble constituer sa seule motivation derrière son apparition dans le déplorable *Morceaux choisis* (2000), où il joue un boucher qui découpe sa femme infidèle.

En revanche, son doublage de *Fourmiz* (1998), film d'animation de DreamWorks, où il prête sa voix à une fourmi introvertie, qui mènera ses sœurs de lutte vers la révolution, s'avère l'un des poins culminants de sa carrière d'acteur. Le scénario des frères Weitz rejoint en effet nombre d'obsessions du cinéaste : l'attirance amoureuse, les désillusions professionnelles, les réflexions existentielles… De la même façon, John Turturro écrira *Apprenti Gigolo* avec Allen à l'esprit, dans le rôle d'un libraire qui s'improvise maquereau pour son ami, un fleuriste en faillite. « Le diriger a demandé un peu d'ajustements », témoignera Turturro. « La projection du premier montage a été très intimidante. Juste avant, il m'a dit : 'Tu es sûr que tu veux entendre mes critiques ? Je vais être brutal.' Je le regardais, assis à quelques fauteuils de moi. Il ne rit pas vraiment, et s'il le fait, il rit discrètement. Je suis allé aux toilettes au milieu de la projection et je me suis dit, 'Bon Dieu, pourquoi j'ai fait ça ?' A la fin du film, il m'a dit, 'C'est bien plus sérieux que ce que je pensais… mais d'une bonne façon.' J'ai dit, 'Que penses-tu de ton interprétation ? En es-tu content ?' Il m'a répondu, 'J'adore *toujours* mon interprétation.' »

Rembobinage / avance rapide

Woody Allen fêtera ses 80 ans en décembre 2015, mais a-t-il un jour été plus jeune ? A vrai dire, il a toujours agi comme s'il avait cet âge, à pleurer la culture défunte des années 30 et à redouter la mort alors qu'il fréquentait encore les bancs de l'école. Il faut regarder de vieux portraits du cinéaste pour se souvenir qu'il a bien été jeune, autrefois, avec une chevelure plus rousse et plus fournie. Maintenant qu'il approche réellement des 80 ans, il semble davantage en phase avec lui-même. Une quête de jouvence paraît motiver son nomadisme récent, qui lui fait parcourir le monde pour tourner *Match Point, Vicky Cristina Barcelona* ou *To Rome with Love*, ainsi qu'un certain contentement à laisser une nouvelle génération d'acteurs connaître à leur tour les feux de la rampe. On y redécouvre également des préoccupations propres à sa jeunesse, comme l'intérêt pour la magie, fil conducteur dans l'œuvre d'Allen depuis que le Grand Persky a transporté le professeur Kugelmass dans le roman de son choix dans la nouvelle « The Kugelmass Episode ». Dans *Match Point*, les morts parlent. Dans *Scoop*, ils organisent leur retour, et dans *Magic in the Moonlight*, ils envoient des messages aux vivants. Tout artiste atteint le statut de magicien pourvu qu'il prolonge suffisamment sa carrière.

Si Woody Allen entre dans sa huitième décennie, sa productivité continue de s'apparenter à celle d'une jeune abeille fonceuse. « Il secrète des films comme du miel », a un jour déclaré son fidèle collaborateur, Marshall Brickman. L'année 2015 n'a pas seulement été celle de l'annonce d'un prochain film, avec Jesse Eisenberg, Kristen Stewart, Bruce Willis et Blake Lively, qui le verrait expérimenter le numérique (« C'est moins l'outil du futur que l'outil du présent, à vrai dire », a-t-il déclaré à Cannes), mais également celle d'un contrat passé avec Amazon Prime, qui a demandé au cinéaste d'écrire pour 2016 une saison intégrale d'épisodes de 30 minutes disponibles en ligne. Précisons qu'Allen ne possède pas d'ordinateur et ignore ce que « visionnage en streaming » signifie. « Je ne savais pas ce qu'était Amazon. Je n'ai jamais regardé aucune de ces séries, même sur le câble. Je n'ai jamais vu *Les Sopranos* ou *Mad Men*. Je sors tous les soirs et, quand je rentre à la maison, je regarde la fin des matchs de baseball ou de basket, puis l'émission de Charlie Rose, et je vais me coucher. Amazon n'arrêtait pas de me relancer : 'S'il vous plaît, faites-le, on acceptera tout ce que vous voulez.' Je leur répondais que je n'avais pas d'idées, que je ne regarde jamais la télé. Je n'y connais rien. Bref, ça a continué pendant un an et demi, et leur offre devenait de plus en plus intéressante. Au bout du compte, ils m'ont dit, 'Ecoutez, on fera tout ce que vous voulez, mais donnez-nous six demi-heures'… Tout le monde autour de moi me poussait à le faire, 'Vas-y, fais-le, tu n'as rien à perdre !'… Alors, je me suis dit, plein d'assurance, 'Bon, je vais

Portrait par Carlo Allegri, 2010.

« Je ne saurais pas quoi faire de ma retraite. Je ne pratique pas la pêche. »

le faire comme je fais un film – ça sera comme un film en six parties.' Sauf que, en fait, ça n'a rien à voir. Pour moi, ça a été très, très difficile. C'est vraiment pas du gâteau. Je mérite chaque dollar qu'ils me donnent, et j'espère juste qu'ils ne se diront pas, 'Grands dieux, on lui a donné carte blanche et une somme d'argent considérable, et voilà ce qu'il nous propose ?!' »

Son premier amour, l'écriture, demeure sa plus fidèle alliée. En tant que réalisateur, sa phase d'expérimentation se trouve sans doute derrière lui. En tant que gagman, il s'en remet désormais aux synapses plus alertes de la jeune génération. Sa parodie d'Hemingway dans *Minuit à Paris* atteint la même perfection de ton que l'on retrouve des décennies plus tôt, dans ses nouvelles pour le *New Yorker*, tandis que la construction de *Blue Jasmine* égale celle de *Hannah et ses sœurs* ou de *La Rose pourpre du Caire*. Lancez-vous dans un marathon de films de Woody Allen et vous en sortirez aveuglés par la lumière du jour, tel Allen lui-même dans *Tombe les filles et tais-toi*, mais également fascinés par la fertilité, la constance et l'amplitude de son imagination – cet infatigable ver à soie tissant scénario après scénario, année après année – qui reste l'une des merveilles du 7e art.

Filmographie

Les dates de premières sorties sont pour les États-Unis (sortie générale) sauf mention contraire.

LONGS MÉTRAGES

What's New Pussycat? [Quoi de neuf, Pussycat ?]
(Famous Artists Productions)
Première : 22 juin 1965, 108 minutes
Réalisation : Clive Donner, Richard Talmadge
Scénario : Woody Allen
Image : Jean Badal
Distribution : Woody Allen (Victor), Peter Sellers (Dr. Fritz Fassbender), Peter O'Toole (Michael James), Romy Schneider (Carole), Capucine (Renée), Paula Prentiss (Liz), Ursula Andress (Rita)

What's Up, Tiger Lily? [Lily la tigresse]
(Benedict Pictures Corporation/National Recording Studios/Toho Company)
Première : 2 novembre 1966, 80 minutes
Réalisation : Woody Allen, Senkichi Taniguchi
Scénario : Woody Allen, Julie Bennett, Frank Buxton, Louise Lasser, Len Maxwell, Mickey Rose, Ben Shapiro, Bryna Wilson
Image : Kuzuo Yamada
Distribution : doublages de Woody Allen, Julie Bennett, Frank Buxton, Louise Lasser, Len Maxwell, Mickey Rose, Bryna Wilson

Casino Royale
(Columbia Pictures/Famous Artists Productions)
Première : 28 avril 1967, 131 minutes
Réalisation : Ken Hughes, John Huston, Joseph McGrath, Robert Parrish, Richard Talmadge
Scénario : Wolf Mankowitz, John Law, Michael Sayers
Image : Jack Hildyard
Distribution : Woody Allen (Jimmy Bond), Peter Sellers (Evelyn Tremble/James Bond 007), Ursula Andress (Vesper Lynd/James Bond 007), David Niven (Sir James Bond), Orson Welles (Le Chiffre)

Take the Money and Run [Prends l'oseille et tire-toi]
(ABC/Jack Rollins & Charles H. Joffe Productions/ Palomar Pictures International)
Première : 18 août 1969, 85 minutes
Réalisation : Woody Allen
Scénario : Woody Allen, Mickey Rose
Image : Lester Shorr
Distribution : Woody Allen (Virgil Starkwell), Janet Margolin (Louise), Marcel Hillaire (Fritz), Jacquelyn Hyde (Miss Blair), Louise Lasser (Kay Lewis)

Don't Drink the Water
(AVCO Embassy Pictures)
Première : 11 novembre 1969, 100 minutes
Réalisation : Howard Morris
Scénario : Woody Allen, R. S. Allen, Harvey Bullock
Image : Harvey Genkins
Distribution : Jackie Gleason (Walter Hollander), Estelle Parsons (Marion Hollander), Ted Bessell (Axel Magee), Joan Delaney (Susan Hollander), Michael Constantine (Commissaire Krojack)

Pussycat, Pussycat, I Love You
(Three Pictures)
Première : 25 mars 1970, 99 minutes
Réalisation : Rod Amateau
Scénario : Woody Allen pour son scénario original What's New Pussycat?, Rod Amateau
Image : Tonino Delli Colli
Distribution : Ian McShane (Fred C. Dobbs), John Gavin (Charlie Harrison), Anna Calder-Marshall (Millie Dobbs), Joyce Van Patten (Anna), Severn Darden (Dr. Fahrquardt)

Bananas
(Jack Rollins & Charles H. Joffe Productions)
Première : 28 avril 1971, 82 minutes
Réalisation : Woody Allen
Scénario : Woody Allen, Mickey Rose
Image : Andrew M. Costikyan
Distribution : Woody Allen (Fielding Mellish), Louise Lasser (Nancy), Carlos Montalbán (Général Emilio Molina Vargas), Natividad Abascal (Yolanda), Jacobo Morales (Esposito)

Play It Again, Sam [Tombe les filles et tais-toi]
(Paramount Pictures/Rollins-Joffe Productions/ APJAC Productions)
Première : 4 mai 1972, 85 minutes
Réalisation : Herbert Ross
Scénario : Woody Allen
Image : Owen Roizman
Distribution : Woody Allen (Allan), Diane Keaton (Linda), Tony Roberts (Dick), Jerry Lacy (Bogart), Susan Anspach (Nancy)

Everything You Always Wanted to Know About Sex* (*But Were Afraid to Ask) [Tout ce que vous avez toujours voulu savoir sur le sexe sans jamais oser le demander]
(Jack Rollins-Charles H. Joffe Productions/ Brodsky-Gould)
Première : 6 août 1972, 88 minutes
Réalisation & Scénario : Woody Allen
Image : David M. Walsh
Distribution : Woody Allen (Victor/Fabrizio/le bouffon/ un spermatozoïde), John Carradine (Dr. Bernardo), Lou Jacobi (Sam), Louise Lasser (Gina), Anthony Quayle (le roi), Tony Randall (l'opérateur), Lynn Redgrave (la reine)

Sleeper [Woody et les robots]
(Jack Rollins & Charles H. Joffe Productions)
Première : 17 décembre 1973, 89 minutes
Réalisation : Woody Allen
Scénario : Woody Allen, Marshall Brickman
Image : David M. Walsh
Distribution : Woody Allen (Miles Monroe), Diane Keaton (Luna Schlosser), John Beck (Erno Windt), Mary Gregory (Dr. Melik), Don Keefer (Dr. Tryon)

Love and Death [Guerre et Amour]
(Jack Rollins & Charles H. Joffe Productions)
Première : 10 juin 1975, 85 minutes
Réalisation & Scénario : Woody Allen
Image : Ghislain Cloquet
Distribution : Woody Allen (Boris), Diane Keaton (Sonja), Georges Adet (le vieux Nehamkin), Frank Adu (le sergent), Edmond Ardisson (le prêtre)

The Front [Le Prête-nom]
(Columbia Pictures/The Devon Company/Persky-Bright Productions/Rollins-Joffe Productions)
Première : 17 septembre 1976, 95 minutes
Réalisation : Martin Ritt
Scénario : Walter Bernstein
Image : Michael Chapman
Distribution : Woody Allen (Howard Prince), Zero Mostel (Hecky Brown), Herschel Bernardi (Phil Sussman), Michael Murphy (Alfred Miller), Andrea Marcovicci (Florence Barrett)

Annie Hall
(Rollins-Joffe Productions)
Première : 20 avril 1977, 93 minutes
Réalisation : Woody Allen
Scénario : Woody Allen, Marshall Brickman
Image : Gordon Willis
Distribution : Woody Allen (Alvy Singer), Diane Keaton (Annie Hall), Tony Roberts (Rob), Carol Kane (Allison), Paul Simon (Tony Lacey), Christopher Walken (Duane Hall)

Interiors [Intérieurs]
(Rollins-Joffe Productions)
Première : 2 août 1978, 93 minutes
Réalisation & Scénario : Woody Allen
Image : Gordon Willis
Distribution : Kristin Griffith (Flyn), Mary Beth Hurt (Joey), Richard Jordan (Frederick), Diane Keaton (Renata), E. G. Marshall (Arthur), Geraldine Page (Eve), Maureen Stapleton (Pearl), Sam Waterston (Mike)

Manhattan
(Jack Rollins & Charles H. Joffe Productions)
Première : 25 avril 1979, 96 minutes
Réalisation : Woody Allen
Scénario : Woody Allen, Marshall Brickman

Portrait par Andrew Schwartz pendant le montage de *Broadway Danny Rose*, 1983.

Q-tips

Image : Gordon Willis
Distribution : Woody Allen (Isaac), Diane Keaton (Mary), Michael Murphy (Yale), Mariel Hemingway (Tracy), Meryl Streep (Jill)

Stardust Memories
(Rollins-Joffe Productions)
Première : 26 septembre 1980, 89 minutes
Réalisation & Scénario : Woody Allen
Image : Gordon Willis
Distribution : Woody Allen (Sandy Bates), Charlotte Rampling (Dorrie), Jessica Harper (Daisy), Marie-Christine Barrault (Isobel), Tony Roberts (Tony)

A Midsummer Night's Sex Comedy [Comédie érotique d'une nuit d'été]
(Orion Pictures)
Première : 16 juillet 1982, 88 minutes
Réalisation & Scénario : Woody Allen
Image : Gordon Willis
Distribution : Woody Allen (Andrew), Mia Farrow (Ariel), José Ferrer (Leopold), Julie Hagerty (Dulcy), Tony Roberts (Maxwell), Mary Steenburgen (Adrian)

Zelig
(Orion Pictures)
Première : 15 juillet 1983, 79 minutes
Réalisation & Scénario : Woody Allen
Image : Gordon Willis
Distribution : Woody Allen (Leonard Zelig), Mia Farrow (Dr. Eudora Nesbitt Fletcher), Patrick Horgan (le narrateur)

Broadway Danny Rose
(Orion Pictures)
Première : 27 janvier 1984, 84 minutes
Réalisation & Scénario : Woody Allen
Image : Gordon Willis
Distribution : Woody Allen (Danny Rose), Mia Farrow (Tina Vitale), Nick Apollo Forte (Lou Canova)

The Purple Rose of Cairo [La Rose pourpre du Caire]
(Orion Pictures)
Première : 1er mars 1985, 82 minutes
Réalisation & Scénario : Woody Allen
Image : Gordon Willis
Distribution : Mia Farrow (Cecilia), Jeff Daniels (Tom Baxter/Gil Shepherd), Danny Aiello (Monk), Edward Herrmann (Henry), Dianne Wiest (Emma)

Hannah and Her Sisters [Hannah et ses sœurs]
(Orion Pictures/Jack Rollins & Charles H. Joffe Productions)
Première : 14 mars 1986, 103 minutes
Réalisation & Scénario : Woody Allen
Image : Carlo Di Palma
Distribution : Woody Allen (Mickey), Barbara Hershey (Lee), Carrie Fisher (April), Mia Farrow (Hannah), Michael Caine (Elliot), Dianne Wiest (Holly), Maureen O'Sullivan (Norma), Daniel Stern (Dusty), Max von Sydow (Frederick), Lloyd Nolan (Evan)

Radio Days
(Orion Pictures)
Première : 30 janvier 1987, 88 minutes
Réalisation & Scénario : Woody Allen
Image : Carlo Di Palma
Distribution : Woody Allen (le narrateur), Mia Farrow (Sally White), Seth Green (Joe enfant), Julie Kavner (la mère), Michael Tucker (le père), Dianne Wiest (Tante Bea), Danny Aiello (Rocco), Jeff Daniels (Biff Baxter), Diane Keaton (la chanteuse du Nouvel An)

September
(Globo Video/MGM Home Entertainment/Orion Pictures/RCA–Columbia Pictures International Video)
Première : 18 décembre 1987, 82 minutes
Réalisation & Scénario : Woody Allen
Image : Carlo Di Palma
Distribution : Denholm Elliott (Howard), Mia Farrow (Lane), Elaine Stritch (Diane), Jack Warden (Lloyd), Sam Waterston (Peter), Dianne Wiest (Stephanie)

King Lear
(The Cannon Group/Golan-Globus Productions)
Première : 17 mai 1987 (Festival du Film de Cannes, France), 22 janvier 1988 (États-Unis), 90 minutes
Réalisation : Jean-Luc Godard
Scénario : Richard Debuisne, Jean-Luc Godard, Norman Mailer, Peter Sellars
Image : Sophie Maintigneux
Distribution : Woody Allen (Mr. Alien), Freddy Buache (le professeur Quentin), Leos Carax (Edgar), Julie Delpy (Virginia), Jean-Luc Godard (le professeur Pluggy), Burgess Meredith (Don Learo), Molly Ringwald (Cordelia)

Another Woman [Une Autre femme]
(Jack Rollins & Charles H. Joffe Productions)
Première : 18 novembre 1988, 81 minutes
Réalisation & Scénario : Woody Allen
Image : Sven Nykvist
Distribution : Gena Rowlands (Marion), Mia Farrow (Hope), Ian Holm (Ken), Blythe Danner (Lydia), Gene Hackman (Larry)

New York Stories
(film à sketches collectif de Francis Ford Coppola, Martin Scorsese, et Woody Allen)
(Touchstone Pictures)
Première : 10 mars 1989, 124 minutes
Sketch d'Allen : "Oedipus Wrecks"
Scénario : Woody Allen
Image : Speed Hopkins
Distribution : Woody Allen (Sheldon), Marvin Chatinover (le psychiatre), Mae Questel (la mère), Mia Farrow (Lisa), Molly Regan (la secrétaire de Sheldon)

Crimes and Misdemeanors [Crimes et Délits]
(Jack Rollins & Charles H. Joffe Productions)
Première : 13 octobre 1989, 104 minutes
Réalisation & Scénario : Woody Allen
Image : Sven Nykvist
Distribution : Woody Allen (Cliff Stern), Alan Alda (Lester), Claire Bloom (Miriam Rosenthal), Mia Farrow (Halley Reed), Anjelica Huston (Dolores Paley), Caroline Aaron (Barbara)

Alice
(Orion Pictures)
Première : 25 décembre 1990, 102 minutes
Réalisation & Scénario : Woody Allen
Image : Carlo Di Palma
Distribution : Mia Farrow (Alice), Joe Mantegna (Joe), William Hurt (Doug), Blythe Danner (Dorothy), Keye Luke (Dr. Yang)

Scenes from a Mall [Scènes de ménage dans un centre commercial]
(Touchstone Pictures/Silver Screen Partners)
Première : 22 février 1991, 89 minutes
Réalisation : Paul Mazursky
Scénario : Roger L. Simon, Paul Mazursky
Image : Fred Murphy
Distribution : Woody Allen (Nick Fifer), Bette Midler (Deborah Fifer), Bill Irwin (le mime), Daren Firestone (Sam), Rebecca Nickels (Jennifer), Paul Mazursky (Dr. Hans Clava)

Shadows and Fog [Ombres et Brouillard]
(Orion Pictures)
Première : 20 mars 1992, 85 minutes
Réalisation & Scénario : Woody Allen
Image : Carlo Di Palma
Distribution : Woody Allen (Kleinman), Kathy Bates (une prostituée), John Cusack (Jack l'étudiant), Mia Farrow (Irmy), Jodie Foster (une prostituée), Fred Gwynne (le disciple de Hacker), Julie Kavner (Alma), Madonna (Marie), John Malkovich (Paul le clown)

Husbands and Wives [Maris et femmes]
(TriStar Pictures)
Première : 18 septembre 1992, 108 minutes
Réalisation & Scénario : Woody Allen
Image : Carlo Di Palma

Distribution : Woody Allen (Gabe Roth), Judy Davis (Sally), Mia Farrow (Judy Roth), Juliette Lewis (Rain), Liam Neeson (Michael), Sydney Pollack (Jack)

Manhattan Murder Mystery [Meurtre mystérieux à Manhattan]
(TriStar Pictures)
Première : 18 août 1993, 104 minutes
Réalisation & Scénario : Woody Allen
Image : Carlo Di Palma
Distribution : Woody Allen (Larry Lipton), Diane Keaton (Carol Lipton), Alan Alda (Ted), Anjelica Huston (Marcia Fox), Jerry Adler (Paul Robert House), Lynn Cohen (Lillian Beale House)

Bullets Over Broadway [Coups de feu sur Broadway]
(Miramax/Sweetland Films/Magnolia Productions)
Première : 18 janvier 1995, 98 minutes
Réalisation : Woody Allen
Scénario : Woody Allen, Douglas McGrath
Image : Carlo Di Palma
Distribution : John Cusack (David Shayne), Dianne Wiest (Helen Sinclair), Jennifer Tilly (Olive Neal), Chazz Palminteri (Cheech), Mary-Louise Parker (Ellen), Jim Broadbent (Warner Purcell)

Mighty Aphrodite [Maudite Aphrodite]
(Sweetland Films/Magnolia Productions/Miramax)
Première : 11 janvier 1996, 95 minutes
Réalisation & Scénario : Woody Allen
Image : Carlo Di Palma
Distribution : Woody Allen (Lenny), Mira Sorvino (Linda Ash), Helena Bonham Carter (Amanda), Claire Bloom (la mère d'Amanda), Michael Rapaport (Kevin), F. Murray Abraham (le chef du chœur), Olympia Dukakis (Jocaste), David Ogden Stiers (Laïos), Jack Warden (Tirésias)

Everyone Says I Love You [Tout le monde dit I Love You]
(Miramax/Buena Vista Pictures/Magnolia Productions/ Sweetland Films)
Première : 3 janvier 1997, 101 minutes
Réalisation & Scénario : Woody Allen
Image : Carlo Di Palma
Distribution : Woody Allen (Joe), Edward Norton (Holden), Drew Barrymore (Skylar), Alan Alda (Bob), Natalie Portman (Laura), Lukas Haas (Scott), Julia Roberts (Von), Gaby Hoffmann (Lane), Goldie Hawn (Steffi)

Deconstructing Harry [Harry dans tous ses états]
(Sweetland Films/Jean Doumanian Productions)
Première : 12 décembre 1997, 96 minutes
Réalisation & Scénario : Woody Allen
Image : Carlo Di Palma
Distribution : Woody Allen (Harry Block), Robin Williams (Mel), Eric Lloyd (Hilly), Julia Louis-Dreyfus (Leslie), Elisabeth Shue (Fay), Stanley Tucci (Paul Epstein), Demi Moore (Helen)

The Impostors [Les Imposteurs]
(First Cold Piece/Fox Searchlight Pictures)
Première : 2 octobre 1998, 101 minutes
Réalisation & Scénario : Stanley Tucci
Image : Ken Kelsch
Distribution : Oliver Platt (Maurice), Stanley Tucci (Arthur), Billy Connolly (Mr. Sparks, le pro du tennis), Allison Janney (Maxine), Steve Buscemi (Happy Franks), Woody Allen (le directeur de casting)

Antz [Fourmiz]
(DreamWorks/Pacific Data Images/DreamWorks Animation)
Première : 2 octobre 1998, 83 minutes
Réalisation : Eric Darnell, Tim Johnson
Scénario : Todd Alcott, Chris Weitz, Paul Weitz
Image : Kendal Cronkhite
Distribution : Woody Allen (Z), Sylvester Stallone (Weaver), Jennifer Lopez (Azteca), Sharon Stone (Princesse Bala), Christopher Walken (Colonel Cutter), Dan Aykroyd (Chip)

Celebrity
(Sweetland Films/Magnolia Productions)
Première : 20 novembre 1998, 113 minutes
Réalisation & Scénario : Woody Allen
Image : Sven Nykvist
Distribution : Hank Azaria (David), Kenneth Branagh (Lee Simon), Judy Davis (Robin Simon), Winona Ryder (Nola), Leonardo DiCaprio (Brandon Darrow), Melanie Griffith (Nicole Oliver), Joe Mantegna (Tony Gardella), Charlize Theron (la top model)

Sweet and Lowdown [Accords et Désaccords]
(Sweetland Films/Magnolia Productions)
Première : 3 décembre 1999, 95 minutes
Réalisation & Scénario : Woody Allen
Image : Zhao Fei
Distribution : Sean Penn (Emmet Ray), Anthony LaPaglia (Al Torrio), Samantha Morton (Hattie), Uma Thurman (Blanche), Woody Allen dans son propre rôle

Small Time Crooks [Escrocs mais pas trop]
(DreamWorks/Sweetland Films)
Première : 19 mai 2000, 94 minutes
Réalisation & Scénario : Woody Allen
Image : Zhao Fei
Distribution : Woody Allen (Ray), Tony Darrow (Tommy), Tracey Ullman (Frenchy), Hugh Grant (David), George Grizzard (George Blint), Elaine May (May Sloane)

Picking Up the Pieces [Morceaux choisis]
(Comala Films Productions/Kushner-Locke Company/ Ostensible Productions)
Première diffusion télé : 26 mai 2000, 95 minutes
Réalisation : Alfonso Arau
Scénario : Bill Wilson
Image : Vittorio Storaro
Distribution : Woody Allen (Tex Cowley), Sharon Stone (Candy Cowley), Maria Grazia Cucinotta (Desi), Cheech Marin (Maire Machado), David Schwimmer (Père Léo), Kiefer Sutherland (Shérif Bobo)

Company Man
(Film Foundry Partners/GreeneStreet Films/Intermedia Films/SKE Films/Union Générale Cinématographique/ Wild Dancer Productions)
Première : 3 mai 2000 (France), 9 mars 2001 (États-Unis), 95 minutes
Réalisation & Scénario : Peter Askin, Douglas McGrath
Image : Russell Boyd
Distribution : Alan Cumming (le Général Batista), Anthony LaPaglia (Fidel Castro), Denis Leary (Officier Fry), Douglas McGrath (Alan Quimp), John Turturro (Crocker Johnson), Sigourney Weaver (Daisy Quimp), Woody Allen (Lowther)

The Curse of the Jade Scorpion [Le Sortilège du scorpion de jade]
(DreamWorks/Perdido Productions)
Première : 24 août 2001, 103 minutes
Réalisation & Scénario : Woody Allen
Image : Zhao Fei
Distribution : Woody Allen (C. W. Briggs), Dan Aykroyd (Chris Magruder), Helen Hunt (Betty Ann Fitzgerald), Charlize Theron (Laura Kensington), David Ogden Stiers (Voltan)

Hollywood Ending
(DreamWorks/Gravier Productions/Perdido Productions)
Première : 3 mai 2002, 112 minutes
Réalisation & Scénario : Woody Allen
Image : Wedigo Von Schultzendorff
Distribution : Woody Allen (Val), George Hamilton (Ed), Téa Leoni (Ellie), Debra Messing (Lori), Mark Rydell (Al), Tiffani Thiessen (Sharon Bates), Treat Williams (Hal)

Anything Else [Anything Else : La Vie et tout le reste]
(DreamWorks/Gravier Productions/Canal+/Granada Film Productions/Perdido Productions)
Première : 19 septembre 2003, 108 minutes
Réalisation & Scénario : Woody Allen
Image : Darius Khondji
Distribution : Woody Allen (David Dobel), Jason Biggs

(Jerry Falk), Christina Ricci (Amanda Chase), Stockard Channing (Paula Chase), Danny DeVito (Harvey Wexler), Jimmy Fallon (Bob)

Melinda and Melinda [Melinda et Melinda]
(Fox Searchlight Pictures/Gravier Productions/LF Hungary Film Rights Exploitation/Perdido Productions)
Première : 17 septembre 2004 (Festival du Film de San Sebastián, Espagne), 18 mars 2005 (États-Unis), 99 minutes
Réalisation & Scénario : Woody Allen
Image : Vilmos Zsigmond
Distribution : Chiwetel Ejiofor (Ellis Moonsong), Will Ferrell (Hobie), Jonny Lee Miller (Lee), Radha Mitchell (Melinda Robicheaux), Amanda Peet (Susan), Chloë Sevigny (Laurel), Wallace Shawn (Sy)

Match Point
(BBC Films/Thema Production/Jada Productions/Kudu Films)
Première : 28 décembre 2005, 124 minutes
Réalisation & Scénario : Woody Allen
Image : Remi Adefarasin
Distribution : Brian Cox (Alec Hewett), Matthew Goode (Tom Hewett), Scarlett Johansson (Nola Rice), Emily Mortimer (Chloe Hewett Wilton), Jonathan Rhys Meyers (Chris Wilton), Penelope Wilton (Eleanor Hewett)

Scoop
(BBC Films/Ingenious Film Partners/Phoenix Wiley/Jelly Roll Productions)
Première : 28 juillet 2006, 96 minutes
Réalisation & Scénario : Woody Allen
Image : Remi Adefarasin
Distribution : Woody Allen (Sid Waterman), Hugh Jackman (Peter Lyman), Scarlett Johansson (Sondra Pransky), Ian McShane (Joe Strombel), Charles Dance (Mr. Malcom)

Cassandra's Dream [Le Rêve de Cassandre]
(Iberville Productions/Virtual Studios/Wild Bunch)
Première : 18 juin 2007 (Espagne), 18 janvier 2008 (États-Unis), 108 minutes
Réalisation & Scénario : Woody Allen
Image : Vilmos Zsigmond
Distribution : Ewan McGregor (Ian), Colin Farrell (Terry), Tom Wilkinson (Howard), Sally Hawkins (Kate), Hayley Atwell (Angela)

Vicky Cristina Barcelona
(The Weinstein Company/Mediapro/Gravier Productions)
Première : 15 août 2008, 96 minutes
Réalisation & Scénario : Woody Allen
Image : Javier Aguirresarobe
Distribution : Rebecca Hall (Vicky), Scarlett Johansson (Cristina), Javier Bardem (Juan Antonio), Penélope Cruz (Maria Elena), Patricia Clarkson (Judy), Kevin Dunn (Mark), Chris Messina (Doug)

Whatever Works
(Sony Pictures Classics/Wild Bunch/Gravier Productions/Perdido Productions)
Première : 19 juin 2009, 92 minutes
Réalisation & Scénario : Woody Allen
Image : Harris Savides
Distribution : Ed Begley, Jr. (John), Patricia Clarkson (Marietta), Larry David (Boris), Conleth Hill (Brockman), Michael McKean (l'ami de Boris), Evan Rachel Wood (Melody)

You Will Meet a Tall Dark Stranger [Vous allez rencontrer un bel et sombre inconnu]
(Mediapro/Versátil Cinema/Gravier Productions/Dippermouth Productions/Antena 3 Films)
Première : 23 septembre 2010, 98 minutes
Réalisation & Scénario : Woody Allen
Image : Vilmos Zsigmond
Distribution : Antonio Banderas (Greg), Josh Brolin (Roy), Anthony Hopkins (Alfie), Gemma Jones (Helena), Freida Pinto (Dia), Lucy Punch (Charmaine), Naomi Watts (Sally)

Midnight in Paris [Minuit à Paris]
(Gravier Productions/Mediapro/Pontchartrain Productions/Televisió de Catalunya/Versátil Cinema)
Première : 10 juin 2011, 94 minutes
Réalisation & Scénario : Woody Allen
Image : Darius Khondji
Distribution : Kathy Bates (Gertrude Stein), Adrien Brody (Salvador Dalí), Carla Bruni (la guide du musée), Marion Cotillard (Adriana), Rachel McAdams (Inez), Michael Sheen (Paul), Owen Wilson (Gil)

To Rome with Love
(Medusa Film/Gravier Productions/Perdido Productions/Mediapro)
Première : 6 juillet 2012, 112 minutes
Réalisation & Scénario : Woody Allen
Image : Darius Khondji
Distribution : Woody Allen (Jerry), Alec Baldwin (John), Roberto Benigni (Leopoldo), Penélope Cruz (Anna), Judy Davis (Phyllis), Jesse Eisenberg (Jack), Greta Gerwig (Sally), Ellen Page (Monica)

Paris-Manhattan
(Vendôme Production/France 2 Cinéma/SND)
Première : 2 avril 2012 (Alliance Française French Film Festival, Australie), 77 minutes
Réalisation & Scénario : Sophie Lellouche
Image : Laurent Machuel
Distribution : Alice Taglioni (Alice), Patrick Bruel (Victor), Marine Delterme (Helen), Yannick Soulier (Vincent), Woody Allen dans son propre rôle

Blue Jasmine
(Gravier Productions/Perdido Productions)
Première : 2 août 2013, 98 minutes
Réalisation & Scénario : Woody Allen
Image : Javier Aguirresarobe
Distribution : Cate Blanchett (Jasmine), Alec Baldwin (Hal), Louis C.K. (Al), Bobby Cannavale (Chili), Andrew Dice Clay (Augie), Sally Hawkins (Ginger), Peter Sarsgaard (Dwight), Michael Stuhlbarg (Dr. Flicker)

Fading Gigolo [Apprenti Gigolo]
(Antidote Films)
Première : 7 septembre 2013 (Toronto International Film Festival, Canada), 18 avril 2014 (États-Unis), 90 minutes
Réalisation & Scénario : John Turturro
Image : Marco Pontecorvo
Distribution : Woody Allen (Murray), John Turturro (Fioravante), Vanessa Paradis (Avigal), Liev Schreiber (Dovi), Sharon Stone (Dr. Parker), Sofia Vergara (Selima)

Magic in the Moonlight
(Dippermouth Productions/Gravier Productions/Perdido Productions/Ske-Dat-De-Dat Productions)
Première : 15 août 2014, 97 minutes
Réalisation & Scénario : Woody Allen
Image : Darius Khondji
Distribution : Colin Firth (Stanley), Emma Stone (Sophie), Hamish Linklater (Brice Catledge), Marcia Gay Harden (Mrs. Baker), Jacki Weaver (Grace Catledge), Erica Leerhsen (Caroline), Eileen Atkins (Tante Vanessa), Simon McBurney (Howard Burkan)

Irrational Man
(Annapurna Pictures/Gravier Productions/Perdido Productions)
Première : 24 juillet 2015
Réalisation & Scénario : Woody Allen
Image : Darius Khondji
Distribution : Joaquin Phoenix, Emma Stone, Parker Posey, Jamie Blackley

TÉLÉVISION

The Ed Sullivan Show (CBS/Sullivan Productions)
Membre de l'équipe scénaristique, 1954

The Colgate Comedy Hour (Colgate-Palmolive Peet/NBC)
Membre de l'équipe scénaristique, 1955

Stanley (Max Liebman Productions)
Première diffusion : 24 septembre 1956
Membre de l'équipe scénaristique

The Sid Caesar Show (NBC)
Première diffusion : 2 novembre 1958. Coscénariste

At the Movies (NBC)
Première diffusion : 3 mai 1959. Coscénariste

Hooray for Love (CBS)
Première diffusion : 2 octobre 1960. Coscénariste

Candid Camera
(Allen Funt Productions/Bob Banner Associates)
Membre de l'équipe scénaristique et comédien, 1960-1967

The Garry Moore Show, épisode #4.3 (CBS)
Première diffusion : 10 octobre 1961
Membre de l'équipe scénaristique

The Laughmakers (ABC)
Pilote tourné en 1962, mais non diffusé. Scénariste

The Sid Caesar Show (ABC)
Première diffusion : 3 octobre 1963
Coscénariste et comédien

The Woody Allen Show (Granada Television)
Première diffusion : 10 février 1965 (Royaume-Uni)
Scénariste et comédien

Gene Kelly in New York, New York (NBC)
Première diffusion : 14 février 1966
Coscénariste et comédien

The World : Color It Happy (Hanna-Barbera)
Pilote tourné en 1967, mais non diffusé
Membre de l'équipe scénaristique et comédien

The Kraft Music Hall : Woody Allen Looks at 1967
(Bob Banner Associates/Yorkshire Productions)
Première diffusion : 27 décembre 1967
Membre de l'équipe scénaristique et comédien

The Kraft Music Hall : The Woody Allen Special (CBS)
Première diffusion : 21 septembre 1969
Scénariste et comédien

Hot Dog
(Lee Mendelson-Frank Buxton Joint Film Productions)
Première diffusion : 12 septembre 1970. Co-présentateur

Men of Crisis : The Harvey Wallinger Story (WNET)
Emission spéciale tournée en 1971, mais non diffusée
Scénariste, réalisateur et comédien

Don't Drink the Water [Nuits de Chine] (téléfilm)
(Jean Doumanian Productions/Magnolia Productions/
Sweetland Films)
Première diffusion : 18 décembre 1994
Scénariste, réalisateur et comédien

Une aspirine pour deux (France 2)
Première diffusion : 1er août 1995 (France). Scénariste

The Sunshine Boys (Hallmark Entertainment/
Metropolitan Productions/RHI Entertainment)
Première diffusion : 28 décembre 1997. Comédien

Le Chagrin et la Pitié (Télévision Rencontre/
Norddeutscher Rundfunk/Télévision Suisse-Romande)
Première diffusion : 18 septembre 1969 (RFA).
Réédition : 7 juillet 2000 (États-Unis)
Présentateur de la réédition de 2000

Sounds from a Town I Love (Court-métrage
documentaire pour The Concert for New York City)
Première diffusion : 20 octobre 2001
Scénariste et réalisateur

Barcelona, la Rosa de Foc (Mediapro)
Première diffusion : 8 septembre 2014 (Espagne)
Narrateur de la version anglaise

THÉÂTRE

From A to Z
Spectacle de music-hall comprenant des sketches de
Woody Allen
Première : 20 avril 1960 (Plymouth Theatre, New York City)

Don't Drink the Water
Première : 17 novembre 1966 (Morosco Theatre, New
York City)

Play It Again, Sam [Une Aspirine pour deux]
Première : 12 février 1969 (Broadhurst Theatre, New
York City)

The Floating Light Bulb [L'Ampoule magique]
Première : 27 avril 1981 (Vivian Beaumont Theatre,
Lincoln Center, New York City)

Death Defying Acts
Anthologie de courtes pièces écrites par David Mamet
("An Interview"), Elaine May ("Hotline"), et Woody
Allen ("Central Park West")
Première : 6 mars 1995 (Atlantic Theater Company,
New York City)

Writer's Block
Deux pièces en un acte : "Riverside Drive" et "Old
Saybrook"
Première : 15 mai 2003 (Atlantic Theater Company,
New York City)

A Second Hand Memory
Première : 22 novembre 2004 (Atlantic Theater
Company, New York City)

Relatively Speaking
Anthologie de courtes pièces écrites par Ethan Coen
("Talking Cure"), Elaine May ("George Is Dead"), et
Woody Allen ("Honeymoon Motel")
Première : 20 octobre 2011 (Brooks Atkinson Theatre,
New York City)

Bullets Over Broadway : The Musical
Première : 10 avril 2014 (St. James Theatre, New York City)

LIVRES

Getting Even [Pour en finir une bonne fois pour toutes
avec la culture, Ed. Solar, 1979. Trad. Michel Lebrun]
New York : Random House, 1971

Without Feathers [Dieu, Shakespeare et moi, Ed. Solar,
1975. Trad. Michel Lebrun]
New York : Random House, 1975

Side Effects [Destins Tordus, Ed. R. Laffont, 1981. Trad.
Michel Lebrun]
New York : Random House, 1980

**Three One-Act Plays : Riverside Drive, Old Saybrook,
Central Park West** [Adultères : trois pièces en un acte,
Ed. 10-18, 2005. Trad. Jean-Pierre Richard]
New York : Random House, 2004

Mere Anarchy [L'Erreur est humaine, Ed. Flammarion,
2007. Trad. Nicolas Richard]
New York : Random House, 2007

« Toute ma vie, j'ai dit aux gens qu'il n'y a pas de grande ressemblance entre mon personnage à l'écran et moi dans la vie, mais pour une raison ou pour une autre, ils ne veulent rien savoir. Et je crois même que cela les empêche de profiter du film. Ils m'écoutent, approuvent d'un sage hochement de tête mais refusent d'y croire. »

Portrait par Jennifer S. Altman, 2011

Bibliographie sélective

LIVRES

Allen, Woody. *The Insanity Defense: The Complete Prose.* New York: Random House, 2007.
Bach, Steven. *Final Cut: Art, Money, and Ego in the Making of Heaven's Gate, the Film that Sank United Artists.* New York: William Morrow, 1985.
Bailey, Peter J. *The Reluctant Film Art of Woody Allen.* Lexington, KY: University Press of Kentucky, 2001.
Bailey, Peter J., and Sam B. Girgus, eds. *A Companion to Woody Allen.* Chichester, West Sussex: Wiley-Blackwell, 2013.
Baxter, John. *Woody Allen: A Biography.* London: Harper Collins, 1998.
Benayoun, Robert. *Woody Allen: Beyond Words.* London: Pavilion, 1986.
Berger, Phil. *The Last Laugh: The World of Stand-up Comics.* New York: Cooper Square Press, 2000.
Björkman, Stig. *Woody Allen on Woody Allen.* New York: Grove Press, 1993 (revised 2005).
Brode, Douglas. *The Films of Woody Allen.* New York: Citadel, 1991.
Caine, Michael. *What's It All About?* London: Century, 1992.
De Navacelle, Thierry. *Woody Allen on Location.* New York: William Morrow, 1987.
Epstein, Lawrence J. *The Haunted Smile: The Story of Jewish Comedians.* Oxford: PublicAffairs, 2002.
Farrow, Mia. *What Falls Away: A Memoir.* New York: Doubleday, 1997.
Fox, Julian. *Woody: Movies from Manhattan.* London: Batsford, 1996.
Hirsch, Foster. *Love, Sex, Death, and the Meaning of Life: The Films of Woody Allen.* Cambridge, MA: Da Capo Press, 2001.
Kael, Pauline. *The Age of Movies: Selected Writings of Pauline Kael.* Edited by Sanford Schwartz. New York: Library of America, 2011.
Kapsis, Robert E., and Kathie Coblentz, eds. *Woody Allen: Interviews.* Jackson, MS: University Press of Mississippi, 2006.
Keaton, Diane. *Then Again: A Memoir.* New York: Random House, 2012.
Lax, Eric. *On Being Funny: Woody Allen and Comedy.* New York: Charterhouse, 1975
Lax, Eric. *Woody Allen: A Biography.* New York: Alfred A. Knopf, 1991.
Lax, Eric. *Conversations with Woody Allen.* New York: Alfred A. Knopf, 2007.
Lee, Sander H. *Anguish, God and Existentialism: Eighteen Woody Allen Films Analyzed.* Jefferson, NC: McFarland, 2002.
Meade, Marion. *The Unruly Life of Woody Allen.* London: Phoenix, 2001.
Rosenblum, Ralph., and Robert Karen. *When the Shooting Stops...the Cutting Begins: A Film Editor's Story.* New York: Viking, 1979.
Schickel, Richard. *Woody Allen: A Life in Film.* Chicago: Ivan R. Dee, 2003.
Sikov, Ed. *Mr. Strangelove: A Biography of Peter Sellers.* New York: Hyperion, 2002.
Silet, Charles L. P., ed. *The Films of Woody Allen: Critical Essays.* Lanham, MD: Scarecrow Press, 2006.
Wolcott, James. *Critical Mass: Four Decades of Essays, Reviews, Hand Grenades, and Hurrahs.* New York: Knopf Doubleday, 2013.

REPORTAGES ET INTERVIEWS

Abrams, Simon. "Simply Do It: Talking with Woody Allen about Directorial Style." rogerebert.com, 24 juillet 2014.
Allen, Woody. "Woody Allen's Diary." *Guardian*, 12 janvier 2009.
Andrew, Geoff. "Woody Allen: *Guardian* Interviews at the BFI." *Guardian*, 27 septembre 2001.
Barrett, Chris. "Jeff Daniels Talks about His Role in *The Purple Rose of Cairo*." vidéo YouTube, 2:19. Posté 31 mars 2009. www.youtube.com/watch?v=NYVLHMZIftw
Billen, Andrew. Interview. *Observer*, 16 avril 1995.
Blair, Iain. "Deconstructing Woody: The Director Considers Life, Art and Celebrity." http://dailytelegiraffe.tripod.com/celebritywoodyinterview.html
Blanchett, Cate. "In Conversation: Cate Blanchett Meets Woody Allen." *Harper's Bazaar*, décembre 2013.
Brooks, Richard. Interview. *Observer*, 23 août 1992.
Cadwalladr, Carole. "Woody Allen: 'My Wife Hasn't Seen Most of My Films...and She Thinks My Clarinet Playing Is Torture.'" *Observer*, 13 mars 2011.
Calhoun, Dave. "Woody Allen: 'Making Films Is Not Difficult.'" *Time Out*, 16 septembre 2013.
Calhoun, Dave. "Woody Allen: 'I Was Happy Until I Was Five.'" *Time Out*, 8 septembre 2014.
Clark, John. "Citizen Woody." *Los Angeles Times*, 1er décembre 1996.
Cooney Carrillo, Jenny. "Allen, Woody: *Sweet and Lowdown*." urbancinefile.com, 13 juillet 2000.
Cox, David. "Just Don't Ask Woody Allen What's Good about *Vicky Cristina Barcelona*." *Guardian*, 9 février 2009.
Didion, Joan. "Letter from Manhattan." *New York Review of Books*, 16 août 1979.
Dowd, Maureen. "The Five Women of *Hannah and Her Sisters*." *New York Times*, 2 février 1986.
Dowd, Maureen. "Diane and Woody, Still a Fun Couple." *New York Times*, 15 août 1993.
Ebert, Roger. "Woody Allen and *The Purple Rose of Cairo*." *Chicago Sun-Times*, 10 mars 1985.
Ebert, Roger. "Great Movies: *Annie Hall*." *Chicago Sun-Times*, 12 mai 2002.
Foundas, Scott. Interview. blogs.villagevoice.com, 12 août 2008.
Foundas, Scott. "Woody Allen on *Whatever Works*, the Meaning of Life (or Lack Thereof), and the Allure of Younger Women." blogs.villagevoice.com, 18 juin 2009.
Foundas, Scott. "A Meeting of Minds." *DGA Quarterly*, automne 2010.
Foundas, Scott. Interview. *Los Angeles Weekly*, May 19 mai 2011.
Franks, Alan. Interview. *Times*, 15 février 1997.
Fussman, Cal. "Woody Allen: What I've Learned." *Esquire*, septembre 2013.
Germain, David. "DreamWorks Signs Woody Allen." *Associated Press*, 17 mai 2000.
Goldstein, Patrick. "What's the Buzz on Woody?" *Los Angeles Times*, 21 mai 2000.
Gould, Mark R. "Woody Allen's *Manhattan* Tells Us Why Life Is Worth Living." atyourlibrary.org
Greenfield, Robert. "Seven Interviews with Woody Allen." *Rolling Stone*, 30 septembre 1971.
Gussow, Mel. "*Annie Hall*: Woody Allen Fights Anhedonia." *New York Times*, 20 avril 1977.
Hillis, Aaron. "Woody Allen on *Cassandra's Dream*." 21 janvier 2008.
Hiscock, John. Interview. *Telegraph*, 29 septembre 2009.
Hiscock, John. "Woody Allen: 'At Last, I'm a Foreign Filmmaker.'" *Telegraph*, 14 septembre 2012.
Husband, Stuart. "Woody Allen: 'I've Spent My Whole Life under a Cloud.'" *Telegraph*, 24 septembre 2013.
Itzkoff, Dave. "Annie and Her Sisters." *New York Times*, 17 juillet 2013.
Itzkoff, Dave. "A Master of Illusion Endures." *New York Times*, 16 juillet 2014.
Jagernauth, Kevin. "Scarlett Johansson Says She's Waiting for Woody Allen to Write Her *Citizen Kane*." blogs.indiewire.com, 1er novembre 2011.
James, Caryn. "Auteur! Auteur!" *New York Times Magazine*, 19 janvier 1986.
Jeffreys, Daniel. Interview. *Independent*, 24 octobre 1996.
Jones, Kent. "Woody Allen: The *Film Comment* Interview (Expanded Version)." filmcomment.com, mai/juin 2011.
Kakutani, Michiko. "Woody Allen: The Art of Humor." *Paris Review*, automne 1995.
Kilday, Gregg. "Woody Allen Reveals How He Conjured Up His Biggest Hit, *Midnight in Paris*." *Hollywood Reporter*, 7 janvier 2012.
Lacey, Liam. "At Seventy-Six, Woody Allen Shows No Signs of Slowing Down." *Globe and Mail*, 3 juillet 2012.
Lahr, John. "The Imperfectionist." *New Yorker*, 9 décembre 1996.
Lax, Eric. "For Woody Allen, Sixty Days Hath *September*." *New York Times*, 6 décembre 1987.
Lax, Eric. "Woody and Mia: A New York Story." *New York Times*, 24 février 1991.
Longworth, Karina. "Woody Allen on His New Film, *To Rome with Love*, and Some Very Old Themes." *Los Angeles Weekly*, 21 juin 2012.
Lucia, Cynthia. "Contemplating Status and Morality in *Cassandra's Dream*: An Interview with Woody Allen." *Cineaste*, hiver 2007/printemps 2008.
MacNab, Geoffrey. "Why *Cassandra's Dream* Is Turning Out to Be Woody Allen's Nightmare." *Independent*, 1er décembre 2014.
Maslin, Janet. "How the Graphic Art Feats in *Zelig* Were Done." *New York Times*, 1er août 1983.
McGrath, Douglas. "If You Knew Woody Like I Knew Woody." *New York Magazine*, 17 octobre 1994.
Miller, Prairie. "*Sweet and Lowdown*: Woody Allen Interview." http://www.woodyallen.art.pl/eng/wywiad_eng_11.php

Remerciements

Mitchell, Sean. "Funny Isn't Good Enough: Woody Allen's Got Another Movie Coming Out, But There Are a Few Other Things on His Mind." *Los Angeles Times*, 15 mars 1992.
Mottram, James. "'I Really Don't Care': After That Twitter Scandal, Actor Alec Baldwin Discusses Fatherhood, Working with Woody Allen and Being in the Public Eye." *Independent*, 22 juillet 2013.
Murray, Rebecca. *Vicky Cristina Barcelona* press conference: "Filmmaker Woody Allen Discusses *Vicky Cristina Barcelona*." movies.about.com, 2008.
Nesteroff, Kliph. "The Early Woody Allen 1952–1971." blog.wfmu.org, 14 février 2010.
Pond, Steve. "How Cate Blanchett Got Ready to Play a Boozer in Woody Allen's *Blue Jasmine*." *The Wrap*, 26 juillet 2013.
Prunner, Vifill. "Mariel Hemingway—*Manhattan*: The Birth of a Legend." thenewcinemamagazine.com, 21 avril 2010.
Radish, Christina. "Woody Allen Talks *To Rome with Love*, the Importance of Music in His Films, How He Feels about Improvisation, and His Outlook on Retirement." collider.com, 20 juin 2012.
Rhys, Tim. "Made in Manhattan." *MovieMaker*, printemps 2004.
Romney, Jonathan. "Scuzzballs Like Us." *Sight & Sound*, avril 1998.
Ross, Scott. "The Night Woody Allen and Billy Graham Argued the Meaning of Life." nbcarea.com, 30 mai 2012.
Rottenberg, Josh. "Woody Allen on His Prolific Career." *Entertainment Weekly*, 16 décembre 2005.
Shoard, Catherine. "Woody Allen on *Blue Jasmine*: 'You See Tantrums in Adults All the Time.'" *Guardian*, 26 septembre 2013.
Smithey, Cole. "Woody Allen Discusses *Melinda and Melinda*." filmcritic1963.typepad.com, 7 mai 2005.
Szklarski, Stephen J. "Carlo Di Palma: An Interview." *Independent Film Quarterly*, automne 2001.
Taylor, Juliet. Interview. *Observer*, 21 mai 2000.
Verdiani, Gilles. "Woody Allen, C'est Moi." http://dailytelegiraffe.tripod.com/celebrityinterviewfrenchpremiere.html
Wolfe, Tom. "The 'Me' Decade and the Third Great Awakening." *New York Magazine*, 23 août 1976.
Zuber, Helene. "*Spiegel* Interview with Woody Allen: 'Nothing Pleases Me More than Being Thought of as a European Filmmaker.'" *Der Spiegel*, 20 juin 2005.
"Capone Interviews Woody Allen about *Cassandra's Dream*." aintitcool.com, January 20, 2008.
"Comedians: His Own Boswell." *Time*, 15 février 1963.
"Scoop: Q & A with Woody Allen." http://cinema.com/articles/4167/scoop-q-and-a-with-woody-allen.phtml

SITES INTERNET

everywoodyallenmovie.com
woodyallenwednesday.com

DOCUMENTAIRES

Kopple, Barbara. *Wild Man Blues*, 1997.
Weide, Robert B. *Woody Allen: A Documentary*, 2012.

CRÉDITS PHOTOGRAPHIQUES

Malgré tous les efforts pour retrouver et contacter le détenteur du copyright de chaque image ou document, l'éditeur présente ses excuses pour toute erreur ou omission involontaire, qui sera corrigée dans les éditions suivantes de cet ouvrage.

H : haut; B : bas; G : gauche; D : droite; C: centre

Getty Images: 2–3 (Nicholas Moore/Contour by Getty); 7, 288 (Arthur Schatz/The LIFE Premium Collection); 19 (Grey Villet/The LIFE Picture Collection); 26 (John Minihan/*Evening Standard*); 28 (Philippe Le Tellier); 30 (United Artists/AFP); 31 (American International Pictures); 33 (Columbia Pictures/Terry O'Neill); 69, 71, 73–74 (United Artists/Ernst Haas); 77, 78, 80–81, 94–95, 97–103, 108 B, 109 (United Artists/Brian Hamill); 87, 92–93, 230–231 (Brian Hamill); 117 (Hulton Archive); 123, 141, 158–159, 170 (Orion/Brian Hamill); 178, 182 (TriStar/Brian Hamill); 179 (Rose Hartman); 188, 191, 194–195 (Miramax/Brian Hamill); 211 (Hubert Fanthomme/*Paris Match*); 228–229 (Fox Searchlight/Brian Hamill); 257 (Miguel Medina/AFP); 258 (Bertrand Langlois/AFP); 285 (Jennifer S. Altman/Contour by Getty); **The Kobal Collection:** 12 HG, 12 HC, 46, 49, 57, 58 B, 59–61, 63, 65–67, 83, 91, 106–107(Rollins-Joffe/United Artists); 12 BG, 13 HD, 124–125, 127, 130–131, 144 H, 149 B, 150–151, 160, 162, 168 (Orion/Rollins-Joffe/Brian Hamill); 12–13 B, 180–181 (TriStar/Rollins-Joffe); 13 BD (Gravier Prods./Perdido Prods.); 39–40 (ABC/Rollins-Joffe/Cinerama); 118–119 (Orion/Warner Bros./Kerry Hayes); 152 (Orion); 164 (Orion/Brian Hamill); 176 (TriStar/Brian Hamill); 183 B (TriStar/Rollins-Joffe/Brian Hamill); 197 (Magnolia/Sweetland/Doumanian Prods./Brian Hamill); 198, 212 (Magnolia/Sweetland/Doumanian Prods.); 206 (Sweetland/Doumanian Prods./John Clifford); 226 (DreamWorks/Gravier Prods./Brian Hamill); 233–234, 236–237 (Jada Prods./BBC Films/DreamWorks/Clive Coote); 238 (BBC Films/Focus Features); 241 (Perdido Prods./Wild Bunch); 242–244, 246 (Weinstein Co./Mediapro/Gravier Prods.); 250, 254–255, 256 H, 258–259 (Gravier Prods.); 264–269 (Gravier Prods./Perdido Prods.); 271 (Dippermouth/Gravier Prods./Perdido Prods.); 275 B (Zuzu/Antidote Films); **The Ronald Grant Archive:** 12 BD (TriStar); 166–167 (Orion); 217 (Sony Pictures); **Rex:** 12–13 H, 138–139, 147 (Orion/Everett Collection); 13 BG (Miramax/Everett Collection); 34–35 (ABC/Cinerama/Everett Collection); 53 B (Paramount/Everett Collection); 58 H, 70 (United Artists/Everett Collection); 75 (United Artists/Sipa Press); 136, 154, 165 (Orion/Moviestore Collection); 161 (Orion/Snap Stills); 176–177 (TriStar/Snap Stills); 196 (Magnolia/Sweetland/Sipa Press); 208 (Alex Oliveira); 214, 215 H, 253 H, 270 (Sony Pictures/Everett Collection); 218, 220 B, 221 (DreamWorks/Everett Collection); 238–239 (Focus Features/Everett Collection); 240, 245 B (Weinstein/Everett Collection); 253 B (Sony Pictures/Snap Stills); **Photofest:** 13 HG, 114–115, 118, 121, 126, 128–129, 132–135, 139–140, 142–143, 144 B, 145, 149 H, 150, 153, 155–156, 163, 169, 171–173 (Orion); 18 G, 20, 25 (© NBC); 38 (Cinerama Releasing Corporation); 48, 68, 72, 79, 82, 84, 88–90, 96 (United Artists); 52 (Paramount); 174–175, 190, 192–193, 199, 202, 203 B (Miramax); 207 (Fine Line Features); 213, 216 H, 256 B (Sony Pictures Classics); 220 H, 223 B, 235 (DreamWorks); 245 H (The Weinstein Company); 275 H (Buena Vista); **GlobePhotos:** 14; 64 (United Artists); **akg-images:** 17; 105 (Manuel Bidermanas); 108 H (United Artists/Album); **Corbis:** 11, 187 (Michael O'Neill/Corbis Outline); 18 D (Bettmann); 32 (Columbia/Sunset Boulevard); 36 (Morton Beebe); 37 (ABC/Cinerama/Sunset Boulevard); 56 (United Artists/Steve Schapiro); 110–111 (United Artists/Sunset Boulevard); 120 H (Orion/Warner Bros./Sunset Boulevard); 120 B (Orion/Warner Bros./Bettmann); 208–209 (Miramax/Sunset Boulevard); 224–225 (Arnault Joubin/Corbis Outline); 272 (AKM-GSI/Splash News); 274 (Columbia/Steve Schapiro); 279 (Andrew Schwartz/Corbis Outline); **WA archive:** 17, 21; **© Rowland Scherman:** 22–23; **Image Courtesy of the Advertising Archives:** 24; **mptvimages.com:** 29, 62 (United Artists); 51 (Paramount); 183 H (TriStar); **Photoshot:** 41 (Cinerama); 47 (United Artists); 113 (Orion); 185 (TriStar); 55 (Paramount); 205 H (DreamWorks); 210 (Miramax); 215 B, 273 (Sony Pictures); 223 H (DreamWorks); **Magnum Photos:** 43 (Philippe Halsman); **TopFoto:** 44; **© Dennis Brack:** 50; **Alamy:** 53 H (Paramount/AF archive); 148 (Orion/AF Archive); 184 (TriStar/Pictorial Press Ltd); 216 B (Sony Pictures/Pictorial Press Ltd.); 219 (DreamWorks); 260 (Gravier Prods./Medusa Film/AF Archive); **© AP/PA Images:** 85; 261 B (Pier Paolo Cito); 276–277 (Carlo Allegri); **Camera Press Londres:** 146 (Orion/DDP); 204 (Miramax/DDP); 205 B (DreamWorks/DDP); 232 (Jane Hodson); 248–249 (Starlitepics); **Mary Evans Picture Library:** 157 (Orion/Rue des Archives); **eyevine:** 200–201, 203 H (Graziano Arici); **ACE Pictures:** 227, 251; **© Walter McBride Photography:** 247; **Photo by Philippe Antonello:** 261 H, 262–263 (Medusa Film).

REMERCIEMENTS DE L'ÉDITEUR

Palazzo Editions remercient Chloe Pew Latter pour la filmographie et Matthew Coniam pour les citations.

Page suivante : Portrait par Arthur Schatz, 1967.

« Personnellement, je ne m'intéresse en rien à « l'héritage », parce que je crois dur comme fer qu'à votre mort, donner votre nom à une rue n'améliore en rien votre métabolisme. J'ai vu ce qui était arrivé à Rembrandt et Platon et tous ces gens très bien. Pas grand-chose. »